OBRA BREVE/1

Pérez-Reverte

ALFAGUARA

ALFAGUARA

Torrelaguna, 60. 28043 Madrid
Teléfono 91 744 90 60
Telefax 91 744 92 24
www. alfaguara.com

ISBN:84-204-8179-3
Depósito legal: M. 15.685-2005
Impreso en España - Printed in Spain

PRIMERA EDICIÓN: MAYO 1995
DÉCIMA EDICIÓN: ABRIL 2005

Índice

Leer es una aventura

Habrá que pasar sobre la expresión lo más rápidamente posible, pues esto de *Obra breve* tampoco tiene demasiado sentido si nos salimos de lo meramente cuantitativo, pues en literatura todas las cantidades son *discretas*, esto es, que no se pueden mezclar. Citar a Gracián —aquello de «lo bueno si breve dos veces...»— es ya una vulgaridad, y además, en estos tiempos de vertiginosas acumulaciones de capitales ya no resulta del todo verdad, pues lo que nuestra nueva fe nos dicta hoy es que las cosas, si buenas, mejor es que sean grandes, largas, voluminosas, que duren todo lo posible, pues después Dios dirá y ya veremos lo que pasa, que todo sube y baja sin parar y no hay seguro ya para nada, pues hasta la Seguridad Social y sus pensiones están cada vez más amenazadas de radicales curas de adelgazamiento convenientemente reprivatizadas. Vivimos el equilibrio del desequilibrio permanente, y el que venga después que arree: lo bueno, cuanto mejor, mayor y santas pascuas.

Pero hay un terreno en el que todo esto se tambalea de manera irremediable, el del arte en general y el de la literatura en particular, que es donde a partir de ahora vamos a movernos. El que una obra sea cuantitativamente grande o pequeña da exactamente igual, lo mismo que el hecho de pertenecer a un género o a otro. ¿Cómo valorar a lo largo de los siglos, cómo saber si una obra es mejor o peor que otra, vale más o menos, sirve en profundidad a otros intereses que no sean los de la literatura misma, cómo distinguir un progreso donde no hay más logros y objetivos que los de cada obra en particular? Unos pocos versos de San Juan de la Cruz se colocan al mismo nivel que las epopeyas de Homero, que las tragedias de Shakespeare o las aventuras de Don Quijote, y la máquina de escribir o el ordenador no han producido textos mejores que los que escribían a mano Proust o Stendhal. Bien es verdad que nuestros tiempos son los de la búsqueda del éxito de ventas y las listas de los libros más vendidos —donde por cierto aparece el nombre de Arturo Pérez-Reverte y en varios países además, pues lleva vendidos más de un millón de ejemplares de sus tres novelas últimas—, pero todos sabemos que esto nada tiene que ver con la literatura misma. Se trata de un fenómeno distinto, que a veces puede coincidir con lo *literario*, pero que si no coincide da igual, el mercado va por un lado y la escritura por otro, la escritura de la aventura no es lo mismo que la aventura de la escritura: escribir es aventurarse para poder proporcionar a la lectura el placer —y el conocimiento— de experimentar esa aventura. La literatura es libertad, eso es todo.

Y para aventurero, he aquí a Arturo Pérez-Reverte, que llegó a la escritura —que no a la literatura, pues es un empedernido lector desde su más tierna infancia, como dice en alguno de los textos aquí incluidos— a los treinta y cinco años, sin apenas haberse despojado de los chalecos antibalas con los que se paseó durante varios lustros cubriendo como periodista distintos conflictos bélicos y guerras imposibles que siguen brotando como hongos —por ahora no nucleares todavía— por este mundo finisecular que se destroza permanentemente en nombre de la paz. Debo su conocimiento a un excelente amigo, exigente editor y empedernido bibliófilo, Julio Ollero, que me encargaba trabajos discontinuos de asesoramiento cuando hace unos años dirigía la editorial Mondadori. He asesorado a muchas editoriales, aunque siempre de la misma manera: nunca he estado ligado permanentemente a ninguna pues pienso que lo que más debe preservar un crítico literario es su independencia y neutralidad ante todo, y cada uno de mis trabajos de asesoramiento suponía de hecho la imposibilidad de ocuparme después como crítico de los libros que se publicaban siguiendo mis consejos. Muchos editores nunca lo entendieron del todo así y nuestras relaciones se fueron enfriando de manera inexorable, hasta llegar a hoy en día, cuando me limito a escribir algún prólogo que otro cuando me lo piden y si el libro a prologar me gusta, pues ya no necesito hacerlo para poder subsistir y seguir leyendo, que es de lo que se trata siempre.

Por el contrario, con Julio Ollero nunca tuve problemas, entendió desde el principio mis principios, colaboré con él siempre de manera puntual e intermitente, aunque con cierta continuidad, y nuestras relaciones profesionales sólo se interrumpieron cuando cesó en su puesto. Por cierto, que sigue en la brecha como editor, pues ahora mismo sigue publicando esa excelente colección de *Novelas ejemplares* —¡qué gran título, que a nadie se le había ocurrido hasta ahora!— donde además ha publicado el único libro de Pérez-Reverte que no es una ficción del todo, *Territorio comanche,* surgido como un testimonio implacable, lúcido y desmitificador durante su experiencia como corresponsal de Televisión Española en la guerra en Bosnia; libro que también se ha vendido como rosquillas, y cuya independencia y honestidad se han evidenciado al provocar la ruptura de sus relaciones profesionales con su empresa, cuyos directivos no asumieron las críticas que el libro encerraba. Ni corto ni perezoso, con la cabeza bien alta y harto de corruptelas —expresión quizá demasiado suave en este caso— Arturo Pérez-Reverte renunció a todo, a sus derechos laborales adquiridos durante casi veinte años de trabajo en diversos medios de prensa escrita y audiovisual, todos ellos públicos por cierto, y se marchó a su casa a seguir escribiendo como el caballero que siempre ha sido. Y cuando se quitó el chaleco antibalas se le volvieron a ver otra vez la capa y la espada que desde siempre llevaba debajo.

Bueno pues, retomando la historia, un buen día Julio Ollero me habló de un nuevo narrador que ya había publicado otra novela anterior, *El húsar* (1986), en otra empresa editora —si bien potente, minoritaria en lo que a literatura se refiere, Akal— por decisión de otro buen amigo, el excelente poeta, abogado y editor, Juan Barja. Se trataba de Arturo Pérez-Reverte, que le había presentado el manuscrito de lo que luego sería su primera novela de gran éxito *El maestro de esgrima.* Leí el manuscrito con pasión, mi informe fue favorable, propuse algunas correcciones, sobre todo en cuanto a la extensión, que en parte fueron aceptadas por el autor, y hasta escribí la solapa de presentación de la sobrecubierta.

Y allí empezó todo, pues Arturo quiso conocerme en persona, nos fuimos a comer y *ligamos* en torno a un cocido madrileño y citas y evocaciones de Thomas Mann y Alejandro Dumas, entre otros muchos. Poco después, Julio Ollero cesaba en su puesto y Arturo venía a verme con el manuscrito de *La tabla de Flandes* bajo el brazo para que lo leyera —a diferencia de los de las editoriales, los manuscritos de los amigos los leo gratis—, le aconsejara también, y para discutir sobre todo el espinoso tema de buscar el editor adecuado. Lo leí una vez más como quien cabalga —hay autores a los que se lee al galope, por ejemplo Stendhal, otra de nuestras admiraciones comunes—, y al hablar de las posibles editoriales a las que presentar el manuscrito le di a elegir entre la línea *comercial* y la *literaria*, pues yo pensaba que no tendría ningún problema para que le aceptaran el libro en cualquiera de ellas. Ésta es la virtud de sus libros, que son a la vez buena literatura y éxitos comerciales seguros, algo con lo que todos soñamos, los autores, los editores, los críticos y los lectores, como si se tratara de la comunión de los santos de lo literario.

Pues bien, fue el propio Arturo Pérez-Reverte quien eligió Alfaguara, optando por lo *literario* ante todo, y allí le envié, con una llamada telefónica a mis buenos amigos Luis Suñén y Manuel Rodríguez Rivero, que por aquel entonces dirigían esta editorial. El resultado todos lo conocen, por ahora desemboca en este volumen y estas mismas líneas que ahora estoy escribiendo, y todo el mundo, la editorial, el autor y yo mismo, ha salido bastante beneficiado, el favor ha sido mutuo de unos a otros, y sólo hay un único culpable que se llama Arturo Pérez-Reverte. Y por cierto, y para que cesen de una vez los rumores, que el mismo autor a veces proclama, yo no soy su descubridor, pues quienes de verdad lo descubrieron fueron Juan Barja y Julio Ollero, para que conste públicamente y por escrito, ya de una vez y para siempre.

Como se ve, el sentido de la aventura, con capas y espadas y chalecos antibalas, ha acompañado desde siempre a nuestro escritor, por lo que resulta perfectamente lógico que, una vez puesto a escribir —que también ha sido lo suyo desde pequeño, pues por algo se hizo periodista—, se convirtiera decididamente en un novelista de aventuras. Y además, desde mucho antes, desde siempre podría decirse, fue un lector tan ávido y voraz que vivía lo que leía, como si supiera instintivamente que si escribir es una aventura, leer también lo es, pues una buena lectura no es otra cosa al fin y al cabo que el acompañamiento de —o la colaboración con— esa misma escritura que se está leyendo. Algo de todo esto nos lo cuenta aquí en alguno de los breves trabajos incluidos en la última parte de este volumen, la titulada *Sobre cuadros, libros y héroes*, que quizá sea, por su apariencia más teórica que ficcional, la que resulta más ilustrativa de los entresijos del propio autor. Ahí nos deja un pequeño muestrario de sus admiraciones, modelos, modos y maneras de enfocar los temas que le apasionan, lo que la convierte en una suerte de antología de manifiestos tan personales como sugestivos.

Pienso que su verdadera medida como escritor, pese a lo que vengo diciendo, es la novela, y quizá cuanto más larga mejor. Sus tres libros preferidos, o los que dice haber releído más, *Los tres mosqueteros, La cartuja de Parma* y *La montaña mágica,* son para empezar tres tochos de bastante consideración. Y, además, para quien le acuse de veleidades comerciales —acusaciones inspiradas sin duda más por los celos ante sus vertiginosos éxitos que por el estudio riguroso de sus textos— esta desconcertante e imposible trilogía podría hacerle pensar un poco, y hasta cambiar fácilmente de opinión. Sí, hay aquí un modelo de literatura popular —y comercial— de todos los tiempos, como es el caso de la novela de Alejandro Dumas, pero a estas alturas el gran folletinista francés se ha convertido en un clásico que a casi todos inspira, al que nunca se ha dejado de leer, y al que ya nadie puede hacer ascos. Pero el caso de Thomas Mann es desconcertante, pues *La montaña mágica* carece de todo tipo de pretensiones de populismo demagógico, se presenta como un modelo intelectual, de literatura *difícil*, y ahí queda eso. Como si lo *serio* fuera sinónimo de lo *aburrido*, disparate más generalizado de lo que pueda parecer entre quienes no piensan que lo contrario de *divertido* no es lo serio sino lo aburrido, que no es lo mismo, como cualquier lector de *La montaña mágica* experimenta con toda normalidad durante su lectura. ¿Y Stendhal? Nadie puede resistirse a *La cartuja de Parma* —o a *El rojo y el negro,* desde luego, aunque Arturo no la cite aquí—, pero su autor jamás tuvo éxito en vida y escribía para un siglo después y para *los pocos felices*, por si no quedara claro.

Pues bien, lo más destacado en la *obra larga* de Pérez-Reverte es el infinito cuidado que su autor pone en la estructuración y manufactura de estos libros, que por ahora sólo son tres: *El maestro de esgrima* (1988), *La tabla de Flandes* (1990) y *El club Dumas* (1993). Tengo mis dudas sobre si su primera novela, *El húsar,* que ya he citado antes, no debiera figurar en esta misma panoplia, aunque pienso que no, y ahora voy a decir por qué: en primer lugar, es una novela más breve que las tres antes citadas; en segundo lugar, se trata más de un relato que de una novela propiamente dicha, pues sucede en algo menos de un día y en torno a una sola situación; y por último, su texto, tan cuidadosamente calculado y documentado como los demás, pues ésa es su marca de fábrica, es más *idealista* y abstracto, como si se tratase de un ejercicio de estilo, de un primer ensayo de afinamiento de sus armas como escritor. Por todo lo cual creo que su sitio está aquí, en este volumen que ahora estoy prologando.

El ritmo de publicación de estos libros, además, es tan pausado y cuidadoso también que demuestra con total claridad que a nuestro escritor le interesa mucho menos explotar los éxitos anteriores que elaborar su obra libro a libro como es debido, de la manera más *profesional* y *anglosajona* posible, pues en esto los ingleses y norteamericanos son maestros, a diferencia de los latinos que suelen ser más descuidados, intuitivos y flexibles. Eso le distancia, por ejemplo, de su tan admirado Alejandro Dumas, a quien se le llamó *Alejandro Dumas, S.A. Fábrica de Novelas*, pues solía publicar a la vez hasta dos, tres y cuatro en la prensa de su época, formando ese monstruoso *corpus* de casi tres centenares de largas narraciones que sólo pudo elaborar ayudado por numerosos *negros* que con él colaboraban. Y que, por cierto, ante todas las infundadas acusaciones de robos y plagios que se le lanzaron en vida, demostraron con sus fracasos —cuando quisieron triunfar de manera independiente— dónde se hallaba la cabeza rectora de todo aquel ingente monumento, en el cerebro único del tal Alejandro Dumas, padre, pues además todavía pudo engendrar algún otro nada despreciable, como el de su hijo homónimo, el autor de *La dama de las camelias*, entre otros muchos libros más.

Para mayor diferencia con los fabricantes de *best-sellers* al uso bastaría además con fijarse en sus mundos, temas, infraestructuras y motivos de inspiración. A pesar de sus viajes, de su cosmopolitismo periodístico, de su conocimiento del mundo actual, tan fácilmente falsificable en las modernas narraciones de policías y ladrones, espías, terrorismos, tráficos, drogas, tratas de blancas, sexos atirantados, finanzas, corrupciones y otras zarandajas —lo que Juan Benet denominaba como el «pan y chocolate» de las antiguas meriendas infantiles—, Arturo Pérez-Reverte maneja un universo que nace de la cultura, de la historia y de los libros, y que regresa a ellos además al final, y recuerda mucho más a escritores como Umberto Eco, Marguerite Yourcenar, Patrick Susskind o John Le Carré en último caso, que a los Forsythes, Lapierrescollins, Ciancys, Robbins, Sheldons y otras hierbas tan deplorables como dañinas, por mucho que ahora se las jalee desde algunos medios de comunicación vendidos a las subculturas del mercado.

Lo de Pérez-Reverte es lo que se denomina el éxito de ventas *de calidad* en todo caso, que siempre transmite contenidos, emociones y sensaciones provistas de cierta envergadura intelectual. Pues ya sabemos además que no hay subgéneros sino subculturas, que hay excelentes novelas policiales, de ciencia-ficción, históricas, de aventuras, de intriga y hasta fantásticas, y que lo único que cabe hacer, en este mundo desequilibrado, manipulado y manipulador a la vez, es distinguir el grano de la paja en cada uno de estos terrenos, no condenarlos genéricamente, sino por el contrario salvarlos —cuando haya que hacerlo— uno a uno, obra a obra y libro a libro, pues así se construye la literatura, reconociéndola allí donde se encuentre y por oculta que se halle, y ya está. Se hace camino al leer, y sólo leyendo conoceremos la verdad de lo leído, la autenticidad del mundo y de los pueblos que así resultan enriquecidos para ser mejores y más libres. Y no es que «valga todo», como dicen algunos puristas extraviados —o alienados por sus propias buenas intenciones—, sino que en el *todo* que tenemos por delante, siempre podremos encontrar *algo* que sirva, venga de donde venga, lejos de doctrinas y mercados encerrados en sí mismos y que sólo a sí mismos perjudican. Pues la literatura, a la que nada humano le es ajeno, sobrevive también gracias a su poder de interpenetración entre todos sus posibles niveles, de intercomunicación entre lo alto y lo bajo, lo bueno y lo malo, lo exquisito y lo popular, pues es capaz de perforar todas las fronteras, de hacer saltar todos los límites y esquemas preestablecidos.

La obra de Arturo Pérez-Reverte es perfectamente seria; nace de la literatura y de una reflexión personal poderosa; de una ingente labor de preparación y documentación bastante exhaustiva siempre; de sus afinidades electivas, de las épocas históricas amadas, de los libros leídos y releídos hasta la exasperación; trata de temas peregrinos y originales apoyados sobre todo en la intriga de sus historias, pues, eso desde luego, cree que en toda novela que se precie lo importante es la *historia* contada, más que el *discurso* con que se cuenta, aunque yo personalmente tengo mis reservas y admito lo contrario cuando se hace bien. Y así le veremos cuidar al máximo la documentación militar, desde los uniformes a las estrategias en *El húsar*; dar lecciones del antiguo arte de la esgrima en *El maestro de esgrima*; o de restauraciones artísticas y de lecciones de verdadero maestro de ajedrez en *La tabla de Flandes*; o de bibliofilia, esoterismo y de relectura de uno de sus mejores modelos en *El club Dumas*. Todo nace de los libros y todo vuelve a los libros, no se olvide, pues se trata de uno de los procesos literarios más puros con los que ahora contamos.

¿Y esta *Obra breve* que ahora tenemos entre las manos y delante de los ojos? Pues bien, yo creo que estamos dentro del mundo de Arturo Pérez-Reverte con pleno derecho, degustando no tanto los restos del banquete sino los buenos entremeses, o quizá los más exquisitos postres o saboreando alguno de sus mejores vinos, o los mejores digestivos finales, todo forma parte de la misma ceremonia de idéntico ritual, del mismo placer de la lectura considerada como una aventura, ya lo he dicho desde el título. Algunos pensarán que se van a quedar con hambre, que les sabe a poco, que quieren más. Pero hay que pensar que lo mismo sucede con las novelas largas de nuestro escritor, que nos dejan siempre con la miel en los labios y las cerramos con una pena infinita por no poder seguir leyendo. Bien, pues vuelvan a empezar que van a recibir todavía más, se lo aseguro, pues la relectura es siempre la mejor de las lecturas, y lo mejor de las aventuras, una vez que han pasado, es su recuerdo, una de las mejores maneras de volverlas a vivir.

Aquí vamos a ver el primer y único *ejercicio de estilo* de Pérez-Reverte, *El húsar,* un relato espléndido sobre la desmitificación de la guerra y la muerte de todo heroísmo, en plena época napoleónica. De lo mismo trata *La sombra del águila,* pero con un humor aquí ya explosivo, y trasladando la acción desde la guerra de Independencia española a la frustrada campaña napoleónica de Rusia: pero siempre se trata de lo mismo, de la reivindicación del pueblo llano frente a las guerras, de los humildes soldados y de las víctimas frente a los héroes de la historia, pues en las guerras —desde Troya a Sarajevo, dice en alguna ocasión— ya no hay heroísmos posibles. ¿No querían ustedes una ideología suficiente? En *Una cuestión de honor* se habla del verdadero héroe, el que lo es por amor y porque ya no tiene más remedio que enfrentarse a los *dioses* de la violencia y la corrupción, que tanto abundan en nuestro tiempo. En *La pasajera del San Carlos* veremos que se trata de una clamorosa burla en un mundo colonial, que resulta ser casi un esperpento.

Y de los *cuadros, libros y héroes* ya he hablado un poco, pero si quieren saber algo más sobre el autor, quédense aquí y mediten: rastreen por ejemplo otra muestra de su ideología en su artículo sobre John Reed y el derrumbamiento del comunismo real, que, si bien está muerto y enterrado, seguirá latiendo en las futuras utopías que necesariamente vendrán; en el cuadro velazqueño sobre «La rendición de Breda» vuelve a tomar partido por los soldados anónimos; o luego en favor de la pobre Mata-Hari, ejecutada por las necesidades mercantiles y publicitarias de la época; o en sus repetidos homenajes a Dumas —que con Stendhal, Conrad, Stevenson y Sabatini configuran su cuadro de honor de la literatura— a través de *El conde de Montecristo* y *Los tres mosqueteros,* libros de los que por cierto, y según el ISBN, existen respectivamente diez y doce ediciones vivas en el mercado español todavía. Todo aquí es literatura y ya no se puede pedir más en estos tiempos que corren. Y aquí Pérez-Reverte, como un último romántico de capa y espada y con chaleco antibalas, nos apasiona con los sentimientos, nos seduce con sus intrigas, nos advierte de los peligros de siempre, nos fascina con su sentido de las aventuras de hoy que tanto recuerdan a las de antaño, y así nos deleita y enriquece y nos permite reconocernos mejor y recuperar mundos que creíamos ya perdidos. Decía Marcel Proust que ya no hay más paraísos que los perdidos, y aquí se ve la astucia de Arturo Pérez-Reverte, que consiste en haberle dado la vuelta a la frase, para convertir sus mundos recuperados en el reflejo de esos paraísos soñados que sólo se cumplen en las aventuras de la escritura y la lectura, que sólo resultan simultáneas cuando se lee, y que ustedes lo lean bien.

Madrid, abril de 1995

RAFAEL CONTE

El húsar

A Claude, mi viejo compañero de guerras ajenas y de caminos que no llevan a ninguna parte.

«Nunca me ha gustado el campo. Me pareció siempre algo triste, con sus interminables barrizales, sus casas vacías y sus caminos que no llevan a ninguna parte. Pero si a todo eso le añades la guerra, entonces ya resulta insoportable.»

L F. CELINE

Viaje al fin de la noche.

1. La noche

La hoja del sable lo fascinaba. Frederic Glüntz era incapaz de apartar los ojos de la bruñida lámina de acero que refulgía fuera de la vaina, entre sus manos, arrojando destellos rojizos cada vez que una corriente de aire movía la llama del candil. Deslizó una vez más la piedra de esmeril, sintiendo un escalofrío al comprobar la perfección de la afilada hoja.

—Es un buen sable —dijo, pensativo y convencido.

Michel de Bourmont estaba tumbado sobre el catre de lona, con la pipa de barro entre los dientes, absorto en la contemplación de las espirales de humo. Cuando escuchó el comentario, torció el bigote rubio en señal de protesta.

—No es arma para un caballero —sentenció sin cambiar de postura.

Frederic Glüntz hizo un alto en la tarea y miró a su amigo.

—¿Por qué?

De Bourmont entornó los ojos. En su voz había un deje de aburrimiento, como si la respuesta fuese obvia.

—Porque un sable excluye cualquier filigrana... Es pesado y condenadamente vulgar.

Frederic sonrió, bonachón.

—¿Acaso prefieres un arma de fuego?

De Bourmont lanzó un horrorizado gemido.

—Por el amor de Dios, claro que no —exclamó con la distinción apropiada—. Matar a distancia no es muy honorable, querido. Una pistola no es más que el símbolo de una civilización decadente. Prefiero, por ejemplo, el florete; es más flexible, más...

—¿Elegante?

—Sí. Quizá sea esa la palabra exacta: elegante. El sable es más instrumento de carnicería que de otra cosa. Sólo sirve para dar tajos.

Concentrándose en su pipa, De Bourmont dio por zanjado el asunto. Había hablado con aquel ligero ceceo suyo, tan peculiar y distinguido, que volvía a estar de moda y que tantos en el 4.° de Húsares se esforzaban en imitar. Los tiempos de la guillotina estaban lejos, y los vástagos de la vieja aristocracia podían ya levantar la cabeza sin temor a perderla, siempre y cuando tuviesen el tacto de no cuestionar los méritos de quienes habían escalado peldaños en el nuevo orden social mediante el valor de su espada, o de la mano de los próximos al Emperador.

Ninguna de aquellas circunstancias afectaba a Frederic Glüntz. Segundo hijo de un acomodado comerciante de Estrasburgo, había abandonado tres años antes su Alsacia natal para ingresar en la Escuela Militar, arma de caballería. De ella salió tres meses atrás, recién cumplidos los diecinueve, con la graduación de subteniente y un pliego de destino en el bolsillo: 4.° Regimiento de Húsares, a la sazón destacado en España. Para un joven oficial sin experiencia no era fácil, en la época, ingresar en un cuerpo de élite como la caballería ligera, codiciada por multitud de oficiales jóvenes. Sin embargo, una buena hoja de aplicación académica, ciertas cartas de recomendación y la guerra peninsular, que creaba vacantes de continuo, habían hecho posible el milagro.

Frederic dejó a una lado la piedra de esmeril y se apartó el cabello de la frente. Éste era castaño claro, abundante, aunque sin alcanzar aún la longitud adecuada para peinar la coleta y trenzas típicas de los húsares. El otro elemento capilar característico, un bigote, era a aquellas alturas una quimera; las mejillas del joven Glüntz no estaban cubiertas más que por una rala pelusilla rubia, que se hacía rasurar con la esperanza de que eso la fortaleciese. Todo ello daba a su apariencia un aire adolescente.

Contempló el sable, cerrando la mano en torno a la empuñadura, y jugó durante unos instantes con el reflejo del candil de aceite en la hoja.

—Es un buen sable —repitió satisfecho, y esta vez Michel de Bourmont se abstuvo de hacer comentarios. Se trataba del equívocamente llamado *modelo ligero para caballería del año* XI, una pesada herramienta de matar con hoja de treinta y siete pulgadas de longitud, según estipulaban las ordenanzas, lo bastante corta para que no arrastrase por el suelo y lo bastante larga para degollar con razonable comodidad a un enemigo a caballo o pie a tierra. En realidad era una de las armas blancas de uso más común en la caballería ligera, aunque la utilización de aquel modelo concreto no era obligatoria. Michel de Bourmont, por ejemplo, poseía un sable de 1786, más pesado, que perteneció a un pariente muerto en Jena, y del que sabía servirse con notoria soltura. Al menos eso afirmaban quienes le habían visto manejarlo en las estrechas callejas próximas al Palacio Real de Madrid, meses atrás, con la sangre chorreándole por la empuñadura y por la manga del dormán, hasta el codo.

Frederic colocó el sable sobre las rodillas y lo contempló con orgullo; el filo era impecable. «Para dar tajos», había dicho su camarada. Así era, pero el joven propietario no había tenido todavía la oportunidad de dar tajos con su sable, cuyo acero estaba intacto, sin mella alguna; virgen, si es que su rígida formación luterana le permitía recurrir mentalmente a aquella palabra. Virgen de sangre como el mismo Frederic lo era todavía de mujer. Pero aquella noche, lejos todavía el alba, bajo un cielo español cargado de densos nubarrones que ocultaban las estrellas, las mujeres eran algo muy remoto. Lo inmediato era el color de la sangre, el clamor del acero al chocar con otro acero enemigo, la polvorienta brisa, al galope, de un campo de batalla. Al menos, tales eran las previsiones del coronel Letac, el bretón arrogante, brutal y valeroso que mandaba el Regimiento:

—Ya saben, hum, caballeros, esos campesinos se concentran por fin; una carga, una sola, y correrán despavoridos por toda, ejem, Andalucía...

A Frederic le gustaba Letac. El coronel tenía una dura cabeza de soldado con cicatrices de sablazos en las mejillas, un tipo del año II, Italia con el Primer Cónsul y Austerlitz, y Jena, Eylau, Friedland... Europa de punta a punta, nada mal como carrera para haberla iniciado de simple cabo en la guarnición de Brest. El coronel le había causado a Frederic una excelente impresión cuando, recién incorporado al Regimiento, acudió a presentar sus respetos. La breve entrevista tuvo lugar en Aranjuez. El joven subteniente se había acicalado con extrema corrección y, enfundado en el elegante uniforme de paseo azul índigo con pelliza escarlata, botas altas y el corazón palpitándole con fuerza, acudió a ponerse a las órdenes del jefe del 4.° de Húsares. Letac lo había recibido en el despacho de su residencia, una lujosa mansión requisada, desde cuyas ventanas se veía describir al Tajo una graciosa curva entre los sauces.

—¿Cómo dijo...? Hum, subteniente Glüntz, ejem, ya veo, bien, querido, es un placer tenerle entre nosotros, adáptese, ya sabe, excelentes compañeros y demás, lo mejor, la crema de la crema, tradiciones y todo eso... Excelente paño el de ese dormán, excelente, ¿París?, claro, por supuesto, bueno, joven amigo, vaya a sus ocupaciones... Honre al Regimiento y demás, su familia, se lo aseguro, yo como un padre... Ah, y nada de duelos, mal visto, sangre caliente, fogosidad y todas esas cosas, muy censurable, cuando no haya elección, honor, honor siempre, todo entre caballeros, ejem, en familia, cosa discreta, ya me, ejem, entiende.

El coronel Letac tenía fama de buen jinete y bravo soldado, requisitos básicos exigibles a cualquier húsar. Mandaba el Regimiento con mano firme, combinando cierto paternalismo con una disciplina eficiente aunque flexible, detalle este último muy necesario para controlar cuatro escuadrones de caballería ligera que, por tradición y carácter, formaban uno de los más audaces, ingobernables y valerosos regimientos imperiales. El estilo agresivo e independiente de los húsares, que tantos quebraderos de cabeza daba en momentos de calma, se revelaba extremadamente útil en campaña. Entre aquel medio millar de hombres, Letac gobernaba con una desenvoltura sólo explicable por su larga experiencia militar. El coronel procuraba ser firme, justo y razonable con sus hombres, y hay que hacerle el honor de reconocer que a menudo lo conseguía. También tenía fama de comportarse con crueldad frente al enemigo; pero nadie hubiese considerado eso como mengua de sus virtudes, tratándose de un húsar.

El filo del sable se encontraba ya en condiciones para cumplir, en forma irreprochable, la letal tarea para la que fue concebido. Frederic Glüntz hizo destellar por última vez la llama del candil a lo largo de la hoja y después lo introdujo delicadamente en la vaina, acariciando con los dedos la *N* imperial estampada sobre la guarda de cobre. Michel de Bourmont, que seguía fumando en silencio, sorprendió el gesto y sonrió desde el catre. No había en ello desdén alguno; Frederic ya sabía cómo interpretar cada una de las sonrisas de su amigo, desde la sombría —y a menudo peligrosa— media mueca que descubría la mitad de sus dientes blancos y perfectos, confiriéndole un remoto parecido con la expresión de un lobo a punto de atacar, hasta el gesto de camaradería no exento de ternura que, como en este momento, reservaba para las escasas personas a las que apreciaba. Frederic Glüntz era uno de esos privilegiados.

—Mañana es el gran día —le dijo De Bourmont entre una bocanada de humo, con el último vestigio de sonrisa todavía aleteándole en los labios—. Ya sabes: una carga, ¿verdad?, que haga correr a esos campesinos por, ejem, Andalucía —la imitación de Letac era perfecta y sin malicia, y esta vez le llegó a Frederic el turno de sonreír. Después, todavía con el sable entre las manos, movió afirmativamente la cabeza.

—Sí —se esforzó en responder con el tono, adecuadamente despreocupado, que se suponía era propio de un húsar en vísperas de un combate en el que podía dejar la piel—. Por fin parece que las cosas van en serio.

—Eso dicen los rumores.

—Esperemos que esta vez estén fundados.

De Bourmont se incorporó hasta quedar sentado en el catre. La coleta y las dos finas trenzas rubias que le caían de las sienes hasta la altura de los hombros, según la más rancia tradición del Cuerpo, estaban impecablemente peinadas; el entreabierto dormán —la corta y ajustada chaqueta azul del 4.° de Húsares— dejaba ver una camisa de impoluta blancura; bajo el ceñido pantalón húngaro de montar —también azul índigo—, dos rutilantes espuelas ceñían las botas negras de piel de ternera, convenientemente lustradas. Tan correcta apariencia no dejaba de tener su mérito bajo la lona de aquella tienda, plantada en una meseta polvorienta de las cercanías de Córdoba.

—¿Lo has afilado bien? —preguntó, señalando el sable de Frederic con el caño de su pipa.

—Creo que sí.

De Bourmont sonrió de nuevo. El humo le hacía entornar los ojos, descaradamente azules. Frederic observó el rostro de su amigo, sobre el que la luz del candil arrojaba oscilantes sombras. Era un guapo mozo, cuyos modales y aplomo revelaban de inmediato un origen aristocrático. Procedente de una ilustre familia del Mediodía, su progenitor había tenido el buen juicio de convertirse automáticamente en el ciudadano Bourmont en cuanto los primeros *sansculottes* empezaron a mirar con ojos torvos a la realeza. El reparto oportuno de ciertas tierras y riquezas, una no menos feliz profesión de fe antirrealista, y sutiles pero sólidas amistades entre los más notorios descabezadores de la época, le habían permitido capear con bastante desahogo la tormenta que se abatió sobre Francia, asistiendo con la anatomía íntegra y el patrimonio sólo parcialmente menguado al irresistible ascenso del advenedizo corso; término este último que, por supuesto, quedaba reservado a discretas conversaciones de almohada entre el señor y la señora De Bourmont.

Michel de Bourmont hijo, por consiguiente, era lo que antes de 1789, y ahora desde hacía pocos años, podía definirse sin excesivo riesgo para el interesado como un *joven de buena cuna.* Había abrazado la carrera militar a temprana edad, con dinero en la bolsa, aportando a su manera, en aquel torrente de fanfarrona vulgaridad que era el ejército napoleónico, un cierto estilo que, gracias a sus dotes personales, su generosidad y una especial intuición para el trato social, no sólo resultaba incapaz de irritar a iguales y superiores, sino que en el Regimiento llegó a considerarse de buen tono y hasta a imitarse a menudo. Tenía juventud —acababa de cumplir veinte años en España—, simpatía, era apuesto, y su valor estaba acreditado. Todo ello había permitido a Michel de Bourmont rescatar sin excesivas suspicacias del entorno el *de* tan oportunamente olvidado por su padre en los aciagos días del tumulto revolucionario. Por otra parte, su ascenso al empleo de teniente era cosa hecha, y sólo habían de mediar unas semanas antes de que fuera efectivo.

Para Frederic Glüntz, joven subteniente nutrido con todos los dilatados sueños de gloria que podía albergar una sólida cabeza de diecinueve años, el coronel Letac era lo que le gustaría llegar a ser, mientras que Michel de Bourmont era justamente aquello que habría querido poder ser, encarnación de un rango personal y social que jamás, aunque en el futuro curso de su vida lograse hacer fortuna, alcanzaría. Ni siquiera Letac, que en veinte años de duras campañas había logrado cuanto un leal y ambicioso soldado podía desear, y estaba a un paso de convertirse en general del Imperio, poseería jamás ese aire distinguido de buena cuna, ese estilo peculiar de quien, en palabras del propio coronel, «hizo pipí de pequeño, ya saben, sobre auténticas alfombras de Persia...». De Bourmont tenía todo eso sin envanecerse demasiado por ello —no envanecerse en absoluto habría sido impropio de un oficial de húsares, el cuerpo más elitista, ostentoso y fanfarrón de toda la caballería ligera del Emperador—. Por eso el subteniente Frederic Glüntz, hijo de un simple burgués, lo admiraba.

Destinados como subtenientes en el mismo escuadrón, la amistad había brotado entre ambos jóvenes como solían ocurrir aquellas cosas a temprana edad: de forma imperceptible, partiendo de una mutua simpatía más apoyada en el instinto que en hechos razonables. Sin duda, que compartiesen la misma tienda como alojamiento de campaña había contribuido a estrechar los lazos entre ellos; un mes afrontando hombro con hombro las durezas de la vida militar unía indiscutiblemente, sobre todo si se daba de por medio una afinidad en cuanto a gustos y sueños de juventud. Se habían hecho mutuas y discretas confidencias, y su intimidad se fue afirmando hasta llegar al tuteo, rasgo significativo del género de relación que mantenían, si se tiene en cuenta que entre la oficialidad del 4.° de Húsares se consideraba con sumo rigor el *usted* como fórmula protocolaria en cualquier tipo de conversación.

Un dramático suceso había señalado el momento en que la amistad entre Frederic Glüntz y Michel de Bourmont se consolidó. Ocurrió unas semanas atrás, cuando el Regimiento se hallaba acantonado en Córdoba, preparándose para salir de operaciones. Los dos subtenientes, francos de servicio, habían ido una noche a pasear por las callejuelas de la ciudad. El recorrido era ameno, la temperatura agradable, e hicieron varios altos en el camino para beber cierto número de jarras de vino español. Al pasar frente a una casa vieron fugazmente, tras una ventana iluminada, una linda muchacha, y ambos permanecieron largo rato apostados frente a la reja, con la esperanza de contemplarla de nuevo. No fue posible y, decepcionados, resolvieron entrar en una taberna para que el dorado vino andaluz borrase el recuerdo de la bella desconocida. Al franquear el umbral fueron alegremente saludados por media docena de oficiales franceses, entre los que se encontraban dos del 4.° de Húsares. Invitados a unirse al grupo, lo hicieron de buena gana.

La velada transcurrió en animada conversación, regada con jarras y botellas que un huraño tabernero servía sin interrupción. Pasaron un par de horas extremadamente gratas, hasta que un teniente de cazadores a caballo llamado Fucken, de codos sobre la mesa manchada de vino, expresó ciertas críticas sobre la lealtad al Emperador de algunos vástagos de la vieja aristocracia, lealtad que Fucken consideraba harto discutible.

—Estoy seguro —dijo— de que si los realistas lograran crear un auténtico ejército y nos enfrentásemos a ellos en campaña, más de uno de los que están con nosotros se pasaría al enemigo. Llevan las flores de lis en la sangre.

Que el comentario hubiese brotado entre los vapores del alcohol y el ambiente cargado por humo de pipas y cigarros no justificaba su impertinencia. Todos los presentes, incluido el propio Frederic, miraron a Michel de Bourmont, y éste se creyó en la obligación de darse por aludido. Torció la boca con su característica sonrisa de lobo, pero la mirada que dirigió al imprudente, fría como un témpano, establecía con toda claridad que no había el menor rastro de humor en su gesto.

—Teniente Fucken —dijo con absoluta serenidad, en medio del silencio expectante que se había hecho en torno a la mesa—. Deduzco que su inoportuno comentario alude a una clase determinada a la que me honro en pertenecer... ¿Estoy equivocado?

Fucken, un lorenés de pelo rizado y ojos negros que recordaba vagamente a Murat en su apariencia, parpadeó incómodo. Era consciente de su desliz, pero varios oficiales presenciaban la escena. Resultaba imposible retractarse de lo dicho.

—Allá cada cual, si se da por aludido —respondió adelantando la mandíbula.

Todos los testigos se miraron unos a otros, con aire de haber comprendido lo que ya era inevitable. Sólo quedaba seguir con la máxima atención el ritual que, sin duda, vendría de inmediato. Los rostros permanecieron graves e interesados, dispuestos a no perder ningún detalle de la conversación. Cada uno de ellos retenía ya mentalmente las palabras y gestos que, cuando todo hubiese terminado, les permitirían narrar el suceso a los camaradas de sus respectivas unidades.

Frederic, que se veía por primera vez en tal situación, estaba sorprendido e incómodo, pues su bisoñez en esos lances no le impedía captar el significado de la dramática escena, ni sus consecuencias. Miró a su amigo De Bourmont, viéndole colocar el vaso sobre la mesa con deliberada lentitud. Un capitán, el oficial de más edad entre los presentes, murmuró un poco convincente «caballeros, seamos sensatos», para intentar apaciguar los ánimos, pero nadie se hizo eco ni prestó mayor atención. El capitán se encogió de hombros; también aquello formaba parte del ritual.

De Bourmont sacó un pañuelo de seda de la manga del dormán, secó cuidadosamente sus labios y se puso en pie.

—Las alusiones inoportunas suelo discutirlas con un sable en la mano —dijo con la misma sonrisa helada—. Aunque nos diferencia un grado, espero que, en honor al uniforme que ambos vestimos, esté dispuesto a darme la satisfacción de discutir el tema conmigo.

Fucken permanecía sentado, mirando con fijeza a su oponente. Al comprobar que no respondía,

De Bourmont apoyó suavemente una mano sobre la mesa.

—Estoy al corriente —prosiguió en el mismo tono— de que los usos en este tipo de cuestiones desaprueban que dos oficiales de distinta graduación se enfrenten con las armas en la mano por cuestiones privadas... Pero como mi ascenso a teniente ya está aprobado, y recibiré el despacho dentro de pocas semanas, estimo que los aspectos formales del asunto quedan cubiertos de ese modo. Podríamos aguardar a que mi nuevo grado sea efectivo, pero ocurre, teniente Fucken, que dentro de unos días nuestros regimientos salen a campaña. Me irritaría en extremo que alguien lo matase a usted antes de que lo haga yo.

Las últimas palabras pronunciadas por De Bourmont no podían ser pasadas por alto, y los presentes admiraron en silencio su oportunidad, que no dejaba a Fucken, como oficial y hombre de honor que era, otra salida que batirse.

Fucken se puso en pie.

—Cuando guste —respondió con firmeza.

—Ahora mismo, por favor.

Frederic exhaló el aire que había retenido en los pulmones y se levantó con los otros, aturdido. De Bourmont se había vuelto hacia él y lo miraba con una gravedad inusitada entre ambos.

—Subteniente Glüntz... ¿Tendría la amabilidad de oficiar como uno de mis padrinos?

Frederic tartamudeó una apresurada respuesta afirmativa, sintiéndose enrojecer. De Bourmont tomó también como padrino a otro húsar, un teniente del Segundo Escuadrón. Por su parte, Fucken escogió al capitán de más edad y a un teniente de su mismo Regimiento. Los cuatro —sería más correcto decir los tres, con la muda aquiescencia de Frederic— se apartaron unos instantes para discutir la forma y lugar en que se llevaría a cabo el enfrentamiento, mientras los dos oponentes permanecían silenciosos, rodeados por sus respectivos amigos y camaradas, evitando mirarse el uno al otro hasta que no llegase el momento de empuñar las armas.

Decidieron que el duelo fuese a sable, y el capitán que apadrinaba a Fucken se ofreció solemnemente a indicar un lugar apropiado y a salvo de miradas inoportunas, donde la cuestión podía solventarse con razonable discreción. Se trataba del jardín de una casa abandonada en las afueras de la ciudad, y hacia allí se encaminaron todos, con la gravedad que las circunstancias requerían, llevándose dos faroles de petróleo de la taberna.

La noche seguía siendo cálida y el cielo estaba cuajado de estrellas alrededor de una luna afilada como un puñal. Llegados al jardín, los preparativos fueron rápidos. Ambos contendientes se quedaron en camisa, penetraron en el círculo iluminado por los faroles, y momentos después estaban acometiéndose a sablazos.

Fucken era valiente. Se tiraba a fondo, arriesgando mucho, y quería alcanzar a su adversario en la cabeza o en los brazos. De Bourmont se batía con serenidad, casi a la defensiva, estudiando a su adversario y demostrando que había gozado de las enseñanzas de un excelente profesor de esgrima. El sudor ya empapaba las camisas de ambos cuando Fucken resultó tocado en una acometida y retrocedió unos pasos, mascullando una blasfemia mientras se miraba el hilillo de sangre que le corría por el brazo izquierdo. De Bourmont se detuvo y bajó el sable.

—Está usted herido —dijo con una cortesía en la que no había el menor asomo de triunfo—. ¿Se encuentra bien?

Fucken estaba ciego de cólera.

—¡Perfectamente! ¡Prosigamos!

De Bourmont hizo un leve saludo con la cabeza, paró en cuarta la feroz estocada que le dirigió su contrincante y descargó, uno tras otro, tres sablazos como tres relámpagos. El tercero de ellos alcanzó a Fucken en el costado izquierdo, sin atravesar las costillas, pero abriéndole una herida. Fucken se puso pálido, soltó el sable y se quedó mirando a De Bourmont con ojos turbios.

—Creo que es suficiente —dijo este último, pasándose el sable a la mano izquierda—. Por mi parte, me doy por satisfecho.

Fucken seguía mirándolo, apretados los dientes y una mano sobre la herida, con visibles esfuerzos para tenerse en pie.

—Es justo —respondió con voz desmayada.

De Bourmont envainó el sable y saludó con exquisita cortesía.

—Ha sido un honor batirme con usted, teniente Fucken. Por supuesto, quedo a su disposición en caso de que, una vez curado, desee continuar esta discusión.

El herido hizo un gesto negativo con la cabeza.

—No será necesario —dijo con honestidad—. Ha sido una leal pelea.

Todos los presentes se mostraron de acuerdo, y la cuestión quedó resuelta. El teniente de cazadores a caballo tardó diez días en recobrarse de la herida, y contaban conocidos comunes que, cuando se le mencionaba el duelo, Fucken no vacilaba en asegurar que suponía un honor haberse batido con alguien que, en todo momento, demostraba ser un oficial y un caballero.

El incidente no tardó en ser comidilla de todas las reuniones de oficiales en la guarnición de Córdoba, pasando así a engrosar el anecdotario de los dos Regimientos involucrados. Por su parte, el coronel Letac, jefe del 4.° de Húsares, convocó a De Bourmont y le dirigió una tormentosa diatriba, de la que el joven salió con veinte días de arresto domiciliario. Más tarde, comentando el suceso con su ayudante, comandante Hulot, Letac tuvo a bien exponer privadamente lo que pensaba del caso.

—Diablo, Hulot, me regocija, ejem, la cara que tendrá el viejo Dupuy, ya sabe, ese coronel de cazadores estirado, diantre, dos agujeros en el pellejo a uno de sus cachorros, buen golpe me han contado, excelente y demás, eso creo, lo que importa es que el Regimiento se haga, ejem, respetar, un húsar es un húsar, por Belcebú, aunque haya un grado de diferencia, qué demonios, todo es soslayable, irregular, pero, ejem, honor y demás, ya sabe... Y ese joven Bourmont, buena familia, nos sale duelista, templado y todo eso, recibió mi, ejem, aluvión sin pestañear, casta, tiene casta y esas cosas, le metí veinte días, impasible el mozo, y debía de estar sonriéndose por dentro, el tunante, hasta el último furriel sabe que salimos al campo antes de una semana, ya sabe, guardar las apariencias, pura forma y, ejem, demás. De esto ni una palabra, Hulot, confidencia y todo eso.

Excusado es añadir que la confidencia del coronel fue referida por el comandante Hulot, con razonable fidelidad en cuanto a forma y contenido, a todo oficial del Regimiento que se puso a su alcance.

En lo que se refiere al arresto de veinte días aplicado al subteniente De Bourmont, quedó sensiblemente reducido por necesidades del servicio. La sanción de Letac se le aplicó un lunes; el jueves, de madrugada, el 4.° de Húsares abandonaba Córdoba.

Desde aquello habían pasado catorce días, y otros asuntos de mayor importancia acaparaban ahora la atención del Regimiento. Frederic Glüntz puso el sable a un lado y miró a su amigo. Hacía rato que una interrogación le quemaba los labios.

—Michel... ¿Qué se siente?

—¿Perdón?

Frederic sonrió con timidez. Parecía excusarse por plantear una cuestión íntima.

—Me gustaría saber qué se siente cuando descargas un golpe sobre alguien... Sobre un enemigo, quiero decir. Cuando tiras a matar, cuando se asesta un sablazo.

La mueca de lobo crispó los labios de Michel de Bourmont.

—No se siente nada —respondió con la mayor naturalidad—. Es algo así como si el mundo dejase de existir a tu alrededor... La mente y el corazón trabajan a toda prisa, esforzándose por aplicar el tajo adecuado en el lugar adecuado... Es tu propio instinto el que guía los golpes.

—¿Y qué es el adversario?

De Bourmont se encogió de hombros con desdén.

—El adversario es sólo otro sable que se agita en el aire buscando tu cabeza, y al que hay que evitar siendo más hábil, rápido y preciso.

—Tú estabas en Madrid cuando los combates de mayo...

—Sí. Pero aquello no era un adversario —ahora había desprecio en la voz de De Bourmont—. Era una chusma informe a la que metimos en cintura a sablazos, arcabuceando después a los cabecillas.

—También te batiste en duelo con Fucken.

De Bourmont hizo un gesto evasivo.

—Un duelo es un duelo —dijo como si acabase de establecer algo evidente, que no podía explicarse de otro modo—. Un duelo es una cuestión entre caballeros, según las reglas, resuelta de forma honorable para los interesados.

—Pero aquella noche, en Córdoba...

—Aquella noche, en Córdoba, el teniente Fucken no era un enemigo.

Frederic rió, incrédulo.

—¿No? ¿Qué era, entonces? Cambiasteis una docena de buenos sablazos, y él se llevó un lindo tajo.

—Normal. Para eso salimos aquella noche, querido. Para batirnos.

—¿Y no era Fucken un enemigo?

De Bourmont negó con la cabeza, dando largas chupadas a la pipa.

—No —dijo al cabo de un rato—. Era un adversario; un enemigo es otra cosa.

—¿Por ejemplo?

—Por ejemplo, el español. Ése es el enemigo.

Frederic movió la cabeza, sorprendido.

—Es curioso, Michel. Has dicho *el español...* Eso significa todo este país. ¿Me equivoco?

El rostro de Michel de Bourmont se había ensombrecido. Permaneció unos instantes en silencio.

—Antes has hablado de los sucesos de mayo en Madrid —dijo por fin, con gravedad—. Aquel gentío fanático, vociferante en las calles, tenía algo de siniestro que espantaba, te lo aseguro. Había que estar allí para saber a qué me refiero... ¿Recuerdas a Juniac destripado, colgando de un árbol? ¿No te han hablado todavía de los pozos envenenados, de nuestros camaradas asesinados mientras duermen, de las emboscadas de guerrilleros que no conocen la piedad...? Escucha bien lo que te digo: en este país hasta los perros, las aves, el sol y las piedras son nuestros enemigos.

Frederic contempló la llama del candil, intentando imaginar los rostros del enemigo en aquellas gentes negras y sucias que los miraban pasar en silencio desde las casas enjalbegadas que reverberaban bajo el tórrido sol andaluz. En su mayor parte eran mujeres, ancianos y niños. Los hombres válidos habían huido a la serranía, entre los inmensos olivares que reptaban por la ladera de las colinas. El comandante Berret, jefe del escuadrón, los había definido bien frente al cadáver de Juniac:

—Son como bestias. Y los cazaremos como lo que son, alimañas emboscadas, sin darles cuartel. Ahorcaremos a un español en cada árbol de este maldito país. Lo juro.

Frederic todavía no había vivido ningún encuentro con tropas rebeldes españolas, ni siquiera con una de aquellas partidas armadas que se denominaban *guerrilleros.* Pero la ocasión distaba poco de presentarse. En aquel momento, unidades del ejército sublevado y bandas de campesinos se concentraban para oponerse a los ocho mil soldados franceses que, bajo el mando del general Darnand, tenían la misión de limpiar la región de elementos hostiles, asegurando las comunicaciones entre Jaén y Córdoba.

No se trataba de la guerra que el subteniente Frederic Glüntz había imaginado; pero sin duda se trataba de una guerra. La modalidad era quizá extremadamente sucia, pero no cabía elección. Las imágenes de rebeldes ahorcados por las patrullas de vanguardia, testigos mudos, ciegos e inmóviles, con la lengua fuera y los ojos desorbitados, cuerpos desnudos, negros, acosados por espesos enjambres de moscas, se habían convertido en frecuentes al paso de las tropas del Emperador. Al propio coronel Letac le habían matado su mejor caballo al entrar en un pueblecito minúsculo llamado Cecina; un solo tiro de mosquetón y una magnífica yegua rodando por el suelo con su jinete, a la que hubo que sacrificar. No se pudo encontrar al agresor, así que Letac, furioso por el incidente —«Es intolerable, caballeros, una yegua excelente, ¿verdad?, repugnante cobardía y, ejem, demás»—, ordenó una represalia apropiada:

—Ya saben, cuélguenme a alguno de esos desgraciados, vaya, que nunca saben nada ni han visto nada, caramba, una lección ejemplar, el cura, por supuesto, son la peste aquí, caballeros, uno que ya no predicará rebeldía desde el púlpito...

Trajeron al cura, un tipo de mediana edad, pasados los cincuenta, bajito y fornido, con la tonsura agrandada por la calvicie, mal afeitado y dentro de una sotana demasiado corta y llena de manchas que, sin saber muy bien por qué, el luterano Frederic pensó eran de vino de misa. No mediaron interrogatorio ni palabra alguna; una orden de Letac se convertía automáticamente en una sentencia. Pasaron una cuerda de cáñamo por los barrotes de hierro del balcón del Ayuntamiento. El cura los miraba, pequeño y cetrino, entre dos húsares a los que apenas llegaba a los hombros, con la frente empapada de sudor y los labios apretados, los ojos febriles clavados en la soga que le estaba destinada. El pueblo parecía desierto; no había ni un alma en la calle, pero tras los postigos entornados se adivinaba la aterrada presencia de los lugareños.

Cuando le echaron el lazo al cuello, sólo unos momentos antes de que los dos corpulentos húsares tirasen del otro extremo de la cuerda, el cura murmuró entre dientes un «hijos de Satanás» que fue claramente audible, aunque apenas movió los labios. Después escupió en dirección a Letac, que montaba un nuevo caballo, y se dejó ahorcar sin más comentarios. Cuando los últimos soldados abandonaron el pueblo —Frederic mandaba aquel día el pelotón de retaguardia— unas viejas vestidas de negro cruzaron despacio la plaza para arrodillarse a rezar bajo los pies del cura.

Cuatro días después, en un recodo del camino, una patrulla encontró el cadáver de un correo. Se trataba de un subteniente de húsares del Segundo Escuadrón, un joven alto y melancólico al que Frederic conocía por haber hecho juntos el viaje desde Burgos a Aranjuez, donde ambos se incorporaron al Regimiento. Juniac, que así se llamaba el infortunado, estaba completamente desnudo, atado por los pies a un árbol con la cabeza a dos palmos del suelo. Le habían abierto el vientre con su propio sable, y los intestinos, cubiertos por un enjambre de moscas, colgaban como un despojo de horror. La aldea más próxima se llamaba Pozocabrera, y estaba desierta; sus habitantes se habían llevado hasta el último grano de trigo. Letac ordenó arrasarla hasta los cimientos, y el 4.° de Húsares prosiguió su marcha.

Así era la guerra de España, y Frederic lo había aprendido muy pronto: «Nunca cabalguéis solos, nunca os alejéis de los compañeros, nunca os internéis sin precauciones por terreno frondoso o desconocido, nunca aceptéis de los lugareños alimentos o agua que ellos no hayan probado antes, nunca vaciléis en degollar sin piedad a esos miserables hijos de perra...». Sin embargo, todos estaban convencidos, Frederic entre ellos, de que tal situación no se prolongaría durante mucho tiempo. La dureza y la profusión de castigos ejemplares no tardarían en hacer volver las aguas a su cauce. Todo era cuestión de ahorcar más, arcabucear más a aquella canalla inculta y fanática, concluyendo de una vez la pacificación de España para seguirse dedicando a más gloriosas empresas. Se decía que Inglaterra preparaba un importante desembarco en la Península, y ése sí era un enemigo con el que cabía medirse de igual a igual, brillantes cargas de caballería, movimiento de grandes unidades, batallas con nombres gloriosos que figurarían en los libros de Historia y que supondrían para Frederic Glüntz los peldaños del honor y de la fama, tan distintos a esta campaña en la que apenas se veía el rostro del enemigo. De todas formas, de confirmarse las previsiones, mañana podría llegar el primero de los grandes días. Las dos divisiones del general Darnand tenían frente a ellas un ejército organizado según las reglas, cuyo grueso estaba constituido por unidades encuadradas de forma regular. Dentro de pocas horas, el subteniente Glüntz, de Estrasburgo, tendría su bautismo de fuego y sangre.

De Bourmont vaciaba cuidadosamente la pipa, frunciendo el ceño al concentrarse en la tarea. El lejano fragor de un trueno retumbó lejos, hacia el norte, claramente audible a través de la lona de la tienda.

—Espero que mañana no llueva —comentó Frederic, con una punzada de preocupación. Para la caballería, lluvia significaba barro, dificultades para maniobrar los escuadrones. Por un momento lo asaltó la inquietante visión de monturas inmovilizadas en el fango.

Su amigo negó con la cabeza.

—No lo creo. Me han dicho que, en esta época del año, en España llueve poco. Con un poco de suerte nada podrá evitar que tengas tu carga de caballería —añadió sonriendo de nuevo, otra vez la franca mueca de amistad—. Quiero decir que la tendremos, claro. Los dos.

Frederic agradeció mentalmente aquel «los dos». Era bella la amistad bajo la tienda de campaña, a la luz del candil, en vísperas de una batalla. Por Dios que la guerra podía llegar a ser hermosa.

—Te vas a reír —dijo en voz baja, consciente de que se encontraban en la hora apropiada para las confidencias—, pero siempre imaginé mi primera carga bajo un sol radiante, uniformes y aceros desenvainados refulgiendo al sol, cubriéndose con el polvo de la galopada...

—«El instante supremo en que no tienes otro amigo que tu caballo, tu sable y Dios, por ese orden» —recitó De Bourmont entornando los ojos para recordar.

—¿Quién escribió eso?

—Lo ignoro. Quiero decir que no lo recuerdo. Lo leí una vez, hace muchos años; en un libro de la biblioteca de mi padre.

—¿Por eso te hiciste húsar? —preguntó Frederic.

De Bourmont se quedó unos instantes pensativo.

—Es posible —concluyó—. La verdad es que siempre tuve curiosidad por saber si aquel orden de factores estaba bien establecido. En Madrid decidí que el mejor amigo es el sable.

—Quizá mañana cambies de opinión y te inclines por *Rostand,* tu caballo. O por Dios.

—Quizá. Pero mucho temo que, puesto a escoger entre uno de los dos, prefiera que no me falle el caballo. ¿Y tú?

Frederic hizo un gesto de duda.

—La verdad es que todavía no lo sé. El sable —lo señaló con un movimiento de la mano, en su funda metálica guarnecida de piel negra— no puede fallar y el brazo que lo manejará está bien entrenado.

Mi caballo *Noirot* es un excelente animal, que responde a la presión de mis rodillas casi tan bien como a las riendas. Y Dios... Bueno, yo tuve, a pesar de haber nacido el mismo año de la toma de la Bastilla, una educación familiar religiosa. Después, la vida militar crea un ambiente bien distinto, pero resulta difícil renunciar a las creencias que te inculcaron siendo niño. De todas formas, en una batalla Dios debe de andar demasiado ocupado para cuidar exclusivamente de mí. También los españoles que tendremos enfrente creen en su Dios papista y dogmático, con bastante más fanatismo que este húsar del Emperador, y juran y vuelven a jurar que está con ellos y no con nosotros, encarnación de todas las maldades del infierno. Posiblemente le ofrecieron a Cristo, como en los sacrificios paganos, al pobre Juniac mientras lo destripaban colgado por los pies en aquel olivo...

—¿En resumen? —preguntó De Bourmont, a quien el recuerdo de Juniac había ensombrecido.

—En resumen, me quedo con mi sable y mi caballo.

—Así habla un húsar. A Letac le gustaría oír eso.

De Bourmont se quitó las botas y el dormán, tendiéndose nuevamente sobre el catre. Allí cruzó los brazos bajo la nuca y cerró los ojos, tarareando entre dientes una cancioncilla italiana. Frederic sacó del bolsillo del chaleco el reloj de plata con sus iniciales grabadas, que su padre le había regalado el día que abandonó Estrasburgo para incorporarse a la Escuela Militar. Las once y treinta minutos de la noche. Se levantó con pereza, frotándose los riñones, y colocó el sable en el correaje colgado del mástil de la tienda, junto a las fundas de arzón con dos pistolas que él mismo había cargado cuidadosamente un par de horas antes.

—Voy a tomar un poco el aire —le dijo a De Bourmont.

—Deberías intentar dormir —respondió su amigo, sin abrir los ojos—. Mañana va a ser un día agitado. No habrá mucho tiempo para descansar.

—Sólo voy a echarle un vistazo a *Noirot.* Vuelvo en seguida.

Se puso el dormán sobre los hombros, apartó la lona de la tienda y salió al exterior, respirando la brisa de la noche. La luz de los rescoldos de una fogata teñía de rojo los rostros de media docena de soldados que conversaban sentados alrededor. Frederic los observó unos instantes y después echó a andar hacia las caballerizas del campamento, de donde llegaba a intervalos el nervioso relinchar de algún animal.

Oudin, el sargento forrajero del escuadrón, jugaba a los naipes con otros suboficiales bajo la lona de una tienda descubierta por los flancos. Sobre la mesa de madera había una grasienta baraja, botellas de vino y varios vasos. Oudin y los otros se pusieron en pie al reconocer a Frederic.

—A sus órdenes, mi subteniente —dijo Oudin, el rostro bigotudo y picado por la viruela rojo por efecto del vino—. Sin novedad en las caballerizas.

El sargento era un veterano borrachín y gruñón, siempre con su humor de mil diablos, pero que conocía a los caballos como si los hubiera parido él mismo. Llevaba un aro de oro en el lóbulo de la oreja izquierda y dos trenzas que teñía de negro para ocultar las canas. Su uniforme, como el de la mayor parte de los húsares, estaba recargado de bordados y cordones. Los gustos en materia de indumentaria de la caballería ligera no eran precisamente discretos.

—Voy a ver a mi caballo —le informó Frederic.

—Como guste, señor —respondió el sargento, guardando una disciplinada compostura ante aquel muchacho que tenía la edad de su hijo pequeño—. ¿Desea que le acompañe?

—No hace falta. Supongo que *Noirot* sigue donde lo dejé esta tarde.

—Sí, señor. En el cercado de los oficiales, junto al muro de piedra.

Frederic se alejó siguiendo a oscuras el sendero, y Oudin volvió a sus naipes tras mirar al subteniente con disimulado recelo. No le gustaba que se anduviese metiendo las narices entre los caballos; cuando no estaban ensillados debían ser, en principio, responsabilidad exclusivamente suya. Ya se cuidaba bien él de que no les faltase nada, que aquellas nobles máquinas de guerra estuviesen siempre bien limpias y alimentadas. Una vez, años atrás, había tenido algo más que palabras con un sargento de coraceros que se permitió emitir un comentario despectivo sobre la limpieza de un animal confiado a su custodia. El coracero pasó a mejor vida con la frente abierta de un sablazo, y ninguno de los que presenciaron el hecho volvió jamás a decir esta boca es mía ante un caballo confiado a la custodia del sargento Oudin.

Noirot era un soberbio ejemplar de seis años, negro, con la crin y la cola moderadamente recortadas. No tenía gran alzada, pero sí sólidos remos y un pecho poderoso. Frederic lo había adquirido en París dilapidando su escasa fortuna, pero un oficial de húsares merecía un buen caballo. Es más, podía muy bien irle la vida en ello.

Noirot se encontraba junto al muro de piedra que separaba dos parcelas de olivos, con el hocico metido en un saco de forraje. Al sentir la presencia de su dueño relinchó suavemente. A la luz de las lejanas fogatas, Frederic contempló la hermosa estampa del animal, le pasó una mano por el lomo debidamente cepillado y después metió la mano en el saco de forraje para acariciarle el belfo.

En el horizonte brilló el resplandor de un relámpago y el trueno llegó al poco rato, amortiguado por la distancia. Los caballos relincharon inquietos y Frederic se estremeció, levantando el rostro para interrogar al cielo que las nubes volvían negro como la tinta. Una patrulla de exploradores pasó junto al cercado, inclinados los hombres sobre sus cabalgaduras, silenciosas sombras desfilando en la noche. Frederic miró una vez más el cielo, pensó en la lluvia, en el teniente Juniac colgado boca abajo de su olivo, en los rostros morenos y crueles de los campesinos, y por primera vez en su vida sintió en la boca el sabor del miedo.

Acarició la crin de *Noirot,* abrazando contra la suya la noble cabeza del animal.

—Cuida de mí mañana, viejo amigo.

Michel de Bourmont todavía no estaba dormido; levantó la cabeza cuando Frederic entró en la tienda.

—¿Todo bien?

—Todo bien. Eché un vistazo a los caballos; Oudin los tiene en perfecto estado de revista.

—Ese sargento conoce su oficio —De Bourmont había hecho también una visita a las caballerizas un par de horas antes que Frederic, pero se abstuvo de mencionarlo—. ¿Dormirás ahora, o prefieres un coñac?

—Creía que eras tú el que iba a dormir un poco.

—Lo haré. Pero me apetece un coñac.

Frederic levantó la tapa del baúl de su amigo y extrajo un frasco cubierto de cuero repujado, sirviendo el licor en dos vasos de metal.

—¿Queda algo? —preguntó De Bourmont mirando su vaso.

—Para dos tragos más.

—Guardémoslo entonces para mañana. No sé si habrá tiempo de que Franchot recoja el suministro antes de que nos pongamos en marcha.

Hicieron sonar el metal de sus respectivos vasos y bebieron; despacio Frederic, de una sola vez De Bourmont. Siempre el estilo húsar.

—Creo que lloverá —dijo Frederic al cabo de un rato. Nadie habría podido detectar en su voz el menor rastro de inquietud; se limitaba a formular en voz alta un pensamiento. Sin embargo, se arrepintió inmediatamente de haberlo dicho, incluso antes de terminar de hablar. Pero De Bourmont estuvo magnífico.

—¿Sabes una cosa? —comentó en tono adecuadamente jovial—. Hace un momento estuve pensando en eso, y debo confesar que llegué a preocuparme, ya sabes, el barro y todo lo demás. Pero resulta que también la lluvia tiene su aspecto positivo; las balas de cañón se entierran más en el suelo blando y el efecto de la metralla se amortigua considerablemente. Además, si las maniobras de nuestra caballería se ven un poco entorpecidas, también les ocurrirá lo mismo a *ellos.* De todas formas, y para liquidar la cuestión, te diré que en esta época del año, si cae agua, serán cuatro gotas.

Frederic apuró el contenido de su vaso. No le gustaba el coñac, pero un húsar bebía coñac y blasfemaba. Beber era más fácil para él que blasfemar.

—No me preocupa la lluvia como peligro en sí —explicó, honesto—. Lo mismo da morir en el barro que sobre suelo seco, y la sensación que cada uno puede experimentar ante la proximidad de la muerte es algo personal y reservado, íntimo, que no afecta a nadie más que a él. A menos, claro está, que esa sensación se exteriorice, lo que empieza ya a lindar con la cobardía...

—Esa palabra, caballero —dijo De Bourmont imitando con una mueca el enfurruñado ceño del coronel Letac—, no la pronuncia jamás, ¿verdad?, un, ejem, húsar.

—Exacto. Así que la descartamos. Un húsar no tiene miedo, y si lo tiene, ello debe ser asunto exclusivamente suyo —puntualizó Frederic siguiendo el hilo de sus pensamientos—. Pero ¿qué hay del otro miedo, del miedo legítimo a que la fortuna no le depare a uno suficiente gloria, suficiente honor en una batalla?

—¡Ah! —exclamó De Bourmont alzando las manos con las palmas abiertas hacia su amigo—. ¡Ése es un miedo que respeto!

—Pues de eso se trata —concluyó Frederic con vehemencia—. Yo, lo confieso sin rubor alguno, tengo miedo de que la lluvia o cualquier otro maldito incidente aplacen la batalla o me impidan tomar parte en ella. Creo... creo que un hombre como tú, o como yo, sólo se justifica, sólo encuentra su razón de ser, cabalgando con las riendas entre los dientes, pistola en una mano y sable en la otra, aullando su grito de guerra en nombre del Emperador... También, y quizá deba avergonzarme un poco esto —añadió bajando el tono de voz—, tengo miedo... Bueno, miedo no es la palabra exacta. Me preocupa haber llegado hasta aquí para caer de forma oscura y sin gloria, asesinado en un camino solitario por chusma campesina, como el pobre Juniac, en vez de hacerlo cabalgando tras el águila del Regimiento, a cielo abierto y rodeado por los camaradas, de un limpio sablazo o de un tiro en el pecho, de pie, con las espuelas en su sitio, el arma en la mano y la boca llena de sangre, como mueren los hombres.

De Bourmont agitó lentamente la cabeza, ensimismados los ojos azules en el recuerdo de Juniac. Estaba muy pálido.

—Sí —confesó con voz ronca, como si hablase consigo mismo—. Yo también le tengo miedo a eso.

Los dos se quedaron un rato en silencio, sumidos en sus propios pensamientos. Por fin, De Bourmont arrugó la nariz y cogió el frasco de coñac.

—¡Al diablo! —exclamó, quizá con excesiva animación—. Bebámonos los dos tragos que quedan, camarada, que mañana Dios o la Intendencia proveerán. Salud.

Volvieron a tintinear los dos vasos de metal, pero la mente de Frederic estaba lejos de allí, en su ciudad natal, junto al lecho en el que, seis años atrás, agonizaba su abuelo paterno. A pesar de su corta edad, Frederic había percibido con toda claridad los más minuciosos detalles del drama familiar: la casa sombría con los postigos cerrados, las mujeres que lloraban en el salón y los ojos enrojecidos de su padre, levita oscura y grave expresión en el rojizo rostro de honrado comerciante de desahogada posición. El abuelo estaba en su alcoba, ligeramente incorporado sobre los almohadones, con las manos descarnadas, desprovistas ya de vigor, reposando sobre la colcha. La enfermedad le había dejado la cara reducida a una máscara de huesos y piel amarillenta de la que emergía la nariz aguileña que, en el anciano, se antojaba extremadamente larga y fina.

«No quiere vivir más. No quiere...» Las palabras, casi un susurro sorprendido en labios de su madre por el joven Frederic, lo habían impresionado. El viejo Glüntz, comerciante de Estrasburgo, estaba retirado de los negocios desde hacía una década, tras ceder la empresa familiar a su hijo. Una enfermedad de las articulaciones había hecho presa en él, postrándolo en cama, consumiéndolo lentamente sin esperanza de curación y sin el consuelo de una muerte rápida y poco dolorosa. El final se acercaba, sí, pero demasiado despacio. Y un día, el abuelo se cansó de esperar, negándose desde aquel instante a ingerir alimento, aislándose del resto de la familia, sin pronunciar una palabra más y sin hacer movimiento alguno, dispuesto a recibir con la máxima premura esa muerte que tanto se hacía de rogar. Y en los últimos días de su vida, en aquella alcoba envuelta en sombras, el viejo Glüntz no mostraba hacia los afanes y sufrimientos de hijos, nuera, nietos y parientes, más que una tranquila y silenciosa indiferencia. El ciclo de su vida, cuanto tenía que esperar del mundo, ya se había consumado. Y el joven Frederic, en su infantil intuición, supo comprender que su abuelo dejaba de luchar por la vida, pues nada esperaba ya de ella; salía al encuentro de la muerte con la pasividad y el abandono del hombre que había ya franqueado el muro al otro lado del cual se quedan la vitalidad y las ansias de luchar por la existencia. Y contemplando, no sin temor reverencial, desde el umbral de la alcoba la figura inmóvil de su abuelo, Frederic Glüntz se preguntó entonces fugazmente si no estaría en ella y en lo que representaba el principio de la máxima sabiduría.

No le preocupaba su propio comportamiento en la batalla que se anunciaba para el día siguiente, pensó por enésima vez. Estaba preparado para todo, incluso para el caso de que, como contaban las viejas sagas escandinavas que tanto le gustaba leer cuando era niño, las walkirias lo distinguiesen durante el combate con el beso en la frente de los valientes que habían de morir. Sería digno del uniforme que llevaba. Cuando regresara a Estrasburgo, Walter Glüntz tendría motivos más que sobrados para sentirse orgulloso de él.

De Bourmont se había tumbado de nuevo en el catre y esta vez dormía profundamente. Frederic se quitó las botas y lo imitó, sin apagar el candil. Tardó mucho en dormirse, y cuando lo hizo fue el suyo un sueño inquieto, poblado de extrañas imágenes. Veía rostros hoscos y cetrinos, largas lanzas, caballos desbocados y sables desnudos que refulgían bajo los rayos del sol. Con el corazón oprimido de temor buscó a su walkiria entre el polvo y la sangre, y experimentó un infinito consuelo al no encontrarla. Se despertó varias veces con la boca seca y la frente ardiendo, escuchando sus propios gemidos.

2. La madrugada

Todavía era de noche cuando se presentó Franchot, el ordenanza que ambos compartían. Se trataba de un húsar de corta estatura y mal encarado, trenzas grasientas y piernas arqueadas, cuya única virtud residía en una especial habilidad para conseguir, mediante oscuras maniobras, vituallas destinadas a mejorar la pitanza, siempre escasa en el ejército de España. Por lo demás resultaba un tipo escasamente recomendable.

—El comandante Berret ha convocado reunión de campaña para los señores oficiales —anunció en cuanto hubo considerado a los dos subtenientes razonablemente despiertos—. En su tienda, dentro de media hora.

Frederic se levantó del catre con desgana. Apenas había dormido, y justo en el momento en que irrumpió Franchot acababa de conciliar nuevamente el sueño. De Bourmont ya estaba en pie, los ojos enrojecidos, arreglándose el cabello entre bostezo y bostezo.

—Parece que llegó el gran momento —dijo, frunciendo el ceño al comprobar que el ordenanza se demoraba en cepillarle las botas—. ¿Qué hora es?

Frederic le echó un vistazo a la esfera de su reloj.

—Las tres y media de la madrugada. ¿Has dormido bien?

—Como un niño —respondió De Bourmont, lo cual no era rigurosamente exacto—. ¿Y tú?

—Como un niño —repuso Frederic, lo cual era menos exacto todavía. Las miradas de ambos se encontraron un instante, torciéndose las dos bocas amigas en una sonrisa cómplice

Franchot había preparado junto a la tienda un farol de petróleo, una jofaina con agua caliente y un cubo de agua fría. Se lavaron el rostro y después el ordenanza los afeitó cuidadosamente; primero a De Bourmont, por ser más antiguo en el Regimiento, encerándole después las guías del bigote. El aseo de Frederic ocupó menos tiempo; debido a su extrema juventud, su barba no era sino una rala pelusa en las mejillas. Mientras Franchot terminaba de deslizarle la navaja por el rostro, Frederic miró al cielo. Seguía cubierto de nubes; no se veían las estrellas.

El campamento despertaba ruidosamente. Los suboficiales emitían gritos que eran ásperas órdenes, y entre las tiendas había un constante ir y venir de soldados efectuando los preparativos de campaña a la luz de las fogatas. Una compañía de cazadores a pie que había acampado la tarde anterior en las proximidades del escuadrón estaba lista para la marcha; los hombres se alineaban acuciados por las voces de los sargentos. Otra compañía, en columna de a cuatro, se alejaba ya bajo los olivos cubiertos de sombras.

Franchot les ayudó a ponerse las botas. Frederic cerró los dieciocho botones a cada lado del estrecho pantalón de montar que las ceñía hasta los tobillos, y tras desechar el chaleco se puso el dormán sobre una camisa limpia, abrochando meticulosamente los también dieciocho botones de la pechera galoneada con vistosos alamares dorados. Descolgó el correaje del mástil de la tienda y se lo ajustó al hombro derecho y a la cintura, haciendo tintinear el extremo de la funda del sable contra sus espuelas. Se abotonó el cuello y los puños, frotó manos y cara con agua perfumada, se puso los guantes de cabritilla y colocó bajo su brazo derecho el impresionante colbac, chacó forrado de piel de oso, privilegio de los oficiales en las unidades de élite. De Bourmont, que había ejecutado exactamente los mismos movimientos en idéntico orden, esperaba sujetando con la mano, alzada, la lona de la tienda.

—Después de ti, Frederic —le dijo, y sus ojos lanzaron un destello de satisfacción por el aspecto de su camarada.

—Después de ti, Michel.

Hubo dos taconazos, dos sonrisas y un apretón de manos. Y ambos salieron al exterior, erguidos, pulcros y recién afeitados, haciendo sonar los sables contra las espuelas, sintiéndose jóvenes y hermosos en el bello uniforme, aspirando con deleite el aire fresco de la madrugada, dispuestos a afrontar a sablazos el reto que la Muerte les lanzaba desde el horizonte todavía sumido en tinieblas.

El comandante Berret estaba inclinado sobre una mesa cubierta de mapas, rodeado por los ocho oficiales del escuadrón. Con su único ojo —el izquierdo lo había perdido en Austerlitz y en su lugar llevaba un parche negro que le confería singular expresión de ferocidad— seguía atentamente los relieves del terreno marcados en los mapas. Ni él ni el capitán Dombrowsky habían dormido en toda la noche. Acababan de llegar de una reunión convocada tres horas antes por el coronel Letac, en la que se habían impartido instrucciones para la actuación del Regimiento durante la jornada que estaba a punto de iniciarse. Berret tenía prisa.

—Los españoles se han concentrado aquí y aquí —hablaba con su habitual tono seco y cortante, sin mirar a nadie, con el único ojo concentrado en los mapas como si en ellos figurase, en miniatura, el ejército enemigo—. Las unidades de exploración ya han establecido contacto, y presumiblemente el grueso de las operaciones se desarrollará en este valle, apoyándose nuestras líneas en los cerros que ahora les indico. El Regimiento operará en el flanco izquierdo de la División, realizando las habituales misiones de reconocimiento y protección. Llegado el caso, también de ataque. Al menos uno de los escuadrones permanecerá en reserva; pero ése, afortunadamente, no es nuestro caso. Cabe la posibilidad de que tengamos que emplearnos a fondo en primera línea.

Para el Primer Escuadrón del 4.° de Húsares, emplearse a fondo en primera línea incluía la posibilidad de una carga. A la luz del farol del petróleo colgado en el mástil de la tienda, Frederic pudo ver expresiones satisfechas en los rostros de sus camaradas. Sólo el capitán Dombrowsky, ligeramente inclinado sobre la mesa junto a Berret, mantenía su helada impasibilidad. El poblado mostacho de color pajizo y las trenzas prematuramente grises daban al segundo jefe del escuadrón el aspecto de un curtido veterano, cosa que en realidad era. Polaco de origen, se había batido bajo la bandera de Francia en los campos de batalla de toda Europa; quizá en ellos había adquirido aquel aire de desengañada frialdad que lo caracterizaba. Jamás nadie le había oído pronunciar una palabra más alta que la otra, ni siquiera al dar órdenes. Era un tipo silencioso, solitario y huraño, que rehuía la compañía de sus camaradas, tanto de los superiores como de sus iguales. Pero era valiente soldado, excelente jinete y experto oficial. Si bien no era amado, al menos todos lo respetaban por ello.

—¿Alguna pregunta? —quiso saber Berret, sin levantar su ojo ciclópeo del mapa, como absorto en la contemplación de algo sólo por él conocido. Philippo, un teniente de tez morena, risueño y fanfarrón, carraspeó antes de hablar.

—¿Se conoce el número de los efectivos enemigos?

Berret enarcó la ceja de su único ojo, como si le desagradara la pregunta. «¿Qué importa el número?», parecía preguntar.

—Se han evaluado de ocho a diez mil hombres concentrados entre Limas y Piedras Blancas —explicó con mal disimulado fastidio—: infantería, caballería, artillería y partidas de guerrilleros... Posiblemente el primer encuentro tenga lugar aquí —señaló un punto en el mapa— y después aquí —señaló otro punto y después dio un golpe sobre él con el canto de la mano, en forma de hacha—. El objetivo es cortarles el paso hacia la serranía, obligándoles a presentar batalla en el valle, terreno que, en principio, les resulta menos favorable.

»Ya saben casi tanto como yo. ¿Alguna pregunta más, caballeros?

No hubo más preguntas. Todos los presentes sabían, incluido el bisoño Frederic, que las breves explicaciones del jefe de escuadrón habían sido puro formulismo. En cierta forma, también aquella reunión lo era; las decisiones irían llegando desde arriba en el curso de la batalla, y sólo el coronel Letac sabía a ciencia cierta cuáles eran los planes del general Darnand. Respecto al escuadrón, lo que se esperaba de él era que pelease bien y que, llegado el caso, cargase al recibir la orden hasta deshacer las formaciones enemigas que le fueran asignadas.

Berret plegó los mapas, dando por terminada la reunión.

—Gracias, caballeros. Eso es todo. Salimos dentro de media hora con el resto del Regimiento; si no perdemos tiempo, el amanecer nos encontrará con buena parte del camino hecho.

—Formación de a cuatro para la marcha —dijo Dombrowsky, hablando por primera vez—. Y cuando llegue el momento, aparte de los guerrilleros, guárdense de los lanceros españoles. Son buenos jinetes.

—¿Tan buenos como nosotros? —preguntó el subteniente Gerard.

Dombrowsky los miró uno por uno con sus ojos grises, tan fríos como el agua helada de su Polonia natal.

—Tanto como nosotros, puedo asegurarlo —respondió con expresión inescrutable—. Yo estuve en Bailén.

Desde hacía varias semanas, Bailén era sinónimo de desastre. Allí habían capitulado tres divisiones imperiales frente a veintisiete mil españoles, teniendo dos mil seiscientos muertos, perdiendo diecinueve mil prisioneros, medio centenar de cañones, cuatro estandartes suizos y cuatro banderas francesas... Un silencio ominoso se adueñó de los presentes, e incluso el comandante Berret miró a Dombrowsky con aire de censura. Fue el ordenanza del comandante quien salvó la incómoda situación al retirar los mapas de la mesa y acercar una botella de coñac y varios vasos. Cuando todos estuvieron servidos, Berret levantó el suyo.

—Por el Emperador —brindó solemne.

—¡Por el Emperador! —repitieron todos, y los sables resonaron contra las espuelas cuando se irguieron, juntando los talones, antes de apurar los vasos de un solo trago.

Frederic sintió el fuerte aroma del coñac deslizándose por las entrañas en ayunas y apretó los dientes para que nadie percibiera un gesto de rechazo en sus facciones. El grupo se disolvió, y todos abandonaron la tienda. El campamento era ya un ajetreado ir y venir de sombras y reflejos, sonidos metálicos de las armas, relinchar de monturas, órdenes y carreras. El cielo seguía negro, sin el menor rastro de estrellas. Frederic sintió frío y por unos instantes pensó si no habría hecho mejor poniéndose el chaleco. Pero el recuerdo de la calurosa tierra en la que se encontraba alejó rápidamente la idea; en cuanto fuese de día, cualquier exceso de ropa se convertiría en un estorbo inútil.

De Bourmont caminaba a su lado, perdido en sus pensamientos. Frederic sintió una desagradable punzada en el estómago.

—El coñac de Berret me ha sentado como un pistoletazo.

—A mí también —respondió De Bourmont—. Espero que Franchot haya tenido tiempo de hacernos una taza de café.

Franchot no defraudó las esperanzas de los dos amigos. Cuando llegaron a su tienda, el ordenanza tenía preparado un humeante puchero y un par de bizcochos secos. Dieron cuenta de ello, revisaron el equipo por última vez y se encaminaron hacia las caballerizas.

El escuadrón formaba por divisiones, a la luz de antorchas clavadas en tierra. Los ciento ocho hombres revisaban sus monturas, ceñían las cinchas, comprobaban las carabinas antes de colocarlas en las fundas del arzón o colgárselas a la espalda. Frederic y el resto de los oficiales no disponían de esta arma de fuego; se daba por sentado que un oficial de húsares sabía apañárselas con un par de pistolas y un sable.

Franchot había ensillado a *Noirot,* lo que no impidió que Frederic tantease con sumo cuidado las correas que fijaban la silla de montar a la cabalgadura, hasta asegurarse personalmente de que todo estaba en perfecto orden. En combate, las dos pulgadas que separaban cada uno de los agujeros de las cinchas podían suponer la diferencia entre la vida y la muerte. Las ajustó del modo que creyó satisfactorio y después se inclinó a revisar las herraduras del animal. Cuando estuvo tranquilo pasó el brazo sobre la piel de oso que guarnecía la silla, y con la mano izquierda acarició la crin de *Noirot.*

De Bourmont ejecutaba prácticamente los mismos movimientos, muy cerca de él. Su caballo era un soberbio tordo rodado y la silla estaba adornada con una lujosa piel de leopardo, que sin duda había costado una fortuna a su propietario. En buena parte, la consideración en que sus camaradas tenían a un húsar estaba en proporción directa con el dinero que éste invertía en la guarnición de su montura. Y De Bourmont, tanto por sangre como por carácter, era hombre que ni podía ni deseaba reparar en gastos.

Cuando vio que Frederic lo observaba, le sonrió. La luz de las antorchas hacía brillar los cordones dorados en la abigarrada pechera de su dormán.

—¿Todo en orden? —preguntó.

—Todo en orden —respondió Frederic, sintiendo palpitar contra su costado el cálido flanco de *Noirot.*

—Tengo la corazonada de que hoy va a ser un hermoso día.

Frederic levantó el rostro, señalando al cielo negro.

—¿Crees que las nubes dejarán que asome el sol de la victoria?

De Bourmont soltó una carcajada.

—Aunque amanezca nublado, aunque caigan lanzas de punta, será un hermoso día. Nuestro día, Frederic.

El comandante Berret pasó a caballo, seguido por el capitán Dombrowsky, el teniente Maugny y el corneta mayor. Los húsares permanecían pie a tierra entre sus cabalgaduras, charlando y bromeando entre sí, con la animación propia del momento. Las antorchas iluminaban con luces cambiantes trenzas y fieros mostachos, rostros curtidos de veteranos con cicatrices y expresiones absortas de los reclutas bisoños que, como Frederic, jamás habían entrado en combate. El joven los contempló a todos durante largo rato; aquello era la élite, la crema de la caballería ligera del ejército francés, jinetes consumados, profesionales de la guerra en su mayor parte, que habían tejido su propia leyenda cabalgando tras el águila imperial, barriendo con sus sables los más gloriosos campos de batalla de toda Europa. Y él, Frederic Glüntz, de Estrasburgo, a sus diecinueve años, era uno de ellos. El pensamiento le hizo estremecer de orgullo.

Las voces de unas cantineras que pasaban sobre un carro de la intendencia vitorearon al escuadrón desde las sombras, al otro lado del muro de piedra. Los húsares respondieron con un coro de risotadas y chanzas de todo género. Frederic aguzó la vista, pero sólo pudo percibir algunas formas confusas que se alejaban en la oscuridad, acompañadas por el rechinar de las ruedas y el sonido de los cascos del tiro de caballos.

Resultaba fuera de lugar, pensó, escuchar voces femeninas, aunque se tratase de cantineras, en aquellos solemnes momentos. El ritual del escuadrón preparándose para la marcha, rumbo a la batalla inminente, suponía una liturgia cerrada, un rito de clan exclusivamente masculino, del que debía quedar excluida cualquier presencia del sexo opuesto, ni siquiera en forma de voces quemadas por el aguardiente que pasaban de largo en la noche. Frunció los labios con desagrado, sin dejar de acariciar maquinalmente la crin de *Noirot.* Años atrás había leído un libro sobre la historia de los caballeros templarios, la orden de monjes soldados que peleaban en Palestina contra los sarracenos, guerreros rudos y orgullosos que se dejaron quemar en las hogueras de los reyes europeos que ansiaban apoderarse de sus riquezas, y que morían altivos, maldiciendo a sus verdugos. El mundo de los templarios era un mundo de hombres, del que las mujeres quedaban excluidas por definición. El honor, Dios y la pelea eran sus únicos acicates. Vivían y luchaban por parejas, compañeros fieles unidos frente a todo y a todos por sagrados e inviolables juramentos...

Frederic miró otra vez a De Bourmont, concentrado ahora en asegurar el capote, arrollado en la parte delantera de la silla. Se sentía unido a su amigo por algo más que los lazos de camaradería que podían establecerse entre dos jóvenes subtenientes de un mismo escuadrón. Ambos tenían en común un juramento nunca formulado, pero irrenunciable: la sed de gloria. A ella servían por Francia y por el Emperador, y en su nombre cabalgarían tras el águila hasta las mismas puertas del infierno. En ese hermoso camino se habían hecho hermanos y jamás, por muchos años que transcurriesen después, aunque la vida los separase llevándolos a lugares lejanos, olvidarían las horas, los días, las semanas o los meses que el Destino decidiera habrían de pasar juntos. Por la mente de Frederic desfilaron imágenes de épica belleza: De Bourmont, muerto su caballo, con la cabeza descubierta y en mitad de un campo de batalla, sonriendo a su amigo que descabalgaba para cederle su montura y afrontaba, sable en mano, la muerte que el Hado reservaba a su camarada. El propio Frederic caído en tierra, protegido por un De Bourmont que alejaba a mandobles a los enemigos que intentaban apresar al compañero herido... O ambos, cubiertos de lodo y sangre, defendiendo una de las viejas águilas, mirándose y sonriendo en muda despedida antes de arrojarse en brazos de la muerte que los acosaba en cerco fatal.

No. Para nada hacía falta allí una presencia femenina. Si acaso, unos hermosos ojos como lejanos testigos del drama heroico, velados por dulces lágrimas al ser su linda poseedora puesta al corriente de los acontecimientos, al conocer la muerte del húsar... Frederic, incluso, ya conocía esos ojos. Los había visto en Estrasburgo dos días antes de su partida, durante la recepción en casa de los señores Zimmerman. Un vestido azul, un perfecto óvalo de cara enmarcado por cabello rubio y suave como seda, unos ojos azules como el cielo de España, una piel blanca y tersa, de apenas dieciséis años. La hija de los señores Zimmerman, Claire, había sonreído graciosamente al guapo húsar en uniforme de gala que se inclinaba ante ella con gesto marcial, juntando los tacones de las lustradas botas, balanceando con donaire la pelliza escarlata colgada con estudiada desenvoltura del hombro izquierdo.

Fue una conversación breve y desusadamente tierna por ambas partes. Él, rogando a Dios para que ella atribuyese al calor aquel violento rubor que subía incontenible a sus mejillas. Ella, no menos ruborizada, saboreando el placer de atraer la atención de un oficial de caballería tan apuesto y elegante en el ceñido uniforme azul con pelliza roja, de quien sólo la decepcionaba el hecho de que fuese demasiado joven para lucir un bello mostacho que acentuase su viril aspecto. De todas formas, él partía para una guerra lejana, en un país meridional y caluroso, y eso era suficiente. Después, cuando Frederic tuvo que alejarse requerido por un anciano coronel amigo de la familia, Claire bajó los ojos, jugando con el abanico para disimular su azoramiento, adivinando fijas en ella las miradas de envidia que le lanzaban sus primas.

Eso fue todo. Diez minutos de conversación y un delicado recuerdo que un día, cuando él regresase —quizá con una cicatriz gloriosa que sustituyera al rubor en sus mejillas—, podría ser comienzo, ahora insospechado, de una hermosa historia de amor. Pero aquella noche, bajo un cielo español que no era azul como los ojos de Claire, sino amenazador y negro como la puerta del infierno, Estrasburgo y el salón de los señores Zimmerman se encontraban demasiado lejanos para Frederic Glüntz.

Un escuadrón de caballería, perteneciente sin duda al mismo Regimiento, pasaba ahora tras el muro, siguiendo el camino que serpenteaba entre los olivares envueltos en tinieblas. El sonido de los cascos de las cabalgaduras desfilaba como el rumor de un torrente. La voz del comandante Berret restalló dentro del círculo de luz de las antorchas.

—¡Escuadrón! ¡Mooon... ten!

El cornetín tradujo la orden con estridente sonido. Frederic se cubrió con el colbac de piel de oso, puso el pie en el estribo y se izó a lomos de *Noirot.* Acomodóse en la silla, dejando colgar sobre su muslo izquierdo el portapliegos de cuero rojo, adornado con el águila imperial y el número del Regimiento. Se ajustó los guantes de cabritilla, apoyó la mano izquierda sobre el pomo del sable y tomó las riendas con la derecha. *Noirot* piafó agitando la cabeza, listo para marchar a la menor insinuación de su jinete.

Berret pasó frente a ellos con las bridas flojas, seguido como una sombra fiel por el trompeta mayor. Frederic se volvió hacia De Bourmont, que hacía retroceder a su caballo con una suave presión de las riendas.

—Esto empieza, Michel.

De Bourmont asintió con la cabeza, pendiente de los movimientos del caballo. El impresionante colbac, bajo el que caían las trenzas y la coleta rubias, le daba un aspecto formidable.

—Empieza, y parece que empieza bien —dijo llegando hasta su altura y estrechándole la mano—.

Aunque creo que todavía tendremos ocasión de charlar un rato. He oído decir a Dombrowsky que la acción no llegará para nosotros hasta entrada la mañana.

—Lo importante es que llegue.

—Así sea.

—Buena suerte, Michel.

—Buena suerte, hermano. Y recuerda que cabalgo detrás de ti; no te quitaré ojo en toda la jornada. Así podré después contar a las damas lo que hizo mi amigo Frederic Glüntz en el día de hoy. Pienso especialmente en unos ojos azules sobre los que un día tuviste la debilidad de contarme ciertos detalles...

El caballo de De Bourmont cabeceó, inquieto.

—Vaya, vaya —dijo el jinete—. ¡Tranquilo, *Rostand,* qué diablos...! ¿Te das cuenta, Frederic? Los caballos están casi tan impacientes como nosotros por entrar en combate. Hace una hora todos roncábamos, y de pronto cualquier ser viviente parece tener prisa. Esto es la guerra.

»Por cierto, si en algún momento te sientes solo, no tienes más que volverte y me verás... Bueno, eso será cuando se haga de día. Ahora ni el mismísimo Lucifer sería capaz de verse el rabo. Por la sangre de Cristo que no.

»Y cuídate, maldita sea. ¡Cuídate mucho!

Retrocediendo siempre sobre su grupa, con la destreza de un consumado jinete, De Bourmont se alejó hasta ocupar su puesto en la formación. Frederic contempló la larga fila de húsares inmóviles sobre las monturas, silenciosos e impresionantes en sus vistosos uniformes, a cuyos complicados adornos daba destellos de oro viejo la luz de las antorchas. El capitán Dombrowsky pasó a caballo con un trote corto, arriesgándose a romperse el alma en la semioscuridad. Un polaco frío y orgulloso, eso era el capitán. Frederic admiró una vez más su impasible porte, incluido el aire de «todo me importa un bledo» que era una de sus más destacadas actitudes.

El cornetín ordenó marcha al paso, en columna de a cuatro. Frederic dejó pasar ante él seis filas de cuatro hombres grupa con grupa, y tras aflojar ligeramente las riendas presionó las rodillas contra los flancos de *Noirot,* ocupando su puesto en la formación. El escuadrón maniobró en dirección al camino, abandonando el círculo de luz de las antorchas. Franqueado el muro de piedra, la columna se puso a serpentear por el camino, adentrándose en la oscuridad.

Algunos hombres canturreaban entre dientes, otros conversaban en voz queda. De vez en cuando una chanza recorría la fila. Pero la mayor parte de los húsares marchaban en silencio, rumiando sus propios pensamientos, recuerdos e inquietudes. Frederic pensó que no sabía nada de ellos. De los oficiales sí, naturalmente; pero ignoraba cuanto se refería a la tropa, incluso a los doce hombres que se encontraban directamente bajo su mando: el sargento Pinsard, los caporales Martin y Criton... Había un húsar que se llamaba Luciani, recordaba al tipo porque era corso, como el Emperador, y solía alardear de ello. Los otros eran desconocidos, soldados a los que podía identificar por el rostro, pero de quienes ignoraba los nombres y con los que apenas había cambiado algunas palabras. Sin saber muy bien por qué, lamentó de pronto no haberse preocupado en conocerlos mejor. Dentro de pocas horas iban a estar cabalgando juntos, hombro con hombro, hacia un peligro que los amenazaría a todos por igual. El desastre o la gloria, fuera lo que fuese aquello que aguardaba al final del camino lleno de tinieblas, se repartiría equitativamente, sin distinción de oficiales o subalternos. Esos doce soldados anónimos eran sus compañeros de batalla, de vida y quizá de muerte. Y se preguntó, descontento de sí mismo, por qué hasta aquella noche no se le había ocurrido pensar así en ellos.

En la distancia brilló un relámpago, y el trueno llegó a los pocos instantes. Los caballos se agitaron inquietos, e incluso Frederic tuvo que tirar de las riendas para mantener a *Noirot* en la formación. Un húsar blasfemó en voz alta.

—Hoy nos mojamos, compañeros. Os lo dice el viejo Jean-Paul.

«Al menos ya sé el nombre de otro», se dijo Frederic. Pero la voz pertenecía a un rostro oculto por la noche. Del modo de hablar se desprendía que era un veterano.

—Yo prefiero la lluvia al calor —respondió otra voz—. Me han contado que en Bailén...

—Vete con tu Bailén al diablo —respondió el tal Jean-Paul—. En cuanto amanezca vamos a hacer correr a esos andrajosos por toda Andalucía. ¿Es que no oísteis ayer al coronel?

—No tenemos tus orejas —dijo alguien—. Todos saben que son las más largas del Regimiento.

—¡Cuida las tuyas, voto a Dios! —respondió airada la voz del veterano—. ¡O te las cortaré yo en la primera ocasión!

—¿Tú, y cuántos más? —respondió el otro, fanfarrón.

—¿Eres Durand, verdad?

—Sí. Y he preguntado que tú y cuántos más me vais a cortar las orejas.

—Por el diablo, Durand, que en cuanto descabalguemos vamos a tener tú y yo bastante más que palabras...

Frederic creyó llegado el momento de intervenir.

—¡Silencio en las filas! —ordenó en tono enérgico.

La conversación cesó inmediatamente. Después se oyó murmurar en voz baja al llamado Jean-Paul:

—Es el subteniente. Muy gallito está, para no haber oído en su vida un cañonazo de verdad... ¡Ya veremos cómo te portas dentro de unas horas, querido!

Y de la oscuridad brotaron algunas risas quedas, ahogadas por el rumor de los cascos de los caballos.

La columna siguió avanzando al paso, muda serpiente de hombres y monturas que se deslizaba entre tinieblas. Los sables que pendían al costado izquierdo de los jinetes golpeaban contra estribos y espuelas con sonido metálico, como un sordo campanilleo que recorriese el escuadrón de punta a punta. Para no perder la ruta, cada fila de húsares se pegaba a las grupas de la que iba delante, hasta el punto de que a veces sonaba la maldición de un jinete cuyo caballo era literalmente empujado por el que venía detrás. La columna, compacta y soñolienta, marchaba hacia su destino como siniestro escuadrón formado por fantasmas negros de hombres y animales.

Frederic vio un resplandor rojizo al frente, como el de un incendio. Durante media legua mantuvo los ojos fijos en él, calculando la distancia, y decidió que se hallaba en la ruta que seguían. Al poco rato, ya con el resplandor muy próximo, comenzaron a perfilarse en la oscuridad algunas casas de formas confusas. Pasó frente a ellas, pensando que las paredes encaladas se asemejaban a sudarios inmóviles en la noche, y descubrió que la columna entraba en una población.

—Esto es Piedras Blancas —dijo un húsar, pero nadie confirmó sus palabras.

No había un alma en las calles desiertas, donde sólo se escuchaba el eco de los cascos de los caballos.

Las casas estaban cerradas a cal y canto, como si sus moradores se hubieran marchado. También pudiera ser que permaneciesen despiertos y aterrados, sin atreverse a abrir una ventana, espiando por las rendijas el paso de aquella larga fila de diablos negros. A su pesar, Frederic se estremeció con la incómoda sensación de que aquel escenario, el pueblo silencioso y a oscuras, sin un mal farol que iluminase cualquier esquina, tenía algo de siniestro y horrible.

También aquello era la guerra, se dijo. Hombres y bestias que se movían en la noche, pueblos cuyo nombre no se llegaba a conocer jamás, y que sólo significaban etapas en el camino hacia alguna parte. Y sobre todo, aquella inmensa tiniebla que parecía cubrir la superficie de la tierra, hasta el punto de que resultaba difícil imaginar que, en otro lugar del planeta, el cielo era en ese mismo instante azul y brillaba el buen padre sol en lo alto.

El subteniente Frederic Glüntz, de Estrasburgo, a pesar de estar rodeado por muchas docenas de camaradas, miró a diestra y siniestra y tuvo miedo. Temió lo que la noche ocultaba a su alrededor, e instintivamente llevó la mano a la empuñadura del sable. Jamás en su vida había deseado tanto ver alzarse el sol en el horizonte.

El resplandor provenía de un incendio. En la plaza mayor del pueblo —ahora eran ya numerosos los húsares que aseguraban haber reconocido Piedras Blancas— ardía una casa, sin que nadie hiciera el menor esfuerzo por atajar el fuego. Un pelotón de fusileros de línea, descansando bajo los soportales de un edificio que parecía el Ayuntamiento, contemplaba plácidamente las llamas. El incendio iluminaba a los infantes envueltos en sus capotes, que observaron con poco interés el paso de los húsares. Algunos se apoyaban indolentes en sus mosquetones. El fuego próximo hacía bailar sombras en sus rostros, cuya extrema juventud sólo se veía desmentida, de vez en cuando, por el poblado mostacho de un veterano.

—¿Adónde lleva este camino? —les preguntó un húsar.

—No tenemos ni idea —respondió uno de los fusileros, que llevaba una frasca de vino entre las manos y el arma terciada a la espalda—. Pero no os quejéis —añadió con una mueca malévola—. Al menos, los señoritos de la caballería no vais andando, como nosotros.

Incendio, plaza y pueblo quedaron atrás. De nuevo entre los sombríos olivares, el escuadrón adelantó a varias formaciones de infantería, que se hicieron a un lado para dejar expedito el camino. Más adelante pasaron los húsares junto a unas piezas de artillería, cuyos sirvientes estaban tumbados en tierra junto a las cureñas, iluminados por el resplandor de una pequeña fogata. Los caballos de tiro, con los arneses puestos y listos para la marcha, piafaron al paso de la columna.

En el horizonte parecía querer imponerse una débil claridad. El aire frío de la madrugada hizo estremecerse una vez más a Frederic, que volvió a lamentar no haberse puesto el chaleco. Apretó con fuerza los dientes para evitar que castañeteasen, sonido que en aquellas circunstancias podía ser mal interpretado por los hombres que cabalgaban próximos. Desató el capote que llevaba arrollado en la parte delantera de la silla y se lo colocó sobre los hombros. Aunque un rato antes había dado una cabezada, estando a punto de caerse del caballo, ahora se sentía lúcido y despejado. Buscó en la bolsa de cuero que colgaba del pomo de la silla y extrajo una petaca de coñac, previsoramente dispuesta por Franchot, de la que bebió un corto sorbo. Esta vez, el licor le produjo un efecto tónico, y entornó los ojos con gratitud cuando sintió el tibio calorcillo extenderse por su entumecido cuerpo. Guardó la petaca y palmeó suavemente el cuello de *Noirot.* Amanecía.

Poco a poco, las sombras informes que cabalgaban ante él fueron adquiriendo contornos propios. Primero fue un chacó, luego siluetas de hombres y caballos. Después, mientras la claridad iba en aumento, nuevos detalles fueron completando la visión de los jinetes que seguían cabalgando al paso, en filas de a cuatro: perfiles nítidamente recortados sobre la primera luz del alba, espaldas cruzadas por cartucheras y correajes, pecheras abigarradas en los dormanes, rojos chacós oscilando al ritmo de las cabalgaduras, sillas húngaras de montar guarnecidas con pieles de animales o cuero repujado, cordones y bordados en oro, raquetas escarlata, pulidas empuñaduras de sables, ceñidos uniformes azul índigo... La informe serpiente negra se fue convirtiendo en escuadrón de caballería en cuya cabeza ondeaba el águila imperial.

También el paisaje se tornaba definido. Las tinieblas se alejaron reptando, desvaneciéndose bajo una tenue luz que daba un tono grisáceo a los árboles nudosos y retorcidos. Y entre los olivares, cubriendo hasta el horizonte los campos pardos y secos de Andalucía, Frederic vio batallones enteros que, arrastrando cañones y erizados de bayonetas, marchaban en la misma dirección, hacia la batalla.

3. La mañana

El cielo color ceniza, veteado de negros nubarrones, gravitaba sobre la tierra como si estuviese preñado de plomo. Una fina llovizna comenzó a caer sobre los campos, velando el paisaje de gris.

El escuadrón se detuvo en la falda de una colina, en las proximidades de una granja en ruinas entre cuyos muros crecían chumberas y arbustos. Envueltos en sus capotes, los hombres descabalgaron para estirar las piernas y dar reposo a los caballos, mientras el comandante Berret enviaba un batidor en busca del coronel Letac, que se hallaba en las inmediaciones. Desde su posición, los húsares podían distinguir la masa oscura de otro escuadrón del Regimiento, inmóvil sobre una loma próxima.

Frederic vio acercarse a Michel de Bourmont. Su amigo traía el caballo por la brida, y se había puesto el capote verde sobre los hombros para proteger del agua los bordados del uniforme. Sus ojos azules sonreían.

—Llegó la lluvia, por fin —dijo Frederic con amargura, como si culpase al cielo de haberle jugado una mala pasada.

De Bourmont extendió una mano con la palma vuelta hacia arriba y la observó con fingida sorpresa, encogiéndose después de hombros.

—¡Bah!, son cuatro gotas. Apenas un poco de tierra húmeda bajo las patas de los caballos —sacó la petaca del bolsillo, se puso una tagarnina entre los dientes y ofreció otra a su amigo—. Disculpa si no tengo nada mejor, pero ya sabes que, en España, el tabaco que puede encontrarse en estos tiempos suele ser infecto. La guerra ha trastornado el aprovisionamiento de Cuba.

—No soy lo que se dice un buen fumador —respondió Frederic—. Ya conoces mi incapacidad para distinguir un cigarro infecto de la mejor labor recién importada de las colonias.

Ambos se inclinaron sobre el chisquero que De Bourmont extrajo de la petaca.

—Es una ignorancia censurable —dijo éste, exhalando con placer la primera bocanada de humo—. Un húsar que se precie de tal debe reconocer de inmediato un buen caballo, un buen vino, un buen cigarro y una linda mujer.

—¿Por ese orden?

—Por ese orden. Semejante tipo de sutilezas perceptivas es lo que diferencia a un oficial de la caballería ligera de uno de esos tristes pisaterrones que llevan las botas sucias de barro y acuchillan pie a tierra, como los campesinos.

Frederic miró la granja en ruinas.

—A propósito de campesinos... —comentó abarcando con un gesto el paisaje gris—, no hemos visto ninguno. Parece que nuestra presencia los ha ahuyentado a todos.

—No te fíes. Seguro que están cerca, emboscados, esperando a que alguno de los nuestros se quede aislado, para echarle el guante y colgarlo de un árbol. O armados con hoces y trabucos, engrosando ese ejército con el que estamos a punto de vernos las caras. ¡Por los clavos de Cristo, que ardo en ganas de tenerlos al alcance de mi sable...! ¿Te han contado lo de ayer?

Frederic hizo un gesto de ignorancia.

—No, creo que no.

—Acabo de enterarme, y todavía traigo las tripas revueltas. Ayer una de nuestras patrullas se acercó a una granja en busca de agua. Los propietarios les dijeron que el pozo estaba cegado, pero ellos no se fiaban, y echaron un cubo. ¿Adivinas lo que sacaron? Un chacó de infantería. Un soldado se descolgó por una cuerda y encontró abajo los cuerpos de tres de los nuestros; los pobres chicos habían sido degollados mientras dormían alojados en la granja.

—¿Y qué pasó? —indagó Frederic, estremecido a su pesar.

—¿Qué pasó? Imagínate cómo se pusieron los de la patrulla... Entraron en la casa y mataron a todo el mundo: el dueño, su mujer, dos hijos ya mayorcitos y una niña de pocos años. Después le pegaron fuego a aquello y se largaron.

—¡Bien hecho!

—Opino lo mismo. No hay que tener piedad con estos salvajes, Frederic. Hay que exterminarlos como si fueran bestias.

Frederic asintió sin reservas. El recuerdo de Juniac destripado en su árbol lo asaltó de nuevo, trayéndole una punzada de angustia.

—Sin embargo —comentó al cabo de unos instantes—, supongo que a su manera defienden su país. Nosotros somos los invasores.

De Bourmont se retorció una guía del bigote, furioso.

—¿Invasores? ¿Pero es que hay algo en este país que merezca la pena defender?

—Hemos destronado a sus reyes...

—¿Sus reyes? Unos miserables borbones, a cuyos primos se guillotinó en Francia. Un monarca gordo y estúpido, una reina inmoral que se acostaba con media corte... Esa gente no tenía ningún derecho a regir un país, estaban caducos, acabados.

—Te creía partidario de la vieja aristocracia, Michel.

De Bourmont sonrió con desdén.

—Una cosa es la vieja aristocracia y otra muy distinta la decadencia. De Francia sopla un viento poderoso, unas ideas de progreso que están barriendo Europa. Nosotros traeremos la luz, el orden nuevo. Ya está bien de curas y beatas, de supersticiones y de Inquisición. Vamos a sacar a estos salvajes de las tinieblas en que viven, aunque para eso tengamos que arcabucearlos a todos.

—Pero el rey Carlos abdicó en su hijo Fernando —protestó Frederic sin estar muy convencido de sus propios argumentos, sólo por el placer de continuar la discusión con su amigo—. Los españoles dicen pelear por su retorno. Lo llaman el Querido, el Deseado, o algo así.

De Bourmont soltó una carcajada.

—¿Ése? Quienes lo han visto aseguran que es servil y cobarde, y que le importa un bledo la sublevación que agita su nombre como una bandera. ¿No has leído el *Monitor?* Vive lujosamente al otro lado de los Pirineos y se deshace en felicitaciones al Emperador por nuestras victorias en España.

—Eso es verdad.

—Pues claro.

—Aseguran que es un miserable.

—*Es* un miserable. Nadie con un ápice de dignidad hace lo que él está haciendo, mientras su pueblo, por muy salvajes que sean estos campesinos, se echa al monte a pelear... ¡Bah! Olvidémoslo. Es Bonaparte quien ahora corona reyes en Europa, y el de España es su hermano José. La legitimidad la imponen nuestros sables y bayonetas. No será un ejército de desertores y aldeanos el que resista a los vencedores de Jena y Austerlitz.

Frederic torció el gesto.

—Pues en Bailén, Dupont tuvo que rendirse. Ya oíste anoche a Dombrowsky.

—No empieces con Bailén —cortó De Bourmont, molesto—. Aquello fue el calor y el desconocimiento del terreno. Un error de cálculo. Además, Dupont no tenía con él el 4.° de Húsares.

»Diablos, amigo mío, hoy has amanecido pesimista. ¿Qué te pasa?

Frederic miró a su camarada con franca sonrisa.

—No me pasa nada. Sólo que ésta es una guerra extraña, que no está en los libros que estudiamos en la Escuela Militar. ¿Recuerdas nuestra conversación de anoche? A uno le cuesta trabajo renunciar a batallas cabales, contra enemigos perfectamente reconocibles y alineados frente a frente.

—Guerras limpias —resumió De Bourmont.

—Eso es. Guerras limpias, donde los curas no se echen al monte con la sotana remangada y un trabuco a la espalda, y las viejas no arrojen aceite hirviendo sobre nuestros soldados. Donde los pozos tengan agua, y no cadáveres de compañeros miserablemente asesinados.

—Pides demasiado, Frederic.

—¿Por qué?

—Porque en la guerra se odia. Y el odio es el que empuja a los hombres.

—A eso voy. En cualquier guerra decente se odia al enemigo por eso mismo, porque es el enemigo. Pero aquí la cosa es más complicada. Se nos odia menos por invasores que por herejes; los clérigos predican rebelión desde los púlpitos, los campesinos prefieren abandonar los pueblos y quemar las cosechas antes que dejarnos al paso un mendrugo que podamos aprovechar...

De Bourmont sonrió amistosamente.

—No te ofendas, Frederic, pero a veces hablas con una ingenuidad que desarma. La guerra es así; no podemos cambiarla.

—Quizá yo sea un ingenuo. Quizá esté dejando de serlo en España, no lo sé. Pero siempre pensé que la guerra era otra cosa... Me sorprende esta brutalidad meridional, este orgullo ancestral, prehistórico, de los españoles, que todavía les hace escupirnos su odio a la cara antes de que la horca se los lleve al infierno. ¿Te acuerdas del cura de Cecina? Estaba allí, pequeño y sucio, miserable con su sotana raída y grasienta, con la soga al cuello... Pero no temblaba de miedo, sino de odio. A gentes así no basta con matarles el cuerpo. Sería preciso matarles también el alma.

Del otro lado de la colina llegó, apagado por la distancia, el retumbar de artillería lejana. Los caballos aguzaron las orejas y piafaron inquietos. Se miraron los dos amigos.

—¡Ya está! ¡Ya ha empezado! —exclamó De Bourmont.

A Frederic el corazón le saltó en el pecho de gozo. El tronar de los cañones se le antojó hermoso a pesar de la llovizna y el velo gris que cubría el horizonte. Tiró al suelo la tagarnina, que humeó durante unos instantes sobre la tierra mojada, y puso la mano en el hombro de su camarada.

—Creí que este día no iba a llegar nunca.

De Bourmont torció el bigote en una mueca de complicidad. Los ojos le brillaban con la excitación del gallo de pelea que se dispone al combate.

—Yo creía lo mismo —respondió mientras apretaba con fuerza la mano del amigo sobre su hombro.

Los húsares conversaban animadamente en corros, mirando en la dirección hacia la que sonaban los cañonazos e intercambiando rumores de diversa índole, todos ellos desprovistos del menor fundamento. Un caporal alto y huesudo, de trenzas y bigote rojos, comentaba con aire de enterado su certeza de que el general Darnand había planeado una finta en dirección a Limas, cuando lo que en realidad pretendía era cortar en dos puntos el camino de Córdoba. La exposición táctica del húsar pelirrojo no era compartida por uno de sus compañeros, que —basándose en confidencias anónimas pero absolutamente fiables— sostenía que el avance hacia Limas era el inicio de un audaz movimiento destinado a cortar al ejército español la retirada en dirección a Montilla. La discusión, que subía de tono, vino a enconarse cuando un tercer húsar afirmó, con idéntica seguridad, que no había en curso avance alguno sobre Limas, y que el verdadero movimiento, que no se iniciaría hasta la noche, sería en dirección a Jaén.

El enlace enviado por Berret estaba de regreso, galopando ya por la falda de la colina. Sobre la loma próxima, la masa oscura del otro escuadrón se desplazaba lentamente, rebasando la cima y desapareciendo de la vista.

La corneta ordenó montar a caballo. Los dos amigos se quitaron los capotes, atándolos delante de los pomos de las sillas. De Bourmont le guiñó un ojo a Frederic, se izó sobre los estribos y ocupó su puesto. A lomos de *Noirot,* Frederic se aseguró en el arzón y ajustó el barboquejo de cobre de su colbac. Miró con disgusto hacia el cielo gris. La llovizna empezaba a calarle el dormán y sentía una incómoda humedad sobre los hombros y espalda. Afortunadamente, la temperatura se había vuelto soportable.

Otro toque del cornetín de órdenes y el escuadrón partió al trote, rodeando la colina. Las patas de los caballos arrancaban trozos de tierra húmeda, arrojándolos sobre los jinetes que venían detrás. En cierta forma, Frederic prefería eso a la polvareda que se levantaba cuando el suelo estaba seco, sofocando a jinetes y monturas y dificultando la visión durante la marcha. Echó un vistazo a las dos pistoleras sujetas a cada lado del pomo de la silla, en las que, cubiertas por paños encerados para protegerlas de la humedad, estaban sus dos excelentes pistolas modelo *Año XIII*. Todo iba bien. Se sentía excitado por la inminencia de la acción, pero tranquilo y con la mente clara. Ajustó su cuerpo al movimiento de *Noirot,* disfrutando del placer de la cabalgada, con los ojos y oídos atentos a la menor señal que indicase combate.

Dejando atrás la colina, pasaron junto a un bosquecillo en el que se distinguían las casacas azules cruzadas por correajes blancos de algunos soldados de infantería. El cañón seguía rugiendo en la distancia, al otro lado del horizonte gris. Después salieron a un llano, observando que a su derecha, no demasiado lejos, cabalgaba otro escuadrón de húsares, presumiblemente el que durante la anterior pausa se mantuvo a la vista sobre la loma cercana. Frederic experimentó una íntima sensación de orgullo al divisar el imponente aspecto del escuadrón hermano, avanzando en perfecta formación como una máquina de guerra viva, disciplinada y perfecta, que portaba en las vainas un centenar de sables impacientes.

Anduvieron entre cerros y quebradas hasta avistar un pueblo pequeño del que surgían columnas de humo. El comandante Berret ordenó hacer alto, y durante un rato se entretuvo con Dombrowsky consultando un mapa. Frederic los observó distraídamente, con el oído concentrado en el distante cañoneo, al que ahora se sumaba fragor de fusilería. Mientras evitaba con suaves tirones de las riendas que *Noirot* mordisquease la rala hierba del suelo, vio cómo el capitán lo miraba y le hacía una seña. El corazón le palpitó con fuerza al picar espuelas y acercarse a los jefes del escuadrón.

Berret, de pie sobre los estribos, entornaba su único ojo observando el pueblo con expresión grave. Fue el capitán quien le habló a Frederic.

—Glüntz, tome seis hombres y haga un reconocimiento en esa dirección. Averigüe quién está en el pueblo.

Frederic se irguió en la silla, sintiéndose enrojecer. Era la primera vez que se le encomendaba una misión individual en combate.

—A la orden, mi capitán —*Noirot* cabeceaba inquieto, como si compartiese la emoción del jinete.

Dombrowsky tenía el aire preocupado.

—No se complique la vida, Glüntz —recomendó frunciendo el ceño—. Tan sólo eche un vistazo y regrese de inmediato. Todavía es temprano para correr en pos de la gloria. ¿Me entiende?

—Perfectamente, señor.

—No se le pide ninguna hazaña. Sólo que vaya allí, mire lo que ocurre y vuelva a contárnoslo. En principio, nuestra infantería debe encontrarse en el pueblo.

—Entendido, señor.

—Pues dése prisa. Y ojo con los guerrilleros.

El joven miró al comandante, pero Berret permanecía de espaldas a ellos, absorto en la contemplación del paisaje. Frederic saludó con impecable marcialidad y se volvió hacia los húsares de su pelotón que vio más próximos. Señaló a aquellos que juzgó con mejor aspecto.

—Vosotros seis. Seguidme.

Espolearon los caballos y salieron al galope. La fina lluvia continuaba cayendo mansamente, pero aunque la tierra comenzaba a encharcarse no estaba todavía demasiado blanda. Frederic apretó los muslos contra los flancos de su montura e inclinó la cabeza. El agua le corría por la cara y la nuca, goteándole desde la empapada piel de oso del colbac. Mientras se distanciaba del escuadrón, tuvo la certeza de que los ojos azules de Michel de Bourmont lo acompañaban desde lejos en la cabalgada.

Las columnas de humo que se levantaban sobre el pueblo parecían inmóviles, suspendidas entre cielo y tierra, condensadas en la mañana gris. El suelo estaba hollado por señales de caballos y rodadas de carros o cañones. El aire olía a madera quemada.

Salieron a un camino que discurría entre almendros. El pueblo estaba ya muy cerca y al otro lado se oían descargas cerradas, pero todavía no se alcanzaba a distinguir ser viviente alguno. El desconocido sendero que se abría ante él trajo cierta aprensión a Frederic, que de un momento a otro se creía a punto de topar con una partida enemiga. Sin dejar de espolear a *Noirot,* se puso las bridas entre los dientes y extrajo una pistola de las fundas gemelas, liberándola del paño encerado antes de volver a dejarla en su sitio, al alcance de la mano y lista para ser utilizada.

Había un carro volcado a un lado del camino, y junto a él un hombre muerto. Lo miró fugazmente al pasar. Tenía el rostro hundido en la tierra húmeda, la ropa empapada y los brazos abiertos en cruz. Una pierna estaba extrañamente retorcida y le habían quitado las botas. No reconoció el uniforme, por lo que supuso se trataba de un español. Algo más lejos había otros dos cadáveres junto a un caballo muerto. Concentrada su atención en las primeras casas del pueblo, ya próximas, y en el cercano estrépito de fusilería, tardó algún tiempo en caer en la cuenta de que, por primera vez en su vida, acababa de ver hombres muertos en un campo de batalla.

Un par de casas ardían a pesar de la llovizna. Al desplomarse, las vigas carbonizadas desprendían un haz de chispas que volaban hasta convertirse en cenizas. Frederic tiró de las riendas y puso el caballo al paso mientras desenfundaba el sable. Desplegados a su espalda, los seis húsares empuñaban las carabinas, atisbando a su alrededor con ojos de veteranos. La calle principal parecía desierta. Más allá de los edificios blancos, las descargas daban paso a tiros aislados.

—No vaya al descubierto, mi subteniente —le dijo un húsar de largas patillas negras, que cabalgaba pegado a su grupa—. Junto a las casas ofrecemos menos blanco.

Frederic juzgó razonable el consejo, pero no respondió y mantuvo a *Noirot* por el centro de la calle. El húsar permaneció a su lado, refunfuñando entre dientes. Los otros cinco avanzaban detrás, junto a los muros de las casas, con las riendas flojas y las carabinas atravesadas en el arzón.

Un perro con el pelo erizado por la lluvia cruzó corriendo la calle, perdiéndose en una callejuela. Recostado contra una pared, con los ojos cerrados y la boca abierta, había otro cadáver. Esta vez se trataba de un francés. El correaje blanco que le cruzaba el pecho estaba sucio de barro, y a su lado se encontraba la mochila, abierta y con el contenido desparramado por el suelo. Aquello impresionó más a Frederic que la expresión rígida de su desdichado propietario. Recordó al español sin botas del camino, y se preguntó quién podría ser tan miserable como para despojar a los muertos.

La lluvia había cesado y los charcos reflejaban el cielo color de plomo. Al otro lado de un muro sonó una descarga próxima que hizo a Frederic, muy a su pesar, dar un respingo en la silla. El húsar de las patillas negras se puso a protestar. No conducía a nada, dijo, hacerse matar yendo a caballo por mitad de la calle.

Esta vez Frederic estuvo de acuerdo. Empezaba a pensar que la guerra real no se parecía en nada a las heroicas imágenes que aparecían en los grabados de los libros, o en los cuadros de bellos colores referentes a gestas militares. Sólo alcanzaba a ver, en el húmedo marco gris de la mañana, pequeños fragmentos aislados en tonos fríos, escenas individuales y mezquinas desprovistas de los matices cálidos y de la hermosa perspectiva global que, hasta ese día, había creído que caracterizaba a un combate. No sabía si estaban perdiendo o ganando. A decir verdad, ni siquiera sabía a ciencia cierta si estaba en el campo de batalla o si, por el contrario, lo que se libraba allí eran tan sólo pequeñas escaramuzas marginales, alejadas del escenario en donde realmente se decidía sin él la contienda. Ese último pensamiento le hizo experimentar una singular desazón y se enfureció contra el Destino, que quizá en aquel momento le estaba arrebatando la gloria para concedérsela a otros menos dignos de ella.

Al rodear una casa, descubrieron a un pelotón de infantería que hacía fuego parapetado tras una cerca, en dirección a un bosque próximo. Los fusileros tenían los rostros tiznados de pólvora; mordían uno tras otro los cartuchos de bala empujándolos con las baquetas en los humeantes mosquetones antes de echarse el arma a la cara, disparar y volver a repetir los mismos movimientos. Eran una veintena y tenían aspecto fatigado. Miraban hacia el bosque con expresión de enconada concentración, ajenos a cuanto no fuese cargar, apuntar y disparar. Uno de ellos, sentado en el suelo, tenía el rostro oculto entre las manos y un pañuelo empapado de sangre le rodeaba la cabeza. De vez en cuando gemía sordamente, sin que nadie le hiciera el menor caso. Su mosquetón estaba a un par de varas, apoyado en la cerca. A veces una bala pasaba silbando por encima, yendo a estrellarse con un chasquido contra una tapia cercana.

Un sargento de bigote gris y ojos enrojecidos vio a los húsares y se acercó caminando tranquilamente, limitándose tan sólo a agachar la cabeza cuando un nuevo proyectil rasgaba el aire demasiado cerca. Tenía las piernas cortas y fuertes, dentro de los ceñidos calzones blancos manchados de barro.

Cuando distinguió los picudos galones de subteniente en las mangas del dormán de Frederic, el sargento dejó de agachar la cabeza. Saludó con desenvoltura y dio la bienvenida a los húsares.

—No sabía que andaban por aquí —dijo con visible satisfacción—. Siempre da gusto tener cerca a la caballería ligera. Si quieren descabalgar, se encontrarán más seguros. Nos están tirando desde el bosque.

Frederic pasó por alto la observación. Envainó el sable y acarició la crin de *Noirot,* observando con estudiada indiferencia el escenario en el que tenía lugar la escaramuza.

—¿Cuál es la situación?

El sargento se rascó una oreja, miró otra vez hacia el bosque y después al joven oficial y sus acompañantes. Parecía divertirle la idea de que los vistosos uniformes de los recién llegados estuviesen casi tan mojados como el suyo.

—Somos del Setenta y Ocho de Línea —dijo innecesariamente, puesto que el número de su Regimiento lo llevaba en el chacó—. Llegamos al pueblo poco antes del amanecer, y los desalojamos de aquí. Un grupo se quedó ahí enfrente, y ahora nos estamos ocupando de ellos.

—¿Qué efectivos ocupan el pueblo?

—Una compañía, la Segunda. Estamos un poco por aquí y por allá.

—¿Quién se encuentra al mando?

—El capitán Audusse. La última vez que lo vi estaba junto a la torre de la iglesia. Él manda la compañía. El resto del batallón está media legua al norte, desplegado a lo largo del camino que lleva a un lugar llamado Fuente Alcina. Es todo cuanto puedo decirle. Si quiere más detalles, puede dirigirse al capitán.

—No es necesario.

Del bosque salieron tres o cuatro tiros casi simultáneos, y uno de ellos pasó bajo, cerca del grupo. Uno de los infantes que estaban junto a la cerca dio un grito y dejó caer el fusil. Después retrocedió dando traspiés, mirándose atónito el vientre manchado de sangre.

El sargento se desentendió de los húsares y dio unos pasos en dirección a sus hombres.

—¡Cubríos, idiotas! —les gritó, furioso—. ¡Estamos aquí para hostigar a los de enfrente, no para servirles de blanco!... ¿A qué diablos está esperando Durand?

Uno de los húsares se puso en pie sobre los estribos, apuntó la carabina e hizo fuego. Después se puso a silbar entre dientes mientras la cargaba de nuevo empujando con la baqueta. A unas cien varas por la izquierda, saliendo de detrás de unas chumberas, una fila de fusileros avanzó desde el pueblo en dirección al bosque, deteniéndose para disparar y cargar y avanzando sucesivamente. El sargento sacó el sable y echó a correr hacia la cerca.

—¡Venga, venga! ¡Ahí está Durand! ¡Adelante! ¡Vamos a por ellos!

Los soldados, caladas las bayonetas, se pusieron en pie. Cuando el sargento saltó al otro lado de la cerca lo siguieron a la carrera, gritando. En la posición sólo quedaron el herido de la cabeza vendada y el alcanzado en el vientre, que se había dejado caer de rodillas y miraba estúpidamente la sangre que le chorreaba por los muslos, como negándose a creer que aquel líquido rojo brotara de su cuerpo.

Frederic y sus acompañantes se quedaron unos instantes observando el avance de las dos líneas azules que convergían hacia los árboles entre una humareda de pólvora. De ellas se desprendieron tres o cuatro manchitas azules más pequeñas, que quedaron tendidas en el suelo mientras el resto proseguía su avance.

Estuvieron mirando un rato más. Después, cuando las dos filas llegaron a la linde del bosque, los húsares volvieron grupas y salieron del pueblo al galope, desandando camino para reunirse con su escuadrón.

Así que era eso. Barro en las rodillas y sangre en el vientre, atónita sorpresa en la rígida expresión de los muertos, cadáveres despojados, lluvia y enemigos invisibles de los que apenas se percibía la humareda de los disparos. La guerra anónima y sucia. No había rastro alguno de gloria en el soldado que gemía con la cabeza vendada y el rostro entre las manos, ni en el otro herido que contemplaba sus propias entrañas desgarradas como quien formulaba un reproche.

Frederic puso su caballo al trote largo. Tras él cabalgaban imperturbables los seis húsares, que no habían hecho un solo comentario sobre las escenas que acababan de presenciar. El joven, sin embargo, sentía agolpársele las preguntas sin respuesta; le habría gustado estar solo para formularlas en voz alta.

Pasaron otra vez junto a los tres muertos del camino, y en esta ocasión Frederic mantuvo fijos en ellos los ojos, como hechizado, hasta que los dejaron atrás. Jamás había pensado que un cadáver pudiera ser algo tan atrozmente desprovisto de vida. Cuando se imaginaba a sí mismo muerto, se veía con los ojos cerrados y una expresión plácida en el rostro; acaso con una suave sonrisa indeleble en la comisura de los labios. Algún camarada le cruzaría los brazos sobre el pecho, sus amigos derramarían lágrimas a su alrededor y sería llevado a hombros de éstos hacia su última morada, con un rayo de sol iluminándole el rostro cubierto por digna máscara de polvo y sangre, como correspondía a un buen y leal soldado.

Y ahora descubría que muy bien pudiera no ser así. Aquellos cuerpos tendidos en el barro producían una extraña congoja, una aterradora sensación de soledad infinita bajo la luz gris de la mañana. Y Frederic sintió brotarle en el pecho una pena muy honda al pensar que una muerte como ésa podría estarle destinada.

La proximidad del escuadrón disipó sus lúgubres pensamientos. Retornaba a la seguridad de los rostros conocidos, de la tropa numerosa y disciplinada bajo el mando de jefes responsables y expertos, conocedores de su oficio, harto acostumbrados a ver hombres muertos en el barro como para que eso les plantease inquietud alguna. Era como retornar al mundo de los vivos y de los fuertes, donde el sentimiento se volvía colectivo, transformándose en una fe ciega en la victoria, en una seguridad indestructible basada en la conciencia del propio poder.

Informó a Berret y Dombrowsky sobre la situación en el pueblo, limitándose a mencionar las tropas que lo ocupaban y la escaramuza del bosque. Nada dijo sobre los cadáveres del camino, ni del soldado muerto en la calle, ni de los heridos de la cerca. Mientras contemplaba los rostros impávidos de sus superiores, tras los que se extendían las sólidas filas del escuadrón, sintió que tales escenas se difuminaban en su mente como un mal sueño, hasta desaparecer.

De vuelta a su puesto en la formación, cambió un saludo con De Bourmont, que agitó una mano sonriéndole con simpatía. El húsar de las patillas negras que lo había acompañado en la descubierta refería a sus compañeros los pormenores de la entrada en la aldea.

—Tendríais que haber visto al subteniente... —comentaba a media voz, sin percatarse de que el aludido estaba cerca, escuchando—. Iba por mitad de la calle, muy tieso en su silla, y cuando le dije que podían pegarle un tiro, le faltó muy poco para mandarme al diablo. Un alsaciano testarudo y con redaños, eso es lo que es. ¡No está mal para tratarse de un novato!

Frederic se sonrojó de orgullo y dejó vagar sus ojos por los campos cubiertos de olivares y almendros. El cielo encapotado parecía querer aclarar por el horizonte, como si el sol pugnase por abrirse camino entre el manto de nubes.

Sonó el cornetín de órdenes y el escuadrón avanzó al trote, dejando el pueblo a la izquierda e internándose en los campos que hacía meses nadie roturaba. Cabalgaron cosa de una legua, y al poco tiempo comenzaron a ver tropas. Primero fue una compañía de cazadores que marchaba entre los rastrojos de un viejo maizal. Después vieron varias piezas de artillería que eran remolcadas al galope, traqueteando a campo traviesa. Finalmente adelantaron a un pelotón de dragones a caballo que marchaba al paso, con las bridas flojas, aspecto fatigado y las carabinas enfundadas en el arzón. Al otro lado de unas lomas cercanas se escuchaban distantes descargas de fusilería, punteadas por cañonazos.

El escuadrón se detuvo a abrevar las monturas junto a un riachuelo que discurría entre márgenes cenagosas y cubiertas de arbustos. El comandante Berret se alejó con el capitán Dombrowsky, el teniente Maugny, el portaestandarte Blondois y el corneta mayor, subiendo los cuatro a un cerro próximo. Otro escuadrón del Regimiento estaba inmóvil a la vista, encontrándose sus jefes en el cerro, donde presumiblemente se había instalado la plana mayor del 4.° de Húsares. El coronel Letac debía de estar allá arriba o en alguna parte, no muy lejos, con el séquito del general Darnand.

Frederic desmontó y dejó a *Noirot* hundir libremente el belfo en las aguas turbias del riachuelo. Seguía sin llover, y la brisa de la cabalgada había secado un poco los uniformes de los húsares, que estiraban las piernas y cambiaban conjeturas sobre lo que estaba ocurriendo al otro lado de las lomas, allí donde parecía empeñado el combate principal. Frederic sacó el reloj del bolsillo; las manecillas indicaban poco más de las diez de la mañana.

El teniente Philippo se acercó, en animada conversación con De Bourmont. Dejaron los caballos abrevando y se unieron a Frederic. Philippo era un húsar de rostro agitanado, trenzas y bigote negros, y piel morena, casi aceitunada. Su estatura era mediana, siendo algo más bajo que Frederic y bastante más que De Bourmont, y acostumbraba a maldecir en italiano, lengua que hablaba perfectamente por ser su familia de origen transalpino. Se trataba de un individuo presumido, extremadamente cuidadoso en el vestir y, aseguraban, muy valiente. Había peleado en la batalla de Eylau y en el Parque de Monteleón, en Madrid, y se había batido cinco veces en duelo, siempre a sable, matando a dos de sus antagonistas. Las mujeres, causa de su fama de duelista, eran su debilidad, y muchos aseguraban que también su ruina. Solía pedir dinero prestado a todo el mundo, y lo devolvía contrayendo nuevas deudas.

Philippo estrechó, ceremonioso, la mano de Frederic.

—Mis felicitaciones, Glüntz. Me han dicho que su primera misión individual resultó satisfactoria.

De Bourmont sonreía, satisfecho de que se elogiase a su amigo. Frederic se encogió de hombros; en el Regimiento era de mal tono dar importancia a cualquier hazaña personal, por lo que detenerse a considerar una rutinaria patrulla sin incidentes resultaba inconcebible.

—Yo diría que más bien resultó aburrida —respondió con la debida modestia—. Los nuestros habían desalojado del pueblo a los españoles, así que no hubo novedad.

Philippo se apoyó con las dos manos sobre el sable. Le gustaba darse aires de veterano.

—Ya tendrá usted ocasión de experimentar sensaciones más fuertes —dijo con el aire misterioso del que no cuenta todo lo que sabe—. He oído de buena tinta que dentro de un rato entraremos en línea.

Los dos subtenientes miraron a Philippo, sumamente interesados. Éste se pavoneó, satisfecho de la impresión que había causado.

—Así es, queridos amigos —añadió—. Según comentó antes Dombrowsky en uno de sus raros momentos de locuacidad, Darnand sigue intentando cortar a los españoles el paso hacia la serranía. El problema reside en la columna Ferret.

—¿Qué pasa con Ferret? —preguntó De Bourmont—. Según mis noticias, tendría que estar reforzando nuestro flanco.

Philippo hizo un gesto desdeñoso, como si pusiera en duda la capacidad militar del coronel Ferret.

—Ahí está el quid de la cuestión —explicó—. Ferret, que tendría que estar aquí hace rato, todavía no ha llegado. Así las cosas, es posible que echen mano de nosotros antes de lo previsto, para desorganizar las líneas enemigas que están al otro lado de esos cerros.

—¿Dombrowsky dijo eso? —interrogó Frederic, excitado por las confidencias de Philippo. Ya se veía cabalgando hacia el enemigo.

—No; lo último es una suposición mía. Pero me parece elemental. Somos la única fuerza móvil que hay en el sector, y además el único Regimiento que todavía no ha entrado en fuego. Los demás están batiendo el cobre desde hace rato, excepto el Octavo Ligero, que sigue en reserva.

—Antes hemos visto unos dragones —comentó De Bourmont.

—Sí, lo sé. Me han dicho que los están utilizando en pequeños grupos para misiones de reconocimiento a lo largo de toda la línea. Nuestros cuatro escuadrones, sin embargo, están aquí.

Frederic no compartía la seguridad de Philippo.

—Yo sólo veo a ésos —indicó, señalando la inmóvil masa de jinetes que se mantenía a la vista cerca del escuadrón—. Ésos y nosotros. Y como uno y uno suman dos, nos falta medio regimiento.

Philippo torció el gesto con fastidio.

—Me aburre con sus germánicos cálculos, Glüntz —dijo molesto—. Usted es joven, todavía no tiene experiencia. Confíe en lo que le dice un veterano.

—Eso es razonable —indicó De Bourmont, y Frederic se mostró rápidamente de acuerdo.

—Me gustaría saber quién lleva ventaja —comentó mientras señalaba en dirección al campo de batalla.

—Ah, eso no hay forma de saberlo por ahora —alegó Philippo—. Lo que parece es que nuestro flanco tiene cierta dificultad para mantenerse. Han pedido más artillería, y de un momento a otro se espera que el Octavo Ligero entre también en línea. Tendremos que echar una mano dentro de poco.

—Eso no me desagradaría —comentó De Bourmont.

Philippo palmeó la empuñadura de su sable con aire fanfarrón.

—Toma, ni a mí. En cuanto asomemos al otro lado de esos cerros, los españoles van a ponerse a correr como alma que lleva el diablo. *¡Cazzo di Dio!*

Frederic desató el capote que llevaba arrollado en la silla de montar y lo extendió en el suelo, bajo el tronco de un olivo. Se quitó el colbac, descolgó la cantimplora y se tumbó, mordisqueando un trozo de galleta seca que extrajo de la alforja. Los otros lo imitaron.

—¿Alguien tiene coñac? —preguntó Philippo—. Si es aguardiente, tampoco rechazaría un trago.

De Bourmont le alargó un frasco sin decir palabra. Los húsares habían tenido tiempo de aprovisionarse antes de abandonar el campamento, pero sin duda el teniente había agotado ya su reserva. Philippo se lo llevó a los labios y resopló satisfecho.

—Ah, mis queridos amigos... Esto resucita a un muerto.

—No a los que yo he visto —murmuró Frederic, en un rasgo de humor negro del que él fue el primer sorprendido. Los otros lo miraron, extrañados.

—¿En el pueblo? —preguntó De Bourmont.

Frederic hizo un gesto evasivo.

—Sí, tres o cuatro. Españoles, la mayoría. Les habían quitado las botas.

—Si eran españoles, me parece bien —opinó Philippo—. Además, ¿para qué le sirven las botas a un muerto?

—Para nada —respondió De Bourmont, lúgubre.

—Pues eso; para nada. Algún vivo las necesitaría.

—Jamás despojaré a un cadáver —dijo Frederic con el ceño fruncido.

Philippo enarcó una ceja.

—¿Por qué? A los muertos les da igual.

—Es indigno.

—¿Indigno? —Philippo soltó una risita aguda—. Es la guerra, querido. Naturalmente, son cosas que no se aprenden en la escuela militar. Ya irá aprendiendo, se lo aseguro... Vamos a ver. Imagine, Glüntz, que usted camina por un campo de batalla, después de una dura jornada sin probar bocado, y encuentra un soldado muerto con el zurrón bien repleto. ¿Sus escrúpulos le impedirían darse un banquetazo?

—Prefiero morirme de hambre —dijo Frederic con absoluta convicción.

Philippo agitó la cabeza, reprobador.

—Veo que ha pasado poca hambre en la vida, amigo mío... ¿Y usted, Bourmont, renunciaría a las vituallas si estuviese en el lugar de nuestro joven Glüntz?

De Bourmont se retorció una guía del bigote, dubitativo.

—Creo que haría lo mismo que él —dijo por fin—. No me gusta despojar a los muertos.

Philippo chasqueó la lengua con desaliento.

—Imposible hacer carrera con ustedes dos. Eso es lo malo de las almas puras; consideran la vida como un sueño color de rosa. Ya cambiarán, ya. Quizá empiecen a cambiar hoy mismo. Despojar a los muertos, ha dicho usted. ¡Je! Eso no es nada. ¿Nunca les han hablado de esos repugnantes grupos de expoliadores que suelen acompañar a los ejércitos en campaña, y que a la noche, después de una batalla, se deslizan como sombras entre cadáveres y heridos para arrancarles hasta el último objeto de valor? Esos buitres carroñeros llegan a rematar a los moribundos para robarles, cortan dedos para conseguir los anillos, trituran mandíbulas para obtener los dientes de oro... Comparado con lo que hace esa chusma, quedarse con un mendrugo de pan o un par de botas es un juego de niños... Insisto en que esto resucita a un muerto —proclamó devolviéndole a De Bourmont el frasco de coñac mientras eructaba discretamente—. La verdad es que estaba necesitando un trago, *Corpo di Cristo.* Nos hemos mojado un poco esta mañana, ¿eh? Con eso de no saber hacia dónde diablos cabalgábamos y si el combate era inminente o no, todos tardamos en ponernos el capote. Sólo el viejo Berret y ese estirado de Dombrowsky lo sabían, pero no dijeron ni pío. Dentro de un rato, las dos terceras partes del escuadrón estarán estornudando. Menos mal que ahora no llueve.

Un batidor se acercaba al trote. Sin duda se dirigía al cerro donde habían subido Berret y los otros. Los batidores eran los enlaces de la caballería; solían recorrer el campo de batalla de un lado a otro llevando mensajes a las unidades. Philippo llamó su atención cuando pasó junto a ellos.

—¿Alguna novedad, soldado?

El húsar, un joven de trenzas y coleta rubias, retuvo unos instantes su montura.

—El cuarto escuadrón cayó hace un rato sobre una partida de guerrilleros, a cosa de una legua de aquí —informó con un timbre de satisfacción en la voz; él pertenecía al Cuarto—. Todavía andan por ahí, acuchillando gente en la persecución. Un lindo trabajo.

—Sin cuartel —murmuró De Bourmont con sonrisa cínica, viendo alejarse al batidor.

Philippo estaba complacido.

—Sin cuartel, en efecto. Ésa es la ventaja cuando se trata de guerrilleros; no hay que molestarse en hacer prisioneros. Unos cuantos golpes de sable y, zis, zas, solventada la cuestión.

De Bourmont y Frederic se mostraron de acuerdo. Philippo reía.

—Es curioso —comentó pavoneándose—, pero ese tipo de guerra irregular, a base de partidas que se echan al monte, es muy propio de los pueblos meridionales...

—¿De veras? —De Bourmont se inclinó hacia el teniente, interesado.

—¡Es evidente, amigos míos! —Philippo solía alardear a la menor oportunidad de su sangre italiana—. Para la guerrilla hace falta imaginación, iniciativa... Incluso cierta indisciplina. ¿Imaginan a un inglés guerrillero? ¿O a un polaco como el capitán Dombrowsky...? ¡Imposible! Para eso hay que tener la sangre caliente, caballeros. Caliente.

—Como usted, querido —indicó De Bourmont con velada sorna.

—Como yo; exacto. En el fondo no me caen mal del todo esos malditos campesinos del trabuco. Cuando los degüello, tengo la impresión de estar degollando a mi padre. El buen hombre era meridional hasta la médula de los huesos.

—Pero usted mata más franceses que españoles, Philippo. Usted y sus famosos duelos...

—Yo mato lo que se me pone delante —sentenció el italofrancés, algo picado.

Frederic acarició la grupa de *Noirot,* que relinchó agradecido. El cielo gris se reflejaba en el agua del riachuelo, pero las nubes se habían abierto un poco y entre ellas despuntaban retazos de azul. Un rayo de sol iluminaba las cimas de los cerros cercanos. El joven pensó que a pesar de la guerra, o quizá gracias a ella, el paisaje se le antojaba ahora muy hermoso.

Miró el caballo de De Bourmont, que abrevaba junto al suyo, metido en la corriente del arroyo hasta los corvejones. Tenía una soberbia estampa, tordo rodado de crin larga y cola recortada, sin que las manchas de los cuartos traseros afearan su aspecto. La silla guarnecida con piel de leopardo era de singular belleza; húngara, como casi todo el equipo de los húsares: silla de montar, botas, uniformes... Incluso el término *húsar* procedía de aquel país. Alguien le había contado una vez a Frederic que provenía de las palabras *husz,* que significaba cien, y *ar,* renta. Desde siglos atrás, cada propietario de tierras tenía la obligación en Hungría de proporcionar a su señor un hombre equipado y un caballo para la guerra, por cada cien habitantes de su feudo. Ése había sido el origen de la legendaria caballería ligera cuyo estilo y tradiciones había sido adoptado por los ejércitos de casi todos los países de Europa.

Con total desenvoltura, Philippo les preguntó si llevaban encima cigarros, pretextando que su petaca estaba en la alforja, ésta en el caballo, y aquél en mitad del riachuelo. De Bourmont se desabrochó algunos botones de su dormán y sacó tres tagarninas. Las encendieron y fumaron en silencio, contemplando las nubes y claros que pasaban sobre sus cabezas.

—Me pregunto —comentó Philippo al cabo de un rato— cuánto tardaremos en regresar a Córdoba.

Frederic lo miró, sorprendido.

—¿Le gusta Córdoba? Yo encuentro esa ciudad calurosa y sucia.

—Las mujeres son guapas —respondió Philippo con ojos soñadores—. Conozco allí a una preciosidad, con pelo de azabache y una cintura que haría perder la cabeza hasta a ese maldito témpano de Dombrowsky —era evidente que el capitán polaco no gozaba de la simpatía del italofrancés—. Se llama Lola, y tiene unos ojos como para tirar a Letac del, ejem, caballo.

—Lola significa Dolores, ¿verdad? —preguntó De Bourmont—. Creo que se trata de un diminutivo, de un nombre familiar.

Philippo suspiró ruidosamente.

—Dolores... Lola... ¿Qué más da? ¡Cualquier nombre le sentaría bien!

—Me gusta —comentó Frederic, repitiendo varias veces el nombre en voz alta—... Lola. ¿Suena bien, verdad? Es algo elemental, salvaje. Muy español, sin lugar a dudas. ¿Es hermosa?

Philippo emitió un suave quejido.

—Ya lo he dicho. ¡Hermosísima! Pero lo que no saben ustedes es que ella fue, indirectamente por supuesto, la culpable de...

—Su último duelo —señaló De Bourmont.

—Ah, ¿conocen la historia?

—*Todo* el Regimiento conoce la historia —indicó De Bourmont con fastidio—. La ha contado usted veinte veces, querido.

—¿Y qué? —repuso Philippo, amostazado—. Aunque la haya contado cien, la historia sigue siendo la misma, y Lola sigue siendo Lola.

—A saber con quién estará ahora —comentó De Bourmont, guiñándole furtivamente un ojo a Frederic.

Philippo volvió a dar unas palmaditas en la empuñadura de su sable.

—Con quien seguro que no está es con aquel imbécil del Undécimo de Línea al que sorprendí una noche rondando la verja de su casa... Le dije que me acompañara a solventar la cuestión en un lugar discreto, y respondió que en el ejército francés está prohibido batirse. Eso a mí, ¡al teniente Philippo! Entonces lo seguí hasta su acuartelamiento y monté en la puerta tal escándalo que al pobre diablo casi lo sacaron a rastras sus compañeros para que no quedase deshonrado el nombre del Regimiento.

—Le dio usted un buen sablazo —recordó De Bourmont.

—Le di varios. Cayó como un saco de patatas, y se lo llevaron más muerto que vivo.

—Me informaron sólo de uno. Y de que se fue por su pie.

—Le informaron mal.

—Si usted lo dice...

Se quedaron un rato callados, escuchando el lejano fragor del combate que se desarrollaba tras los cerros. Los de infantería debían de estar pasando un mal rato, pensaba Frederic, atento a los estampidos.

—Una vez maté a una mujer —murmuró inesperadamente De Bourmont, como si hubiese decidido de pronto confesarse en voz alta. Sus compañeros lo miraron, sorprendidos.

—¿Tú? —preguntó Frederic, incrédulo—. ¡Estás de broma, Michel!

De Bourmont negó con la cabeza.

—Hablo en serio —dijo entornando los ojos como si le costase recordar—. Fue en Madrid, el día dos de mayo, en una de las callejuelas que hay entre la Puerta del Sol y el Palacio Real. Philippo se acordará bien de aquella jornada, porque también andaba por ahí...

—¡Vaya si la recuerdo! —confirmó el aludido—. ¡Estuve a punto de perder la piel veinte veces aquel día!

—Los madrileños se habían amotinado —continuó De Bourmont— y atacaban a nuestras tropas con lo que tenían a mano: pistolas, fusiles, esas navajas españolas largas... Había una barahúnda espantosa por toda la ciudad. Desde las ventanas nos descerrajaban tiros, echaban tejas y macetas, hasta muebles. Yo estaba de camino con un despacho para el duque de Berg cuando me sorprendió el tumulto. Unos chicuelos empezaron a apedrearme, y casi me derriban del caballo. Los espanté con facilidad y troté hacia la Plaza Mayor para dar un rodeo, pero allí, sin saber cómo, me vi atrapado entre el populacho. Eran una veintena de hombres y mujeres, y por lo visto unos mamelucos les acababan de matar a alguien a quien llevaban en brazos, chorreando sangre por la calle. Al verme se abalanzaron como fieras, blandiendo palos y navajas. Las mujeres eran las peores, gritaban como arpías y se agarraban a las riendas y a mis piernas, intentando derribarme del caballo...

Frederic escuchaba con suma atención, pendiente de su amigo. De Bourmont hablaba despacio, casi monótonamente, deteniéndose a veces como si se esforzara en ordenar unos recuerdos que jamás, hasta aquel momento, había sentido necesidad de expresar.

—Desenvainé el sable —prosiguió— y en ese momento recibí un navajazo en el muslo. El caballo se encabritó y por poco me tira de espaldas, con lo que habría sido hombre muerto en pocos instantes. Tengo que reconocer que yo estaba espantado. Una cosa es enfrentarse al enemigo, y otra muy distinta a una turba enloquecida y vociferante... Bueno, el caso es que piqué espuelas para lanzar el caballo entre ellos y abrirme paso, mientras atizaba mandobles a diestro y siniestro. En ese momento, una mujer a la que apenas vi el rostro, pero de la que recuerdo perfectamente su toquilla negra y sus gritos, se agarró al bocado de mi caballo como si le fuese la vida en impedir que me largara de allí. Yo estaba aturdido por los golpes y el dolor del navajazo en el muslo y empezaba a perder la cabeza. Mi montura arrancó, sacándome de entre la gente, pero aquella mujer seguía agarrada, no me soltaba aunque la arrastré cuatro o cinco varas... Entonces le di un sablazo en el cuello y cayó bajo las patas del animal, echando sangre por las narices y la boca.

Frederic y Philippo, intrigados, aguardaron la continuación de la historia. Pero De Bourmont había terminado. Se quedó en silencio, contemplando las nubes con el cigarro humeante entre los dedos.

—A lo mejor también se llamaba Lola —añadió al cabo de un rato.

Y se echó a reír con una mueca amarga.

4. La escaramuza

Un jinete solitario apareció cabalgando por el este y remontó la pendiente del cerro en que estaba instalada la plana mayor del Regimiento. Desde la orilla del riachuelo, Frederic vio recortarse la silueta de hombre y caballo, siguiéndola con la vista hasta que llegó a la cima.

—Ése es un batidor del coronel Letac —aventuró Philippo, que se había incorporado para ver mejor—. Apuesto a que dentro de poco estamos a caballo.

—Ya iba siendo hora —murmuró Frederic, con un brillo de esperanza en los ojos.

—Lo digo yo —sentenció Philippo mientras volvía a tumbarse silbando entre dientes *Me gusta la cebolla frita con aceite,* un aire de cierta opereta de moda que había sido adoptado por las bandas de música militar.

De Bourmont, que tenía los brazos cruzados a modo de almohada tras la nuca y ni siquiera había abierto los ojos, hizo una mueca de fastidio.

—Por la sangre de Cristo, Philippo, no me importune con tonadas de vodevil. Su historia de la cebolla es de pésimo gusto, y además suena horrible.

El aludido miró a su compañero, visiblemente vejado.

—Perdone, mi querido amigo, pero esa melodía que parece detestar tanto es una de las más alegres que interpretan nuestras bandas de música. Y además ayuda a desfilar maravillosamente.

De Bourmont parecía albergar serias reservas al respecto.

—Es chabacana —alegó con desdén—. Se ve que los quinientos músicos formados por David Buhl en la escuela de Versalles aprendieron a tocar la trompeta, pero no a escoger la música con espíritu selectivo. *Me gusta la cebolla frita...* ¡Bah! Sencillamente ridículo.

—Pues a mí me agrada —protestó Philippo—. ¿Acaso prefiere usted los viejos aires realistas?

—Tenían cierto encanto —respondió De Bourmont con frialdad, abriendo los ojos y mirando directamente a los de Philippo, que tras unos tensos instantes optó por desviar la mirada. Frederic resolvió intervenir.

—Yo prefiero los viejos aires republicanos —aventuró.

—Yo también —dijo De Bourmont—. Al menos no nacieron entre decorados y candilejas, ni fueron canturreados por tonadilleras pintarrajeadas y actores bufos.

—Pues al Emperador no le gustan las melodías republicanas —insistió Philippo—. Dice que están demasiado manchadas de sangre francesa, y prefiere que sus soldados marchen al son de música alegre como ésta. Precisamente ésa que tanto le desagrada a usted, Bourmont, es una de sus favoritas.

—Lo sé. Pero que Napoleón sea un rayo de la guerra no significa que su genio se extienda al campo de la música. Es evidente que por ese lado presenta ciertas lagunas.

Philippo se retorció el bigote, airado.

—Oiga, Bourmont. A veces me revienta, ¿sabe?

—Puede pedirme satisfacción cuando guste —respondió De Bourmont con absoluta calma—. Estoy a su disposición.

—*¡Cazzo di Dio!*

Frederic creyó llegado el momento de mediar otra vez.

—Bueno, ya está bien —terció, conciliador—. Podemos reservarnos para los españoles.

Philippo abrió la boca para añadir algo, rojo de cólera, pero sorprendió un guiño furtivo que De Bourmont le hizo a Frederic. Entonces se echó a reír, desvanecida al instante su ira.

—Por la *sporca Madonna,* Bourmont, que un día tendré que liarme con usted a sablazos. Disfruta sacándome de mis casillas, querido.

—¿A sablazos? ¿Usted y cuántos más?

—*¡Cazzo di Dio!*

—Bueno, ya está bien —intervino otra vez Frederic—. ¿Queda coñac?

De Bourmont alargó su petaca y los tres húsares bebieron en silencio. El teniente Gerard y el subteniente Laffont se acercaban al grupo.

—¿Han visto al batidor? —preguntó Laffont, un bordelés pelirrojo y desgarbado, pero excelente jinete y muy diestro con el sable.

—Sí —asintió Frederic—. Creo que vamos a movernos.

—Parece que el combate principal se va desplazando hacia el centro de nuestra línea —comentó Gerard, un veterano de largas trenzas y piernas arqueadas—. Al menos, el bronce hace bastante ruido por allí.

Intercambiaron conjeturas durante un rato. Al cabo, todos llegaron a la conclusión de que ninguno de ellos tenía la menor idea de lo que estaba pasando. A su alrededor, esparcidos por la ribera del riachuelo, los húsares conversaban en grupos o permanecían silenciosos junto a los caballos, con la mirada perdida en los cerros. El sol no lograba desgarrar del todo el manto de nubes y el cielo se cerraba otra vez, llenando de sombras amenazadoras el horizonte.

El capitán Dombrowsky bajaba del cerro y parecía tener prisa. Los oficiales corrieron hacia sus monturas mientras un murmullo de expectación recorría el escuadrón. Frederic y De Bourmont recogieron a toda prisa los capotes del suelo y los ataron en las sillas. Para alcanzar su caballo, Philippo tuvo que mojarse las botas.

Dombrowsky ya estaba entre ellos y el trompeta tocaba a formar. Los húsares se alinearon llevando a los caballos de la brida. Frederic se caló el colbac y se mantuvo erguido, sujetando el sable envainado en la mano izquierda, diciéndose que aquella vez la cosa parecía ir en serio. De Bourmont le hizo una seña que expresaba satisfacción. También él opinaba lo mismo

Cuando llegó el toque de montar, los ciento ocho húsares del escuadrón lo hicieron como un solo hombre. Resultaba curioso comprobar cómo los miembros del Regimiento, tan fieles al indisciplinado estilo de la caballería ligera cuando se hallaban lejos de la acción, se tornaban minuciosos como un mecanismo ante la proximidad de ésta. Precisamente ese espíritu colectivo asumido frente al combate los convertía en una máquina de guerra poderosa, flexible y devastadora.

—¡A mí los oficiales! —gritó Dombrowsky. Los aludidos espolearon los caballos hasta llegar junto a él.

—El escuadrón se divide durante un rato —explicó el capitán, mirándolos con sus ojos de hielo—. La Primera Compañía escoltará a un batallón del Octavo Ligero hasta que éste tome posición para entrar en fuego frente a la aldea situada al otro lado de los cerros. La misión del Octavo es tomar la aldea y desalojar de ella al enemigo, pero eso no es de nuestra incumbencia. Apenas entre la infantería en posición, nosotros volveremos grupas y nos replegaremos hacia aquella cañada que ven ustedes allí, donde aguardará la Segunda Compañía, montada y lista para entrar en acción en cuanto se la requiera... Posiblemente veamos jinetes a nuestra izquierda, en la linde del bosque. No se preocupen de ellos, porque se trata del Cuarto Escuadrón de nuestro Regimiento, preparado allí para emprender la persecución del enemigo en cuanto éste desaloje la aldea... ¿Entendido? Pues en marcha. Columna por pelotones.

Frederic ocupó su puesto, esta vez exactamente en el centro de la formación compuesta por cuatro filas de doce hombres cada una. Arrancaron al paso y pronto estuvieron trotando por los olivares de color ceniza. El teniente Maugny, que también bajaba del cerro para hacerse cargo de la compañía que se dirigía a la cañada, se cruzó con ellos y saludó a Dombrowsky, que devolvió el gesto con una leve inclinación de cabeza. Salvaron sin dificultad un muro de piedra y remontaron una pequeña loma, distinguiendo a la derecha, en la cima del cerro principal, el águila del Regimiento que ondeaba entre un grupo de oficiales.

No se oían disparos al frente, y sólo el cañón y la fusilería sonaban lejanos, siempre a la derecha de la ruta que seguían. Frederic imaginó que por allí debía de estarse peleando duro, y experimentó cierta decepción al comprobar que ellos cabalgaban hacia el silencio, y ni siquiera para combatir. Tan sólo una rutinaria misión de escolta.

Por fin, dejando atrás las últimas lomas, los húsares tuvieron ante sus ojos el campo de batalla. Se extendía entre el bosque de la izquierda y unas montañas lejanas, formando un valle de cinco o seis leguas de anchura. Había dos o tres aldeas que parecían rodeadas por nubes bajas, como niebla. Era por allí donde retumbaba el cañón, y al cabo de un rato Frederic comprendió que lo que inicialmente tomó por nubes bajas no era otra cosa que la humareda del combate.

Algo más cerca, a cosa de una legua, las manchas azules de un par de regimientos franceses divididos en batallones permanecían inmóviles en línea, diseminadas por los campos. De vez en cuando brotaba de las filas la neblina oscura de las descargas de fusilería; quedaba suspendida en el aire y luego se deshacía lentamente en jirones que flotaban sobre el valle. Enfrente, punteadas por los breves fogonazos de la artillería, las descargas españolas hacían brotar humaredas idénticas que ocultaban el horizonte, fundiéndose con el manto plomizo de las nubes bajas. El cielo encapotado y el humo de la pólvora parecían aliarse para ocultar el sol.

Era cerca del mediodía cuando los húsares establecieron contacto con el Octavo Ligero. Los infantes, uniforme azul y correaje blanco cruzado sobre el pecho, levantaron los chacós en la punta de los mosquetones para vitorear a la caballería que iba a escoltarlos hacia el lugar del combate. A Frederic le llamó la atención la extrema juventud de los soldados, muy común en el ejército de España, rostros casi de niños enmarcados por los barboquejos de cobre. Llevaban las livianas mochilas a la espalda, las bayonetas en las fundas y tenían aspecto fatigado. Los dos batallones que integraban el Regimiento mantenían la formación de marcha, pero los soldados estaban a discreción, sentados en el suelo en su mayor parte. Sin duda se encontraban cansados por una marcha forzada que acababa de concluir, porque no tenían aspecto de haber entrado todavía en combate. Los oficiales permanecían de pie en el centro de cada batallón, con los cornetas y tambores. El jefe del Regimiento, un coronel, estaba a caballo junto a la bandera coronada por el águila.

Dombrowsky distribuyó la compañía por pelotones en los flancos del Octavo Ligero. Al de Frederic le fue asignado un puesto junto a la cabeza de la columna, ligeramente adelantado. Sonaron las cornetas y un par de tambores se pusieron a dar redobles. Los hombres se levantaron del suelo y echaron a andar.

Frederic mantuvo a *Noirot* al paso, con las riendas sueltas. Llevaba las manos apoyadas en el pomo de la silla y vigilaba con atenta mirada el camino a seguir. De vez en cuando volvía el rostro para observar a los cazadores, que caminaban a su lado arrastrando los pies sobre la tierra húmeda y tropezando con las piedras y los arbustos. También ellos lo miraban a él, y en los ojos de los jóvenes infantes se transparentaba una abierta envidia, a veces un nada disimulado rencor. Frederic intentó ponerse en el lugar de aquellos soldados que recorrían Europa a pie, con barro hasta los tobillos o bajo el otras veces despiadado sol de España, infantería de suelas agujereadas y pantorrillas endurecidas por marchas agotadoras e interminables. Para ellos, el oficial de húsares, que no gastaba las botas y viajaba a lomos de un hermoso caballo, enfundado en elegante uniforme de un prestigioso regimiento, constituía sin duda un irritante contraste que los enfrentaba con mayor crudeza a su triste realidad de carne de cañón informe y anónima, siempre azuzada por las voces de los malhumorados sargentos, mal vestida y peor alimentada. Y ellos, los de a pie, los del Octavo Ligero, tenían que enfrentarse al trabajo duro, para que después, hecha la tarea principal, los relucientes húsares de a caballo diesen un par de toques aquí y allá, persiguiendo al enemigo que otros habían puesto en fuga y quedándose con la mejor parcela de gloria. El mundo estaba mal repartido, y en el ejército francés mucho más.

Éstas y otras reflexiones se hacía Frederic sobre los hombres a quienes escoltaba hacia lo que podía ser la muerte, la mutilación, posiblemente la victoria, aunque el joven subteniente imaginaba que la victoria debía de traerles sin cuidado a los mutilados y a los muertos. Al menos quedaba la gloria; pero desde la altura en que lo situaban su caballo, su uniforme y sus galones, Frederic estaba convencido de que el concepto que de la gloria podían tener esos soldados que marchaban a pie, mosquetón al hombro, difería considerablemente del suyo.

La gloria. La palabra volvía una y otra vez a su mente, casi afloraba a sus labios. Le gustaba el sonido de aquellas seis letras. Había algo épico, incluso trascendente en ellas.

Frederic sabía que el hombre, desde tiempo inmemorial, había luchado con sus semejantes por conceptos a menudo materialistas e inmediatos: comida, mujeres, odio, amor, riqueza, poder... Incluso simplemente porque se le ordenaba, y el miedo al castigo, hecho curioso, se sobreponía con notoria frecuencia al miedo a la muerte que podía aguardar agazapada en la guerra. Muchas veces se había preguntado por qué soldados de sentimientos groseros, poco confortados por motivaciones de índole espiritual, no desertaban en mayor cantidad, o se negaban a acudir al ser llamados a quintas. Para un campesino que no veía más allá de su pequeña tierra, su choza y la comida indispensable para mantener a su familia, acudir a tierras lejanas a defender intereses de monarcas no menos lejanos debía de constituir una empresa estéril, absurda, en la que nada había por ganar y mucho que perder, incluyendo el bien más preciado: la propia vida.

El caso de Frederic Glüntz, de Estrasburgo, era distinto. Cuando decidió hacerse militar, emprendió ese camino movido por un impulso elevado, generoso. En la carrera de las armas buscaba la cristalización de un anhelo superior, de un sentimiento que lo arrancaba de las comodidades de la vida burguesa y lo ponía en el camino de la heroicidad, de los sentimientos nobles, del sacrificio supremo. Había entrado en la milicia como quien entra en religión, abrazando su sable como quien abraza una cruz. Y si los sacerdotes o los pastores aspiraban a ganar el cielo, él aspiraba a ganar la gloria: la admiración de sus camaradas, el respeto de sus jefes, la propia estimación a través de experimentar ese bello y desinteresado sentimiento de vivir con la conciencia de que era dulce y hermoso pelear, sufrir y quizá morir por una idea. La Idea. Eso era precisamente lo que diferenciaba al hombre que se elevaba por encima de lo material, de todos aquellos otros, la mayoría, que vivían prisioneros de lo palpable y lo inmediato.

Deseó que sus padres y Claire Zimmerman pudieran verlo ahora, erguido sobre la silla de montar al frente de su pelotón, escoltando a hombres camino del combate en el que pronto participaría directamente. La larga vela de armas estaba muy próxima a concluir. Deseó que los seres queridos pudieran ser testigos de su valor sereno, de su forma de moverse a través del campo de batalla, del gesto impasible con que permanecía atento al camino, listo para actuar en caso de que apareciesen jinetes o infantes enemigos, velando por esos jóvenes reclutas confiados al cuidado de los hombres bajo su mando.

Partieron varios tiros de un bosquecillo de pinos próximo, y un húsar del pelotón soltó un quejido ronco, desplomándose de la silla. Frederic se sobresaltó y tiró bruscamente del freno a *Noirot,* que rebrincó y se levantó de manos, estando a punto de desarzonar al jinete. Aturdido, Frederic vio cómo las filas de cazadores que marchaban a su derecha se agitaban mientras todo el mundo se ponía a gritar a la vez.

—¡Guerrilleros! ¡Guerrilleros!

Sonaron más disparos, esta vez procedentes de la columna, y sólo entonces Frederic miró hacia el pinar, donde se deshacía la humareda gris de la descarga enemiga.

La mente se le había quedado en blanco. A su alrededor, los húsares del pelotón hacían caracolear a los caballos, a fin de ofrecer un blanco más difícil a los tiradores enemigos, y todos lo miraban como si estuviera en su mano solucionar la situación. Mientras intentaba averiguar qué era lo que se esperaba de él, se volvió desconcertado hacia Dombrowsky, que cabalgaba muy atrás, y vio cómo éste le hacía enérgicos gestos señalando el bosquecillo.

Luego era eso. La sangre le afluyó de golpe al rostro; la sintió batir con fuerza en las sienes. Dirigió a *Noirot* hacia el pinar, espoleándolo salvajemente sin detenerse a comprobar si los húsares de su pelotón lo seguían o no. Mientras acortaba velozmente la distancia que lo separaba de los árboles, se pasó las riendas a la mano izquierda y desenvainó el sable, agitándolo sobre su cabeza mientras lanzaba, con toda la fuerza de sus pulmones, un grito de pelea. Su cerebro era un velo rojo que ofuscaba cualquier pensamiento. Instintivamente encogió el cuerpo, inclinándose sobre el cuello del caballo como si esperase recibir de un momento a otro el impacto del plomo que lo derribaría a tierra con el pecho destrozado. Quizá fuera mejor así. En algún remoto rincón de su mente, donde todavía conservaba un ápice de conciencia, lo aguijoneaba la vergüenza de haberse dejado sorprender. Sintió una furia inmensa ante lo que consideraba una deshonra, y anheló con toda el alma encontrar en su camino un ser humano al que poder tajarle la cabeza hasta los dientes.

Ya casi estaba en los pinos, sólo a seis o siete varas de distancia. *Noirot* dio un salto para sortear un tronco caído, y las ramas de verdes agujas azotaron el rostro del jinete. Con el corazón batiéndole furiosamente en el pecho, casi ahogado por la cólera, distinguió unas sombras que corrían entre los árboles. Clavó otra vez las espuelas en los flancos de *Noirot y* se lanzó en su persecución, aullando de nuevo el grito de combate. Inmediatamente dio alcance a uno de los fugitivos; acertó a distinguir una casaca parda, un mosquetón entre las manos y un rostro aterrado que se volvió con los ojos cuajados de pavor para mirar de soslayo a la muerte que se precipitaba sobre él a lomos de un caballo espumeante, al extremo de un brazo alzado para golpear, en la hoja de un sable que ya descendía como un relámpago, en letal destello.

Frederic golpeó al paso, sin detenerse. Sintió que el sable encontraba en su camino algo duro y elástico a la vez, y el cuerpo del guerrillero chocó primero contra su pierna derecha y después contra la grupa del caballo. Vio a otro hombre correr algo más allá, entre los árboles. Mientras espoleaba a *Noirot,* el fugitivo se arrojó de cabeza por una pendiente, desapareciendo de su vista. Frederic sorteó como pudo las ramas que pasaban como exhalaciones junto a su cabeza y obligó al caballo a deslizarse cuesta abajo sobre los cuartos traseros, en pos del que huía. Al llegar abajo miró a su alrededor, sin ver a nadie.

Tiró de la brida mientras intentaba averiguar por dónde se había ido el guerrillero, y en ese momento un hombre salió de unos arbustos y le descerrajó un tiro de pistola casi a bocajarro. Frederic, que instintivamente había encabritado el caballo al ver apuntarle el arma, sintió pasar el disparo a sólo unas pulgadas de su cabeza mientras el humo de la pólvora lo envolvía por unos instantes. A ciegas, levantó el sable y echó a *Noirot* sobre el agresor, que retrocedió de un salto y se puso a correr. Aún no se había alejado cuatro varas cuando un húsar a caballo salió de entre los pinos, pasó junto al guerrillero y le cercenó la cabeza limpiamente, de un solo tajo. El cuerpo mutilado, arrojando sangre a borbotones, dio todavía un par de pasos antes de chocar contra el tronco de un árbol con las manos extendidas, como si intentara protegerse del golpe. Después, en una irreal escena que se fue tiñendo de rojo, Frederic vio cómo el cuerpo decapitado caía de espaldas sobre la tierra alfombrada de agujas de pino secas.

El húsar, un joven de trenzas negras y largo mostacho, limpiaba la hoja del sable en la grupa de su propio caballo. Frederic buscó con la mirada la cabeza del guerrillero, pero no la encontró. Había caído entre los arbustos.

Frederic se sentía exhausto, como si un escuadrón de coraceros le hubiera pasado galopando por encima. Los húsares se llamaban unos a otros entre los árboles, y se fueron congregando mientras comentaban animadamente los pormenores de la escaramuza. Cuatro enemigos habían sido alcanzados y muertos; con los húsares no cabía esperar cuartel, y mucho menos tratándose de guerrilleros. Los españoles lo sabían y ni siquiera habían intentado rendirse; fueron acuchillados huyendo o peleando. Uno de los franceses, el húsar de largas patillas que horas antes había acompañado a Frederic en el reconocimiento de la aldea, cabalgaba despacio entre dos compañeros que lo sostenían en la silla. Se agarraba a la crin del caballo, encogido de dolor, con el rostro crispado y mortalmente pálido. Había recibido un navajazo en el vientre.

Frederic todavía estaba aturdido al salir del pinar, y cuando uno de los húsares lo felicitó por el golpe con que alcanzó al primer español —«Un sablazo soberbio, mi subteniente... Lo partió usted por la mitad»—, miró al que le hablaba sin entender muy bien a qué diablos se refería. Sólo pensaba en qué decirle a Dombrowsky cuando éste, con sus ojos fríos como el hielo, le preguntase cómo se había dejado sorprender de forma tan estúpida, distrayéndose en su misión de velar por la seguridad de la columna. Que los atacantes hubieran sido perseguidos y muertos no borraba el hecho de que había tenido lugar una emboscada.

Después, cuando se reunieron con el resto de la columna y vio cómo los soldados de infantería lo rodeaban vitoreándolo, se dio cuenta de que todavía llevaba el sable desnudo en la mano y que éste, su bota derecha y la grupa de *Noirot* estaban manchadas con la sangre del guerrillero. Cabalgó hasta Dombrowsky para darle la novedad, y aquél, en lugar de reproches, le dirigió una fugaz sonrisa. Frederic se quedó atónito; Dombrowsky le había sonreído a él. Hasta ese momento no tomó conciencia de que había matado a su primer enemigo en el transcurso de su primer combate. Y entonces se ruborizó de orgullo.

No eran ni siquiera temibles, después de todo. Rosarios y escapularios, los mil y un santos que atiborraban las iglesias de aquel país, el ciego fanatismo y el odio a los herejes extranjeros, se deshacían en un charco de sangre bajo el golpe de un sable bien afilado. Los formidables guerrilleros, aquellos que habían destripado a Juniac, la causa de que en España ningún francés se atreviese a internarse solo por terreno desconocido, se tornaban de pronto en rápida visión de un rostro crispado por el pavor, una cabeza que saltaba del tronco, el sudor y el miedo, la respiración entrecortada en la última carrera que jamas lograría ganar terreno a la muerte que pisaba los talones.

¿Por qué se obstinaban en pelear? Era la de los españoles una lucha sin esperanza, absurda. Frederic no podía concebir que se hubiesen levantado en armas por defender a un príncipe del que no sabían nada, del que ignoraban hasta las facciones, cobarde sin valor ni voluntad, huésped forzoso del Emperador, que había llegado hasta la abyección de renunciar a sus derechos hereditarios, y cuyo servilismo ante el dueño de Europa lo hacía indigno de cualquier lealtad del que ya no era su pueblo. Porque en España había un rey francés, José, antes rey de Nápoles, un Bonaparte a quien el propio príncipe Fernando, desde su exilio de Valençay, había escrito una carta felicitándolo y poniéndose a sus pies bajo juramento. Todo el mundo estaba al corriente de aquello; hasta los propios españoles. Pero éstos se obstinaban en ignorarlo.

Frederic recordaba una conversación mantenida pocas semanas antes, a su paso por Aranjuez, cuando en su calidad de oficial que iba a incorporarse al Regimiento había recibido boleta de alojamiento para la residencia de un noble español, don Álvaro de Vigal. Pasó allí una tarde y una noche, junto al pobre Juniac, en la vieja casa solariega bordeada de eucaliptos cuyo jardín se abría sobre el Tajo. El señor De Vigal era un anciano de los que en España se había hecho usual denominar *afrancesados,* mal vistos por buena parte de sus compatriotas a causa de que expresaban en voz alta ideas liberales y no ocultaban su admiración por el proceso de renovación que las ideas de los intelectuales franceses había desatado en Europa. El viejo noble español, que en su juventud había conocido Francia a fondo, manteniendo contacto con algunos de los más destacados pensadores galos —mencionaba con orgullo la correspondencia que durante algún tiempo mantuvo con Diderot—, poseía una extraordinaria cultura, era conversador ameno e inteligente, y sus canas y ojos fatigados por una vida demasiado larga lo convertían en profundo conocedor de la condición humana. No había tenido hijos, era viudo, y sólo aspiraba a pasar sus últimos años en paz, entre el millar de volúmenes de su biblioteca y las fuentes de piedra que, bajo los eucaliptos, refrescaban su jardín, en cuyos cuidados colaboraba él mismo.

Don Álvaro de Vigal acogió a los dos jóvenes húsares con interés, sin duda porque la presencia de dos oficiales recién llegados de un país extranjero al que amaba venía a romper la monotonía de su soledad. La conversación transcurrió en francés, idioma que el viejo noble hablaba con bastante soltura. Cenaron a la luz de candelabros de plata y luego se dirigieron a un pequeño salón donde un decrépito criado, único sirviente de la casa, les sirvió coñac y cigarros.

Juniac, siempre melancólico —Frederic pensó después que quizá presintiese su próxima y trágica muerte—, permaneció casi en silencio durante la velada. El peso de la conversación recayó sobre Frederic y el español, especialmente sobre el último, que parecía experimentar un singular placer rememorando sus recuerdos. Conocía bien Estrasburgo, ciudad en la que casi medio siglo antes había pasado varias semanas, e intercambió con el joven alsaciano innumerables evocaciones comunes.

Siendo los invitados dos militares, y encontrándose en España, era inevitable que la conversación derivase hacia el tema de la guerra. Don Álvaro se interesó por las intenciones de Napoleón de dirigir personalmente la campaña, y expresó su admiración por el genio militar y político del Emperador. Aunque él mismo pertenecía a la antigua nobleza, no tuvo ningún empacho en admitir que las casas reales europeas, incluyendo la española, se hallaban en una decadencia tal que sólo la influencia de las nuevas ideas, de las que Francia era adalid, podía revitalizar el carcomido tronco de las naciones. Era lamentable, sin embargo, que Napoleón no hubiese comprendido todavía que a España no se la podía medir con el mismo patrón que al resto de los países europeos.

Fue en este punto donde Frederic interrumpió respetuosamente al anciano para manifestarle su disconformidad. Habló de la nueva Europa sin fronteras, de la expansión de una misma cultura tendente al progreso, de las ideas nuevas, del Hombre, al que había que devolver la dignidad. España era, añadió, un país prisionero de su propio pasado, encerrado en sí mismo, oscuro y supersticioso. Sólo las ideas nuevas, la incorporación a un sistema político moderno y europeo podía sacarlo de la cárcel en que lo habían sumido la Inquisición, los curas y los monarcas corruptos e incapaces.

Don Álvaro escuchó la larga y entusiasta exposición del joven Frederic con atención, el asomo de una sonrisa en los labios y un punto de sabia ironía en los ojos cansados. Cuando el húsar terminó su elocuente discurso —seguido por el poco locuaz Juniac con aprobadores movimientos de cabeza— y se echó hacia atrás en el sofá con las mejillas enrojecidas por el calor de sus argumentos, el anciano se inclinó hacia él y le palmeó afectuosamente la rodilla.

—Escuche, mi querido joven —dijo con suave entonación, fluyendo su excelente francés entre los escollos de algunas erres demasiado paladiales—. No pongo en duda que la única personalidad contemporánea históricamente vigorosa que puede cambiar Europa se llama Napoleón Bonaparte, aunque debo confesar que los últimos tiempos me han infundido ciertas reservas personales. Lo aplaudí de corazón cuando era cónsul, pero el armiño imperial con el que terminó por revestirse me causa cierto recelo... En fin, ésa no es la cuestión. Quiero referirme a su indudable genio político, que admiro, y es en ese terreno donde deploro la escasa habilidad con que hasta ahora se conducen los asuntos de España...

—¿Escasa habilidad?

—Déjeme continuar, joven impulsivo. He dicho escasa habilidad, sí, y la atribuyo a un desconocimiento, por otra parte comprensible, de la realidad de este país. España es una nación muy vieja, orgullosa y leal a sus mitos, estén justificados o no. Bonaparte está tan acostumbrado a ver arrodillarse a los pueblos, que no puede concebir, y ése es el error de apreciación, que al sur de los Pirineos hay una raza resuelta a no aceptar su voluntad. No porque las ideas que la mueven sean buenas o malas, cuidado, sino simplemente porque intenta aplicarlas sin contar para nada con la opinión de quienes están destinados a recibirlas...

»España no es un conjunto homogéneo, caballeros. Aquí hay, reunidos desde hace cuatro siglos, reinos que fueron independientes, que todavía conservan celosamente fueros y antiguos derechos, poblados por gentes a las que tanto la Historia como la tierra sobre la que viven desde hace innumerables generaciones han endurecido, formando un conjunto de gentes de rígida cerviz, belicosas y ásperas, a las que muchas centurias de guerras internas y ocho de lucha contra el islam hicieron como son. Gentes a las que, además, una religión dura e intransigente ha ido empapando, desde tiempos remotos, con un cerril fanatismo.

Se detuvo don Álvaro de Vigal en este punto, como si le faltase el aliento. Afloró a sus marchitos labios una sonrisa triste, mientras con un gesto de la mano surcada de venas azules, ademán en el que había más de pesimismo bondadoso que de reproche, señaló las paredes del salón, adornadas con objetos ligados a la historia de su familia.

—Todo está ahí —dijo en tono de resignada fatiga, como si se refiriese a algo contra lo que había tratado de luchar durante toda su vida, siendo derrotado una y otra vez—. Viejas armas cubiertas de óxido, rostros austeros cuyos poseedores son polvo desde hace siglos... ¿Ven esos retratos? No encontrarán en ellos mucho color; la pátina del tiempo no ha hecho sino oscurecer un poco más lo que en origen eran claroscuros... Sombras y pocas luces, quizá las imprescindibles para iluminar esas facciones duras y orgullosas, esos gestos altivos junto a los que, a veces, reluce débilmente un pomo de espada, el esbozo de color de una joya, de una cadena de oro, a menudo de una fina cruz, la mancha pálida de una gola... No hay sonrisas en esos rostros austeros, mis jóvenes amigos. Incluso sus ropas, negras como la oscuridad que las rodea, se funden con ésta porque son accesorias, no aportan nada específico al carácter de los hombres que posaron para que el pintor extrajera de la paleta, más que su aspecto exterior, el aspecto de sus almas. Todos ellos fueron grandes hombres; escrupulosos y católicos a menudo, disolutos en algunas ocasiones. Ellos, que no inclinaban la cabeza ni ante sus reyes, se humillaban sin embargo ante una hostia consagrada, ante la barba mal afeitada y las manos torpes de cualquier mísero cura de pueblo. Los hubo que murieron peleando por Dios y por sus monarcas en guerras europeas, en las Indias o en el norte de África, batiéndose contra protestantes, anglicanos, berberiscos... Fueron valientes soldados, dignos nobles y leales vasallos. Y todos, excepto los que murieron en lugares trágicos y lejanos, tuvieron a un sacerdote junto al lecho en el momento de entregar su espíritu. Como mi abuelo. Como mi padre... Por ironía del Destino, yo, último vástago de un tronco ya estéril, no tendré a mi lado más que a un viejo y fiel criado. Eso, si es que el buen Lucas no decide jugarme la mala pasada de morirse antes que yo.

El anciano hizo una nueva pausa, contemplando los retratos con melancolía. Después se volvió hacia los dos húsares y sonrió débilmente.

—Si algún día su Emperador me hiciera el honor de, como ustedes, alojarse en mi casa, tendría mucho gusto en mostrarle esta galería de mis antepasados. Quizá entonces comprendiera algunas cosas sobre esta tierra.

Juniac dejaba vagar la mirada por la habitación, con aire aburrido. Pero Frederic se inclinó hacia el viejo noble, interesado.

—Resulta extraño escuchar eso aquí —comentó sonriendo con cortesía—. Usted es español, don Álvaro, y sin embargo profesa la religión de las ideas, de la Cultura. Hace un rato ha tenido la amabilidad de mostrarnos su biblioteca... ¿Qué es lo que impide a hombres como usted ser guías del resto de sus compatriotas? Es un hecho histórico probado que las minorías cultas, la élite, gozan de la fuerza suficiente para arrastrar a pueblos enteros, para abrir las ventanas y hacer posible que la luz del sol, la luz de la Razón, aleje los fantasmas que cercan al ser humano, haciendo comprender a éste que no hay fronteras, que los hombres deben progresar de forma colectiva, solidaria.

El anciano aristócrata lo miró con tristeza.

—Escuche, mi querido joven. Una vez, cuando España era dueña del mundo, tuvo un emperador que albergaba el mismo sueño que Bonaparte: una Europa unida. Nacido en el extranjero, en Flandes, llegó a ser tan español que decidió pasar los últimos años de su vida, tras abdicar, en un monasterio de este país, un lugar llamado Yuste. Aquel hombre, quizá el más grande y poderoso de su tiempo, hubo de luchar tanto en el exterior contra la rivalidad de Francia y el germen independentista europeo que se apoyaba en el luteranismo, como contra los fueros y el orgullo nacionalista local de los propios españoles. Fracasó en el primero de los intentos y su hijo Felipe, el hombre enlutado, gris y fanático, echó los cerrojos a España, aislándola del sueño paterno. Curas e Inquisición, ya saben. Los Pirineos volvieron a ser obstáculo psicológico, además de geográfico.

»En los últimos tiempos, merced a la moderna expansión de las ideas progresistas, España estaba empezando a salir del negro pozo en el que anduvo sumida. Quienes defendemos la necesidad del progreso, vimos en la revolución que derribó a los Borbones en Francia una señal de que los tiempos, por fin, comenzaban a cambiar. El creciente peso político de Bonaparte en Europa y la influencia que gracias a ello logró alcanzar Francia en su entorno geográfico, constituían una esperanza... Sin embargo, y es aquí donde surge el problema, el desconocimiento de este país y la escasa habilidad con que sus procónsules han venido actuando, echaron por la borda lo que pudo ser un prometedor comienzo... Los españoles no son, no somos, gente que se deje salvar a la fuerza. Nos gusta salvarnos nosotros mismos, poco a poco, sin que ello signifique una renuncia a los viejos principios en los que, para bien o para mal, nos han hecho creer durante siglos. Si no ha de ser así, preferimos condenarnos para la eternidad. Jamás las bayonetas impondrán aquí una sola idea.

La alusión a las bayonetas sacó a Juniac de su ensimismamiento. Carraspeó antes de hablar, con el aire satisfecho de quien descubría, por fin, un aspecto de la conversación que le era familiar.

—Pero ahora hay un nuevo rey —dijo con absoluta convicción—. José Bonaparte ha sido reconocido por la corte de Madrid. Y si el ejército español prefiere ser desleal, aquí estamos nosotros para sostenerlo en el trono.

Don Álvaro miró a Juniac, observando detenidamente su limitada expresión de soldado. Después negó lentamente con la cabeza.

—No se engañe. Ha sido reconocido por algunos cortesanos sin escrúpulos y por otros ingenuos que todavía ven en la alianza con Francia el camino de la renovación nacional. Pero todas esas gentes están demasiado lejos del pueblo; son incapaces de ver lo que ocurre bajo sus narices. Echen un vistazo a su alrededor. Toda España es un brasero, y en cada ciudad las juntas claman por la rebelión. Ustedes los militares franceses han cerrado con su presencia el camino. No queda más que la guerra y, créanme, será una guerra terrible.

—Una guerra que ganaremos, señor —terció Juniac con cierto desdén que Frederic juzgó incorrecto—. No le quepa la menor duda.

Don Álvaro sonrió con dulzura.

—Creo que no. Creo que no la van a ganar, caballeros, y esto se lo dice a ustedes un anciano que admira a Francia, que ya no está en edad de sostener sus palabras en un campo de batalla y que, a pesar de ello, puesto ante la elección, desenfundaría su vieja y enmohecida espada para pelear junto a esos campesinos incultos y fanáticos; para pelear incluso contra las ideas que durante una larga vida he defendido con calor.

»¿Tan difícil es comprenderlo? Oh, sí, mucho me temo que sea difícil, y prueba de ello es que ni siquiera el propio Bonaparte, en su genialidad, ha sabido comprender. El dos de mayo, en Madrid, ustedes abrieron un foso entre ambos pueblos; un foso de sangre en el que se hundieron las esperanzas de muchas gentes como yo. Me han contado que, cuando Bonaparte recibió el informe de Murat sobre aquella horrible jornada, comentó: "Bah, ya se calmarán...". Y ése es el error, mis jóvenes amigos. No, no se calmarán nunca. Ustedes, los franceses, han redactado para España una excelente Constitución, que hasta hace poco hubiera sido la materialización perfecta de antiguas aspiraciones de muchos como yo. Pero también han saqueado Córdoba, han violado mujeres españolas, han fusilado sacerdotes... Hieren, con sus actos y su presencia, justo en lo más vivo de este pueblo estúpido, testarudo y, a la par, entrañable. Ya sólo queda la guerra, y esa guerra se hace en nombre de un imbécil medio tarado que se llama Fernando, pero que, por una u otra razón, se ha convertido en un símbolo de resistencia. Es una tragedia.

—Pero usted es un hombre inteligente, don Álvaro —insistió Frederic—. Hay otros como usted en España; muchos. ¿Acaso es tan difícil hacer ver a sus compatriotas la realidad?

El señor De Vigal agitó la blanca cabeza.

—Para mi pueblo, la realidad es lo inmediato. La miseria, el hambre, las injusticias sociales, la religión, dejan poco lugar a las ideas. Y lo inmediato es que un ejército extranjero se pasea por la tierra donde están las iglesias, las tumbas de los antepasados y también las tumbas de miles de enemigos. Quien pretenda explicar a los españoles que hay algo más que eso, se convierte en un traidor.

—Pero usted, don Álvaro, es un patriota. Nadie puede negar eso.

El español miró fijamente a Frederic durante unos instantes, en silencio, y después torció la boca en un gesto de amargura.

—Pues lo niegan. Yo soy un afrancesado, ¿saben? Ése es el peor insulto que desde hace un tiempo se escucha por aquí. Y quizá un día vengan a mi casa, a sacarme a rastras como han hecho ya con algunos viejos y buenos amigos.

Frederic estaba sinceramente escandalizado.

—Nunca se atreverán —protestó.

—Craso error, amigo mío. El odio es un móvil poderoso, y en este país puede haber muchas cosas confusas, pero dos son diáfanas como la luz del día: los españoles sabemos morir y sabemos odiar como nadie. Tenga la seguridad de que, un día u otro, mis compatriotas vendrán a por mí. Lo curioso es que cuando analizo a fondo la cuestión, no soy capaz de culparlos por ello.

—Es terrible —comentó Frederic, indignado.

Don Álvaro lo miró con genuina sorpresa.

—¿Terrible? ¿Por qué ha de ser terrible? Usted se equivoca, joven. No, no, nada de eso. Simplemente es España. Para entenderlo, habría que nacer aquí.

El Octavo Ligero ya estaba a media legua de la aldea que constituía su objetivo. Frederic cabalgaba al paso, junto a la cabeza de la columna azul, atento al menor indicio de presencia enemiga. Su ánimo se había serenado tras la escaramuza del bosquecillo. De vez en cuando se miraba la bota derecha, manchada por la sangre seca del guerrillero al que había dado muerte. No había en aquella costra parda nada que pudiese relacionar con don Álvaro de Vigal; la sensación era más próxima a la que se debía de sentir al acuchillar a un animal.

Avanzaban a campo traviesa, sofocados los reclutas por la intensa marcha. La aldea, cada vez más cercana, era mezquina y gris, con algunas casas blancas. Varios disparos llegaron desde un roquedal próximo y pasaron zumbando bajo, casi al límite de su alcance, hundiéndose en la tierra húmeda. Michel de Bourmont adelantó a Frederic, galopando a la cabeza de su pelotón, para desplegarse en tiradores al frente de la columna. El joven vio alejarse a su amigo mientras la infantería apretaba el paso. Los oficiales del Octavo, sable en mano, azuzaban a sus hombres hasta conseguir que avanzaran a paso ligero, con el mosquetón en vilo y enrojecidos los rostros por el esfuerzo.

Un último rayo de sol brilló en el horizonte antes de desaparecer tras el cada vez más espeso manto de nubes. Nuevos disparos llegaron desde el roquedal y la aldea. A la izquierda, algo retrasados y en la linde del bosque, se distinguían algunos jinetes del Cuarto escuadrón, que tomaban posiciones para emprender la persecución cuando el enemigo fuese desalojado.

Uno de los dos batallones del Octavo se detuvo, descansando los hombres sobre las armas, mientras el otro proseguía su avance. El fuego de fusilería de los españoles se hizo más intenso y algunos infantes cayeron al suelo entre las filas. De Bourmont y sus húsares se replegaron sobre el flanco izquierdo mientras los tiradores a pie se desplegaban a su vez en vanguardia, continuando el fuego de hostigamiento contra las posiciones enemigas.

Frederic observaba maniobrar a las compañías del batallón sin perder de vista el roquedal y la aldea.

Los reclutas ocupaban sus puestos a la carrera mientras los oficiales gritaban órdenes sin cesar, en constante ir y venir entre la formación. El enemigo estaba casi al alcance de la mano; los infantes se detuvieron, recortados contra el horizonte, de pie entre los campos que hacía meses nadie sembraba, con la culata del mosquetón apoyada en el suelo. Frederic tiró de las riendas de *Noirot* y volvió grupas, retrocediendo con su pelotón. Pasó a diez o doce varas de una compañía de cazadores cuyo capitán, que hurgaba en el suelo entre sus botas con la punta del sable, respondió distraídamente al saludo de buena suerte que le hacían los húsares. Los soldados miraban al frente con aire absorto y grave, las relucientes bayonetas les rozaban la visera del chacó. Sonó una corneta y el tambor se puso a redoblar. El oficial del sable pareció despertar de un sueño, se volvió hacia sus hombres y gritó una orden. Los soldados se pasaron la lengua por los labios, respiraron hondo, levantaron los mosquetones y se pusieron en marcha.

Frederic se detuvo un momento y, en pie sobre los estribos, echó un vistazo sobre la grupa. El batallón avanzaba imperturbable hacia la aldea, de la que brotó una descarga cerrada. Las filas azules se agitaron unos instantes, se estrecharon de nuevo y siguieron acortando la distancia al paso; después se detuvieron y dispararon a su vez. Una humareda de pólvora comenzó a formarse entre ellas y el objetivo. Cuando el tambor cambió el ritmo de su redoble y los infantes avanzaron de nuevo, el terreno a su espalda fue quedando sembrado de uniformes azules tendidos en tierra. Después, el humo ocultó la escena, el fragor de fusilería se extendió por todas partes, y de la neblina oscura llegó el griterío de los hombres que se lanzaban al asalto.

5. La batalla

El escuadrón se congregó de nuevo en una cañada que discurría entre cerros punteados de olivos, teniendo a la vista la altura donde estaba situada la plana mayor del Regimiento. En el horizonte, bajo el pesado cúmulo de nubes, el cañón seguía tronando y el estrépito de fusilería procedente de la aldea recién atacada llegaba nítido y cercano.

Hombres y caballos descansaban a discreción. Frederic se quitó el colbac y lo colgó por el barboquejo en el pomo de la silla. Revisó las herraduras de *Noirot* y después bebió unos cortos tragos de la cantimplora de campaña. Se encontraba relajado, en excelente forma física. Llevó su caballo hasta una roca grande y plana y se sentó en ella, estirando las piernas. A escasa distancia, un grupo de húsares discutía los pormenores de la batalla. Durante un rato escuchó sus comentarios, consistentes en las habituales especulaciones sobre los planes del Mando y el signo favorable o desfavorable que, a su limitado juicio, adoptaba el curso de los acontecimientos. Aburrido, dejó de prestarles atención, se recostó sobre la roca y cerró los ojos.

La imagen de Claire Zimmerman pasó fugazmente ante él, entre los recuerdos de la jornada que estaba viviendo, y no sin esfuerzo logró retenerla. Las notas musicales, creía recordar que de un clavicordio, volvieron a sonar, lejanas, en sus oídos. Ante él se inclinaba un delicado rostro de niña desde el que dos grandes ojos azules lo contemplaban con tímida admiración. Había un gran candelabro dando tonos de oro a los dos bucles dorados que descendían sobre las sienes de la muchacha. Frederic había mirado con deleite el fino y blanco cuello, la piel tersa que, interrumpida su conmovedora naturalidad por una cinta de terciopelo azul en torno a la garganta, descendía, fresca y arrebatadoramente atractiva, hacia el escote del vestido azul.

El abanico, desplegado con gracia, había ocultado el rubor de la niña cuando sus miradas se encontraron por primera vez; pero los ojos azules sostuvieron el inocente duelo un par de segundos más de lo establecido por las normas sociales al uso. Aquello bastó para despertar en el joven húsar un sentimiento de intensa ternura. Se volvió a contemplarla momentos después, en el transcurso de una conversación banal con un grupo de invitados, y cuando comprobó que la mirada de la joven salía nuevamente a su encuentro, apartándose de inmediato con excesiva prontitud, ya no fue capaz de seguir el hilo de la charla, limitándose a asentir con aire distraído cuando alguien hacía una cortés pausa en espera de su aprobación. Poco después, Frederic aprovechó unos instantes frente al gran espejo que reflejaba a su espalda las luces del salón, la orquesta y los invitados, para ajustarse con disimulo el dormán y comprobar que la elegante pelliza escarlata de dorados cordones colgaba de forma correcta, marcialmente airosa, de su hombro izquierdo. Entonces fue al encuentro de la dueña de la casa, la señora Zimmerman, y con circunspecta corrección le rogó el honor de ser presentado a su hija.

La distancia hasta el lugar, junto a la gran ventana emplomada, en el que Claire Zimmerman se encontraba en compañía de sus dos primas, se le antojó al joven subteniente excesivamente larga. Ella lo vio acercarse acompañado por su madre, e inmediatamente desvió la mirada hacia el jardín, como si algo en el exterior atrajese su atención. Dos jóvenes estrasburgueses amigos de la familia, que hacían la corte a las tres primas, se apartaron unos pasos con el ceño fruncido, mirando de soslayo el vistoso uniforme que, otorgándole abrumadora ventaja, cubría la apuesta figura de su rival.

—Claire, Anne, Magda... Tengo el placer de presentaros al subteniente Frederic Glüntz, hijo del señor Walter Glüntz, gran amigo de la familia. Frederic, mi hija Claire y mis sobrinas Anne y Magda...

Frederic se inclinó devotamente, haciendo chocar los talones de sus relucientes botas. Apenas se fijó en Anne y Magda un instante más de lo que la cortesía reclamaba durante la presentación. Los ojos azules se miraban nuevamente en los suyos, y él los encontraba tan dulces, tan hermosos y tan próximos que sintió una extraña embriaguez mientras el calor invadía sus mejillas.

Tras una breve conversación de circunstancias, la señora Zimmerman fue reclamada por sus ocupaciones de anfitriona. Los dos jóvenes paisanos se mantenían alejados, y las primas —Frederic sólo retuvo de ellas una risa estúpida y un cutis martirizado por el acné— lo cercaron materialmente con preguntas de todo tipo sobre el ejército, la caballería, Napoleón y la guerra. Cuando Frederic les confirmó que se disponía a unirse a las tropas destacadas en España, las primas palmotearon emocionadas. Pero el joven húsar sólo atendía en aquel momento, con absoluta concentración de todo su ser, a la apenada e inquieta sonrisa que aleteó en los labios de Claire Zimmerman.

—España está demasiado lejos —dijo ella, e inmediatamente Frederic la amó por eso.

—¿Teme a la muerte un oficial de caballería? —interrogó con morbosa ansiedad la prima Magda.

—No —respondió Frederic sin dejar de mirar a Claire—. Pero hay momentos cuyo recuerdo puede convertir el hecho de morir, la imposibilidad de revivirlos, en algo extremadamente penoso.

Aquella vez, el abanico se alzó de nuevo para velar el rubor, pero no pudo ocultar la emocionada humedad que inundó los ojos azules.

—¿Volveremos a tenerle entre nosotros cuando regrese de España? —preguntó ella, recobrando en el acto la serenidad.

La prima Anne apoyó la idea con entusiasmo.

—Tiene que prometer que volverá a visitarnos, subteniente Glüntz. Estamos seguras de que tendrá muchas cosas interesantes que contar, ¿verdad? Diga que lo promete.

Las manos de Claire, con delicadas venillas transparentándose bajo la tersa y blanca piel, jugueteaban inquietas con el abanico. Frederic se inclinó ligeramente hacia ella.

—Volveré a verlas —prometió con espontáneo arrebato— aunque para ello tenga que abrirme paso a sablazos desde la misma puerta del Infierno.

Las dos primas cloquearon, escandalizadas por el impetuoso fervor del joven húsar. Pero cuando Frederic, pendiente de los ojos azules, los vio humedecerse de nuevo, supo que Claire Zimmerman no albergaba duda alguna sobre el motivo de su promesa.

La llegada de Michel de Bourmont hizo desvanecerse los recuerdos. Frederic parpadeó y volvió a ver el cielo gris, escuchando el fragor de la fusilería y el retumbar del cañón. Aquello era España, y el momento de regresar a Estrasburgo aún quedaba demasiado lejos.

—¿Dormías? —le preguntó De Bourmont sentándose a su lado sobre la piedra plana. Traía las botas y los pantalones manchados de barro.

Frederic negó con la cabeza.

—Intentaba recordar —dijo con un gesto mediante el que pretendía quitar importancia a los recuerdos—. Pero hoy resulta difícil concentrarse en nada que no sea esto. Las imágenes van y vienen, cuesta retenerlas. Debe de ser la excitación lógica en una batalla.

—¿Eran recuerdos agradables? —preguntó De Bourmont.

—Muy agradables —suspiró Frederic.

De Bourmont señaló sobre los cerros, hacia la dirección en que sonaba el ruido del combate.

—¿Más que esto?

Frederic se echó a reír.

—Nada es mejor que esto, Michel.

—Pienso lo mismo. Y traigo buenas noticias, hermano mío. Si las cosas no cambian de cariz, tendremos acción muy pronto.

—¿Has oído algo?

De Bourmont se acarició las guías del bigote.

—Dicen que el Octavo Ligero ha tomado por fin la aldea, a la bayoneta, después de haber sido rechazado tres veces. Ahora nosotros estamos dentro y el enemigo fuera, pero el Octavo va a tener problemas para mantener su frente. Los españoles están concentrándose al otro lado y traen algunas piezas de artillería. Dombrowsky ha dicho hace un momento que es muy probable que dentro de un rato tengamos que intervenir para debilitar sus formaciones. Por lo visto, el general Darnand tiene prisa por solucionar la situación en nuestro flanco.

—¿Cargaremos nosotros?

—Eso parece; somos los más próximos. Precisamente Dombrowsky comentaba que el escuadrón está en excelente posición para moverse.

Frederic se incorporó para echar un vistazo a *Noirot,* y en aquel momento sus ojos encontraron de nuevo la costra de sangre parda que manchaba su bota derecha. Sangre ajena. Con cierta repugnancia, intentó desprenderla rascando con las uñas.

—Un trofeo macabro —comentó De Bourmont al ver el gesto de su amigo—. Pero también el trofeo del valor; estuviste bien en la escaramuza. ¿Sabes una cosa? Cuando te vi picar espuelas y lanzarte al galope, sable en mano, ciego como un toro, pensé que era la última vez que te veía con vida; pero me sentí orgulloso de ser tu camarada... ¿Cómo fue? Porque todavía no hemos tenido tiempo de hablar de ello.

Frederic se encogió de hombros.

—No ocurrió nada de lo que deba enorgullecerme especialmente —dijo con honestidad—. La verdad es que no recuerdo muy bien. Hubo disparos, uno de mis húsares se fue al suelo, me quedé unos instantes sin saber qué hacer, y de pronto me enfurecí. Odié como nunca en mi vida. A partir de ese momento sólo recuerdo la cabalgada, las ramas de pino que me golpeaban, el desgraciado que corría como un gamo volviéndose a mirarme con terror... A través del velo rojo que me ofuscó el pensamiento recuerdo también que descargué un sablazo, que alguien quiso pegarme un tiro... También había un cuerpo sin cabeza que siguió corriendo hasta tropezar con un árbol.

De Bourmont escuchaba atento, asintiendo de vez en cuando.

—Sí; así es como suele ocurrir —dijo por fin—. Una carga debe de ser algo parecido, pero con la diferencia de que la enajenación será colectiva. Al menos, eso es lo que cuentan los veteranos.

—Lo vamos a saber pronto.

—Sí. Lo vamos a saber pronto.

Frederic apoyó una mano en la empuñadura del sable.

—¿Sabes, Michel? He descubierto que la guerra, en contra de lo que cree la gente, es un poco de acción y un mucho, demasiado, de espera. A uno le hacen levantarse de madrugada, lo llevan de acá para allá, lo pasean por un campo de batalla sin que le sea posible averiguar si los suyos están ganando o perdiendo... Hay escaramuzas, mucho tedio, cansancio. Pero nadie puede garantizar que, cuando todo termine, tu aportación al resultado final haya sido valiosa o no. Incluso hay montones de soldados que asisten a una batalla y no llegan a pegar un tiro, a dar un sablazo. Es injusto, ¿verdad?

—No creo que sea injusto. Hay soldados y hay jefes. Los jefes tienen otros jefes. Y sólo estos últimos saben.

—¿Crees que *saben* realmente, Michel? Conocemos casos, en los que un general o un coronel incompetentes cometieron errores, llevando al desastre a las unidades que mandaban... Unidades, dicho sea de paso, que a veces eran excelentes. ¿No es injusto eso también?

De Bourmont miró a su amigo con curiosidad.

—Es posible. Pero así son las cosas en la guerra.

—Ya lo sé. Sin embargo, ocurre que esas unidades están compuestas por hombres como tú y como yo; por seres humanos. La responsabilidad de quien tiene poder para tomar decisiones de las que depende la vida de cien, doscientos o diez mil hombres, es enorme. Yo no estaría tranquilo, ni tan seguro de mí mismo como parecen estarlo Letac, Darnand y los demás.

—Ellos saben lo que hacen —De Bourmont parecía inquietarse por el giro que tomaba la conversación—. A ti y a mí nos queda todavía un buen trecho antes de acceder a tales responsabilidades. No veo motivo alguno para que eso deba preocuparnos.

—Ya. Pensaba en ello, nada más. Olvida lo que he dicho.

De Bourmont observó detenidamente a Frederic.

—Nunca te habían quitado el sueño esas cosas...

—Tampoco ahora —protestó el joven, quizá con excesiva precipitación—. Lo único que pasa es que, cuando uno piensa en una batalla que no ha visto jamás, tiene en la cabeza ideas preconcebidas que luego, en contacto con la realidad, resultan a menudo equivocadas, o inexactas... Supongo que eso es lo que me ocurre a mí. Estoy bien, te lo aseguro. Me excita la situación, ese bramido próximo del combate, la perspectiva de pelear junto a los compañeros, junto a ti. Tocar con los dedos la gloria, batirme por el honor de Francia y por el del Regimiento. Por mi propio honor... Lo que pasa es que hoy, con tantas idas y venidas cuya razón desconocemos o sólo podemos intuir, creo haber comprendido que en la guerra nosotros sólo somos peones sin iniciativa, a los que se utiliza y de los que se prescinde según la necesidad del momento. ¿Comprendes lo que quiero decir?

—Perfectamente. Pero cuando galopaste hacia el bosquecillo en busca de los guerrilleros, la iniciativa era tuya, Frederic.

—Exacto. Y eso sí me gusta. En la acción, cuando ésta llega por fin, la iniciativa termina siendo siempre de uno mismo. Es la espera, son los preliminares y los intermedios lo que me fastidia. No me gustan, Michel.

—Ni a ti ni a nadie.

Sonaron unos cañonazos cercanos, al otro lado de los cerros, y los caballos aguzaron las orejas, cabeceando con inquietud. Algunos húsares veteranos se miraban unos a otros con aire de entendidos y observaban con ojo crítico las lomas tras las que retumbaba el combate próximo. Los tenientes Philippo y Gerard se acercaron sobre sus monturas, con las bridas flojas.

—¡Esto se calienta, amigos míos! —les gritó alegremente Philippo mientras acariciaba la crin recortada de su caballo—. ¡Que me ahorquen si antes de un rato no estamos cabalgando recto hacia los españoles! ¿Cómo están esos sables?

—Bien, gracias —respondió De Bourmont—. Creo que las palabras exactas son: sedientos de sangre.

—¡Así hablan los húsares! —coreó Philippo, a quien la inminencia de la acción no parecía mermar en un ápice su habitual fanfarronería—. ¿Y ese sable, Glüntz? ¿También sediento de sangre?

—Más que el suyo —respondió sonriendo el joven.

Philippo soltó una jovial carcajada.

—¿He oído bien? —preguntó, señalando la costra de sangre seca que manchaba la bota de Frederic—. ¡Estos alsacianos son incorregibles! Empiezan a degollar y ya no hay quien los pare... ¡Deje algún español para los amigos, jovencito!

Una peculiar tensión se iba extendiendo entre los grupos dispersos de los hombres que integraban el escuadrón, como si el presentimiento de que la hora suprema se acercaba comenzase a calar hondo en la mente de los húsares. Las conversaciones se tornaban cortas y espaciadas, a cada momento había más hombres silenciosos, y todas las miradas convergían en la suave pendiente que, remontando la cañada, subía entre los cerros para descender después al otro lado, sobre el invisible campo de batalla.

Frederic vio atraída su atención por un viejo húsar solitario que había a poca distancia. Montaba un inmóvil caballo tordo, sobre el pomo de cuya silla se apoyaba con el codo izquierdo, ligeramente encorvado hacia adelante, pensativo, con la mirada perdida en el infinito. No sólo el aspecto del húsar, mostacho, coleta y trenzas salpicadas de canas, una cicatriz perpendicular en la mejilla, paralela al barboquejo, delataba al veterano. Los arneses de su caballo eran viejos pero estaban cuidadosamente engrasados, la piel de carnero que cubría la silla de montar se veía pelada por el uso bajo los muslos del jinete... El húsar tenía una mano bajo el mentón, con el índice pasando una y otra vez, distraídamente, por las guías del frondoso mostacho. La otra mano se apoyaba en la culata de la carabina que asomaba de la funda sujeta a la silla; y al costado izquierdo, sobre el portapliegos y las ceñidas perneras de los pantalones húngaros que le cubrían las botas hasta el tobillo, pendía un viejo sable curvo de caballería, el ya casi desaparecido modelo de 1786. La visera del chacó rojo —el colbac de piel negra era privilegio exclusivo de los oficiales— descendía sobre una nariz aguileña y fuerte, como la de un halcón. Tenía la piel del rostro tostada y unos ojos tranquilos en torno a los que se agolpaban innumerables arrugas. En cada oreja llevaba un aro de oro.

Frederic se interrogó a sí mismo sobre la edad del veterano. Quizá cuarenta, cuarenta y cinco años. Resultaba evidente que no era ésta su primera batalla. Había en él esa inmovilidad serena, esa economía de movimientos superfluos, ese abstraído aislamiento del hombre que sabía con lo que iba a enfrentarse. No parecía un húsar que esperase, impaciente, conquistar otra parcela de gloria; más bien daba la impresión de ser un profesional que se concentraba antes de pasar un mal rato, con la calma del que había salido de muchos trances similares con la piel indemne y sólo esperaba, revestido con el resignado fatalismo de quien conocía lo inevitable, que el trabajo por el cual le pagaban pudiera hacerse en poco tiempo, con rapidez y la mayor limpieza posible, encontrándose al terminar éste sobre la misma silla de montar, en un estado de salud similar al que gozaba en aquel momento.

Frederic comparó la silenciosa e inmóvil figura con los gestos meridionales y el aire fanfarrón de Philippo, incluso con la juvenil confianza de Michel de Bourmont, que de pronto comenzaba a antojársele injustificada. Y sintió la incómoda sospecha de que, entre todos ellos, posiblemente el viejo húsar fuese el único que tenía razón.

La corneta tocó llamada para oficiales. Frederic se levantó de un salto, ajustándose el dormán, mientras De Bourmont echaba a correr en busca de su caballo. Philippo y Gerard se alejaban ya al trote, yendo al encuentro del comandante Berret y el capitán Dombrowsky, que bajaban del cerro cabalgando como diablos ladera abajo, hacia la cañada en la que aguardaba el escuadrón.

Frederic se caló el colbac, puso pie en el estribo y se izó a lomos de *Noirot.* Sin esperar órdenes, los sargentos azuzaban a los húsares que se alineaban con sus monturas en formación de marcha, movidos por súbita actividad. El cielo plomizo comenzaba a destilar de nuevo una fina llovizna.

—¡Ya está, Frederic! ¡Nos toca a nosotros!

De Bourmont se hallaba otra vez a su lado, refrenando la cabalgadura que piafaba presintiendo la acción. Los dos amigos galoparon hacia el estandarte del escuadrón, que el subteniente Blondois mantenía desplegado, con el extremo inferior del asta ajustado en el estribo, junto a Berret y los demás oficiales. Todos estaban allí, expresiones graves, rostros atentos a las instrucciones del jefe de escuadrón, gorros de piel de oso, uniformes azules de abigarradas pecheras cubiertas de cordones dorados... La flor y la nata de la caballería ligera del Emperador, los líderes del Primer Escuadrón del 4.° Regimiento de Húsares a caballo: el capitán Dombrowsky, los tenientes Maugny, Philippo y Gerard, los subtenientes Laffont, Blondois, De Bourmont y el propio Frederic... Los hombres que, en pocos instantes, iban a conducir al centenar de húsares bajo su mando hacia la gloria o hacia el desastre.

Berret los miró a todos con su único ojo. Frederic nunca lo había visto tan arrogante, tan formidable.

—Hay tres batallones de infantería españoles a poco más de una legua de aquí, desplegados frente al Octavo Ligero. Nuestra infantería tiene dificultades para mantener su línea, por lo que se nos ha encomendado la misión de cargar sobre el enemigo y dispersar sus formaciones. Dos escuadrones del Regimiento quedan en reserva, tocándonos a nosotros y al Segundo el honor de entrar en fuego... ¿Alguna pregunta? Bien. Entonces sólo me queda desearles buena suerte a todos. Ocupemos nuestros puestos.

Frederic parpadeó, desconcertado. ¿Eso era todo? Ninguna frase escogida, ningún gesto de aliento que infundiese entusiasmo entre los hombres que iban a pelear por Francia. No es que el joven esperase un discurso patriótico, pero siempre había pensado que, antes del combate, un jefe debía arengar a sus tropas con la elocuencia apropiada para insuflar en los espíritus débiles el sagrado fuego del deber. Se sentía decepcionado. Berret dejaba pasar de largo la ocasión de pronunciar quizá la hermosa frase que merecería después figurar en los libros de Historia, y en cambio se había limitado a mencionar, como puro trámite, adónde iban y para qué. Seguro que el coronel Letac, a quien por cierto no habían visto en toda la jornada, habría sabido escoger las palabras apropiadas antes de enviar a los hombres bajo su mando a un lugar del que algunos no regresarían.

La corneta tocó formación por pelotones. Berret, con una mano en las riendas y la otra apoyada con indolencia en la cadera, ganó al trote la cabeza del escuadrón seguido de cerca por el portaestandarte Blondois y el trompeta mayor. El capitán Dombrowsky se volvió hacia el resto, mirándolos con sus helados ojos grises.

—Ya han oído, caballeros.

No había nada más que decir. El escuadrón estaba listo para la marcha, en la formación denominada por pelotones: ocho filas de doce hombres, flanqueados por los suboficiales, formando una columna de quince varas de frente por unas setenta de larga. Dombrowsky se alejó en pos del comandante Berret. Frederic se volvió hacia De Bourmont, que le tendía la mano por encima de la grupa de su caballo. Observó la franca mirada de su amigo, la alentadora sonrisa bajo el fino bigote rubio, enmarcada por la negra piel del colbac y el dorado barboquejo de cobre, las dos trenzas rubias, la mandíbula cuadrada, y pensó en ese momento que Michel de Bourmont era demasiado hermoso para morir. Sin duda el Destino lo guiaría sano y salvo entre los enemigos, poniendo alas en los cascos de su caballo, llevándolo de vuelta a la vida tras el combate que se avecinaba.

—Vamos a vivir y a vencer, hermano mío —le dijo De Bourmont, como si hubiera adivinado sus pensamientos.

Si su amigo lo afirmaba con semejante convicción, era imposible que las cosas ocurrieran de otro modo. Frederic abrió la boca para decir algo, pero sintió un nudo en la garganta que le impedía articular palabra alguna. Sus mejillas enrojecieron mientras se quitaba el guante y apretaba con calor la mano de su camarada.

Entonces sonó la corneta, y el Primer Escuadrón del 4.° de Húsares se puso en marcha hacia la gloria.

La llovizna seguía cayendo mansamente sobre hombres y animales cuando el escuadrón remontó al paso la pendiente. Detrás de Berret, Dombrowsky y el estandarte, el teniente Philippo cabalgaba al frente de la Primera Compañía. Tras la segunda fila avanzaba Frederic cerrando la marcha de su pelotón, seguido por De Bourmont, que precedía al suyo. Dos filas de húsares más atrás iba el teniente Maugny al frente de la Segunda Compañía, en cuyo centro marchaban Laffont y Gerard. La formación, reglamentaria al pie de la letra, era tan perfecta como si, en lugar de dirigirse al combate, el escuadrón estuviese desfilando ante los ojos del mismo Emperador.

El centenar de jinetes serpenteó entre los cerros moteados de olivos. A medida que el retumbar de la batalla se iba haciendo más próximo, las conversaciones se extinguían hasta desaparecer por completo. Los húsares cabalgaban ahora en silencio, balanceándose sobre sus monturas con el rostro grave y la mirada perdida en la espalda de los hombres que los precedían.

En la tierra húmeda volvían a formarse pequeños charcos que reflejaban el cielo color de plomo. Frederic iba con las dos manos apoyadas en el pomo de la silla, sosteniendo las bridas entre los dedos. Su mente estaba despierta y serena, aunque el cada vez más próximo fragor del cañón y las descargas de fusilería resonaban en su pecho, sobreponiéndose a los latidos del corazón, como si la batalla se estuviese librando en su interior.

No lograba quitarse de la cabeza un pensamiento que iba y venía sin nunca desaparecer del todo. Durante la conversación mantenida momentos antes con Michel de Bourmont, le había asaltado de pronto una idea que se guardó muy bien de expresar en voz alta. Una vez, cuando era niño, Frederic cogió un puñado de aquellos soldaditos de plomo que su padre le había regalado y los echó a la chimenea, observando cómo el fuego derretía el metal hasta convertirlo en plateados charquitos de plomo fundido... Durante la conversación sobre la responsabilidad de los jefes que —había dicho Frederic— enviaban a miles de hombres a la muerte quizá por un mero error de cálculo, por afán de gloria, emulación u otros motivos más oscuros, al joven se le había ocurrido el más apropiado símil para describir una batalla: dos generales que cogían a puñados los soldaditos de carne y hueso y los echaban a la hoguera para contemplar después cómo el fuego los consumía. Compañías, batallones, regimientos enteros, podían correr la misma suerte. Todo estaba en función —y esto fue lo que horrorizó a Frederic al caer en la cuenta— del antojo de un par de hombres a los que un rey o un emperador concedían el derecho de hacerlo así, en nombre de una costumbre ancestral que nadie osaba discutir. Frederic no se había atrevido a comentarlo con su amigo, temeroso de lo que De Bourmont hubiera podido pensar de tales manifestaciones. Incluso ya le había dirigido una mirada extraña cuando Frederic ponía en tela de juicio la cordura de la organización militar. De Bourmont era un hombre sólido, un soldado nato, un valiente y un caballero. Y Frederic pensó, con amargura, que quizá las insólitas sensaciones que en las últimas horas lo atormentaban a él fuesen indicios de una oculta cobardía que ahora afloraba, indigna en alguien que vestía el uniforme de húsar.

Hizo un violento esfuerzo, casi físico, por barrer de su mente tan vergonzosos pensamientos. Respiró hondo y contempló los olivares cenicientos que bordeaban el camino que seguía el escuadrón. Sintió entre sus muslos los flancos del fiel *Noirot,* miró furtivamente los rostros imperturbables de los hombres que cabalgaban a su alrededor, y deseó con toda el alma poseer la misma tranquilidad de espíritu que ellos. Al fin y al cabo, se dijo, todo consistía en mantener las ideas extrañas bien ocultas, erguir la cabeza y adoptar una expresión impasible hasta que, llegado el momento, hubiera que desenvainar el sable y cabalgar hacia el enemigo. Llegado ese instante supremo no habría problema alguno: *Noirot* lo llevaría hasta un lugar donde, luchando por la propia vida, no quedaría lugar para inquietantes desvaríos.

El escuadrón llegó a la vista del campo de batalla, cuyo panorama ya conocía Frederic desde que su compañía tuvo que escoltar al Octavo Ligero. En el valle se distinguían las aldeas y el pueblecito blanco en la distancia, aunque ahora la neblina de la pólvora, suspendida en el aire, era mucho más abundante. El bosque de la izquierda estaba medio oculto por la humareda del combate, y los fugaces relámpagos de las descargas de fusilería zigzagueaban por todas partes. La tierra era gris, el humo gris y el cielo gris, y entre esa cortina que difuminaba el paisaje se movían lentamente masas de hombres, manchas azules, pardas y verdes, que se extendían en líneas, se agrupaban en cuadros o se deshacían bajo los fogonazos de la artillería de uno y otro bando, cuyos proyectiles cruzaban sobre el valle rasgando el aire húmedo con ronco bramido.

Junto a la tapia destrozada de una granja, un grupo de heridos franceses se extendía desordenadamente por el suelo, en inquietante exhibición de lo que el plomo y el acero podían desgarrar, quebrar, mutilar el cuerpo humano. Algunos hombres estaban inmóviles, tendidos de costado o boca arriba, con miserables vendajes envolviendo sus heridas. Bajo un cobertizo formado por una lona y algunas tablas extendidas sobre dos carros, un par de cirujanos cosían, vendaban y amputaban sin descanso. Del grupo se elevaba un sordo rumor, un gemido doliente y colectivo cuya monotonía se quebraba de vez en cuando por el alarido de un hombre. Al pasar junto a ellos, Frederic se fijó en un soldado joven, sin chacó ni fusil, que caminaba a lo largo de la tapia sin rumbo fijo, soltando carcajadas ante la indiferencia de sus compañeros. No tenía ninguna herida visible, y tras la máscara de su rostro ennegrecido por la pólvora brillaban dos ojos encendidos como carbones. La mirada de un loco.

El comandante Berret ordenó ponerse al trote para alejar pronto al escuadrón de la dramática escena. El suelo estaba roturado en todas direcciones por rodadas de carros y armones de artillería, hollado por innumerables cascos de caballos. Un grupo de soldados de infantería de línea en retirada, con los petos blancos y las polainas manchadas de barro, se cruzó con ellos en el camino. Los infantes marchaban con visible fatiga, terciados los mosquetones a la espalda, con las caras tiznadas de humo. Era evidente que habían combatido, y que las cosas no andaban del todo bien. Al final de la fila, dos soldados ayudaban a caminar a un tercero que cojeaba dolorosamente, con el muslo izquierdo envuelto en un vendaje hecho con su propia camisa. Algo más lejos, el escuadrón pasó junto a una docena de heridos que marchaban por su propio pie, sin duda hacia el hospital de campaña que los húsares habían dejado atrás. Algunos se servían de los mosquetones a modo de muletas, y los tres últimos de la fila marchaban con las manos apoyadas en la espalda del soldado que los precedía; llevaban los ojos cubiertos por apósitos sangrantes y tropezaban con las piedras del camino.

—Ésos ya tienen bastante —comentó un húsar—. Son buenos chicos, y se retiran para reservarnos algo de plomo a nosotros.

Nadie hizo coro a la chanza.

La guerra.

Había un olivar del que pendían dos españoles, colgados de las ramas más altas. Había granjas que humeaban a lo lejos, caballos muertos, uniformes verdes, pardos y azules de cadáveres diseminados por todas partes. Había un cañón volcado, con la boca hundida en el barro, con un clavo en el orificio de fuego, inutilizado sin duda por el enemigo antes de abandonarlo. Había un soldado francés tendido boca arriba a un lado del camino, con los ojos muy abiertos, el cabello húmedo y las manos engarfiadas, cuyas entrañas, abiertas por una esquirla de metralla, se desparramaban sobre sus muslos inertes. Había un herido sentado en una piedra, con el capote sobre los hombros y la mirada ausente, que negaba con la cabeza a un compañero que, de pie a su lado, parecía querer convencerlo para que prosiguiera camino hacia el hospital. Había un caballo ensillado y sin jinete que hurgaba con el belfo en la hierba, entre sus patas delanteras, y que cuando algún soldado se acercaba intentando cogerlo por la brida, levantaba la cabeza y se alejaba con un trote corto y despectivo, como si deseara que lo mantuviesen al margen de aquella historia.

El universo aparecía a ojos de Frederic más sombrío que nunca en aquella jornada, bajo el cielo encapotado que seguía destilando humedad, en aquel valle de donde el bramido del cañón había alejado hasta las aves, dejando sólo a los hombres que se mataban con saña. Por un momento quiso imaginar que todo habría sido diferente si, en lugar de aquella gris bóveda, de la lluvia y el barro que comenzaba a formarse bajo las patas de *Noirot,* la tierra hubiera estado seca, el cielo azul, y el sol luciese en lo alto. Pero tal idea sólo pudo sostenerse un instante en su cabeza; ni siquiera un luminoso día de la más radiante primavera podría suavizar el horror de las imágenes que iban jalonando el camino de Frederic hacia la gloria.

El terreno se hizo más llano, los árboles comenzaron a escasear y el escuadrón se puso al trote. El comandante Berret cabalgaba impávido junto al estandarte, flanqueado por Dombrowsky y por el trompeta mayor. Durante un trecho recorrieron el mismo camino que había seguido Frederic escoltando al Octavo Ligero hacia la aldea, y el joven húsar tuvo ocasión de divisar el bosquecillo de pinos donde había matado al guerrillero. Antes de llegar a su altura torcieron a la derecha, y la atención de Frederic se desvió hacia la mancha azul del Segundo Escuadrón, que se acercaba rápidamente para unirse a ellos en el ataque. Ahora había soldados por todas partes, en apretadas columnas, y el estrépito de fusilería resonaba por doquier. Sin embargo, todavía no estaban a la vista del enemigo.

Los dos escuadrones se concentraron tras una loma, aunque sin mezclarse uno con otro. El Segundo permaneció a unas setenta varas de distancia, y Frederic admiró el compacto conjunto de sus filas, la perfecta formación previa al despliegue que los conduciría al combate. Los caballos piafaban inquietos, cabeceaban mordiendo el bocado, hurgaban la tierra con los cascos. Habían sido entrenados para aquel momento, y su instinto les decía que era llegada la hora suprema.

Berret, Dombrowsky y dos jefes del otro escuadrón subieron a la loma para divisar con claridad el área de ataque. El resto quedó inmóvil manteniendo la formación, ojos y oídos atentos a la señal de avance. Frederic retiró los paños encerados que cubrían sus pistoleras y se inclinó sobre los flancos de *Noirot* para comprobar la cincha y los estribos. Miró a De Bourmont, pero éste se hallaba pendiente de lo que hacían Berret y los otros.

—¡A ver si arrancamos de una vez! —murmuró entre dientes un húsar próximo a Frederic, y el joven estuvo a punto de expresar en voz alta su aprobación al comentario. Había que salir ya, terminar con tanto paseo, con tanta dilación. Sentía en su interior todos los nervios tensos, como si estuviesen anudados unos con otros, y un ingrato hormigueo le recorría el estómago. Era preciso atacar de una vez, terminar con la incertidumbre, afrontar cara a cara aquello, fuera lo que fuese, que aguardaba al otro lado de la loma. ¿A qué diablos esperaba Berret? Si seguían allí, sin duda el enemigo acabaría descubriéndolos, caería sobre ellos o se alejaría; quizá adoptase medidas defensivas que, por ignorancia, tal vez no había dispuesto aún. ¿A qué estaban esperando?

La sangre empezó a batir con fuerza en sus sienes, el corazón saltaba como si quisiera salírsele del pecho; Frederic estaba seguro de que los húsares próximos podían escuchar sus latidos. La llovizna seguía cayendo, empapándole hombros y muslos, y algunos regueros de agua le chorreaban ya sobre la nariz y la nuca. Por Dios. Por Dios. Se estaban empapando allí, quietos como estatuas, encima de los caballos, mientras al imbécil de Berret se le ocurría perder el tiempo en reconocimientos. ¿Acaso no estaba claro? Ellos estaban a un lado de la loma; el enemigo, al otro. Todo era muy sencillo, no hacía falta calentarse la cabeza. Bastaba con dar la orden de avance, remontar la ladera y descender la pendiente al galope, cayendo como diablos sobre aquella chusma de campesinos y desertores. ¿Es que no había nadie que le hiciera comprender eso al comandante?

La imagen de Claire Zimmerman volvió a pasar un instante frente a sus ojos, y la apartó irritado. Al diablo. Al diablo la señorita Zimmerman, al diablo Estrasburgo, al diablo todos. Al diablo Michel de Bourmont, que estaba allí como un pasmarote, mirando estúpidamente hacia la cima, calándose hasta los huesos, sin preguntar a gritos por qué infiernos no salían ya al galope. Al diablo Philippo, el fanfarrón, ahora callado como un muerto, mirando también en la misma dirección con la boca ridículamente entreabierta. ¿Es que se habían vuelto todos unos cobardes? Al otro lado había tres batallones de infantería enemiga; a este lado, dos escuadrones de húsares. Dos centenares de jinetes contra mil quinientos infantes. ¿Y qué? No iban a atacar a los tres batallones de golpe. Primero sería uno, luego los otros... Además, había dos escuadrones en reserva. Y el Octavo Ligero estaba también en algún lugar al otro lado, allí en donde sonaban las descargas, esperando que la caballería echase una mano... ¿Por qué maldita razón no cargaban de una vez?

Cuando vio a Berret y Dombrowsky volverse hacia ellos, a Blondois agitar el estandarte, al trompeta mayor llevarse a los labios la corneta, y escuchó brotar del cobre la metálica llamada de guerra, el corazón de Frederic se detuvo unos instantes y después se precipitó en alocada carrera. Su «¡Viva el Emperador!» se fundió con el de doscientas gargantas que aullaron enardecidas mientras los dos escuadrones empezaban a remontar la loma. Desenvainó el sable y lo apoyó sobre la clavícula derecha, irguió la frente y espoleó a *Noirot* hacia aquel lugar en el que no tendría otros amigos que Dios, su sable y su caballo.

6. La carga

A medida que remontaban la loma, Frederic fue alcanzando a divisar el que iba a ser escenario del ataque. Primero fue la densa humareda suspendida entre cielo y tierra; luego columnas de humo negro que ascendían verticales, casi inmóviles, como congeladas por la llovizna. Después pudo distinguir entre la neblina, lejanas, algunas de las montañas que cerraban el valle al otro lado, hacia el horizonte. Ya casi en la cima pudo abarcar los campos a derecha e izquierda, el bosque, la aldea envuelta en llamas, irreconocible con los tejados ardiendo furiosamente, las pavesas que se alzaban al cielo impulsadas por el calor, y que luego se disolvían en el aire o caían de nuevo a tierra, sobre los campos negros de barro y cenizas.

Uno de los batallones del Octavo Ligero estaba al pie mismo de la loma, y era evidente que lo había pasado mal. Sus compañías habían retrocedido, y el terreno que se extendía ante ellas estaba sembrado de inmóviles uniformes azules tendidos en tierra. Exhaustos, los soldados vendaban sus heridas, limpiaban los mosquetones. Eran los mismos hombres a los que Frederic había escoltado hacia la aldea, conquistada a la bayoneta y evacuada después ante el feroz contraataque enemigo. Ahora tenían los uniformes manchados de fango, los rostros ahumados por la pólvora, la mirada perdida de los soldados sometidos a dura prueba. Con su repliegue, el centro del combate en aquel flanco se había desplazado hacia la derecha, allí donde el otro batallón del Regimiento, algo más avanzado y apoyándose en los muros acribillados de una granja medio derruida, escupía descargas de fusilería contra las compactas filas enemigas, que parecían avanzar lenta e implacablemente entre el humo de sus propios disparos, como si nada fuera capaz de detenerlas.

Las cornetas de los dos escuadrones de húsares tocaron, casi al mismo tiempo, a formar en orden de batalla. Las primeras líneas de uniformes verdes y pardos estaban muy cerca, a media legua de distancia, apenas visibles entre la neblina de pólvora quemada. Cuando vieron aparecer a los húsares iniciaron un movimiento de contracción sobre sí mismas, pasando de la línea al cuadro, única formación defensiva eficaz frente a un ataque de caballería. En lo alto de la loma, el comandante Berret no perdía el tiempo; apartó un momento la vista de las filas enemigas, comprobó que el escuadrón estaba listo para el avance, sacó el sable de la vaina y apuntó hacia el cuadro enemigo más próximo.

—¡Primer Escuadrón del 4.° de Húsares! ¡Al paso!

Los jinetes, ahora alineados en dos compactas filas de cincuenta hombres cada una, espolearon a sus caballos iniciando el descenso por la suave pendiente. A su derecha, el comandante del otro escuadrón, con movimientos casi idénticos a los de Berret, señalaba con su sable hacia un cuadro enemigo algo más alejado.

—¡Segundo Escuadrón del 4.° de Húsares! ¡Al paso!

De algún lugar al otro lado de las filas españolas llegó el ronquido de las balas de cañón de la artillería enemiga, que se enterraban con un chasquido en la tierra húmeda antes de reventar en un cono invertido de barro y metralla. Frederic cabalgaba delante de la primera fila, llevando a la izquierda a

Philippo y a la derecha a De Bourmont. El comandante Berret iba frente al estandarte, con el trompeta mayor pegado a su grupa. Dombrowsky había ocupado su puesto en el otro extremo de la fila; si Berret caía, él sería quien tomase su lugar a la cabeza del escuadrón. Si también Dombrowsky quedaba fuera de combate, el mando sería cubierto por Maugny, Philippo, y así sucesivamente, por orden de antigüedad, hasta llegar al propio Frederic.

—¡Primer Escuadrón...! ¡Al trote!

Los caballos forzaron la marcha, ajustando los jinetes el movimiento del cuerpo al ritmo de las cabalgaduras. Frederic, con el sable apoyado en el hombro y las riendas en la mano izquierda, miraba de reojo a un lado y a otro para mantener su puesto en la formación, lo que le impedía mirar al frente cuanto hubiera deseado. El cuadro verde hacia el que se dirigían se veía más próximo entre los remolinos de humo de pólvora; empezaba a dejar de ser una masa informe para revestirse de sus auténticos rasgos: compactas filas de hombres formando un cuadro erizado de bayonetas por todos sus flancos.

Los dos escuadrones dejaron atrás la loma, pasando junto al maltrecho batallón de infantería. Los soldados levantaron los chacós en la punta de los fusiles, vitoreando a los húsares, e inmediatamente recobraron la formación y, empujados por sus oficiales, empezaron a avanzar tras ellos, internándose otra vez por el terreno que habían debido abandonar ante el empuje enemigo, marchando otra vez hacia adelante a través de los campos salpicados de camaradas muertos.

El otro escuadrón fue alejándose del de Frederic, pues su objetivo era una formación enemiga distinta, un cuadro de casacas pardas que se hallaba a unas cuatrocientas varas de aquél contra el que se dirigían los jinetes de Berret. Un par de balas de cañón pasaron aullando y reventaron hacia la izquierda, sin causar daños. Algunos tiros de fusil llegaban zumbando sin fuerza, al límite de su alcance, y se enterraban con un chasquido en el suelo húmedo.

Berret levantó el sable y la corneta tocó alto. El escuadrón recorrió todavía un trecho y se detuvo, las dos filas perfectamente alineadas, mientras los húsares refrenaban sus monturas tirando con fuerza de las bridas. A unas doscientas varas, entre los torbellinos de humo, se distinguía perfectamente el cuadro enemigo, rodilla en tierra la fila exterior, en pie la segunda, ambas con los mosquetones apuntando hacia el escuadrón ahora inmóvil.

Berret agitó el sable sobre su cabeza. Repitiendo la maniobra centenares de veces ensayada en los ejercicios, los oficiales retrocedieron hasta colocarse a los flancos mientras los húsares sacaban las carabinas de sus fundas de arzón.

—¡Primera Compañía...! ¡Apunten!

En ese momento llegó la descarga enemiga. Frederic, en el flanco izquierdo de la formación, encogió la cabeza cuando vio el rosario de fogonazos recorrer las filas españolas. Las balas zumbaron por todas partes, dando con algunos húsares en tierra. Un par de caballos se desplomaron también, agitando las patas en el aire.

Imperturbable, muy erguido en su montura, Berret miraba hacia la formación española.

—¡Primera Compañía!... ¡Fuego!

Los caballos se sobresaltaron cuando partió la descarga, cuya humareda veló la vista del enemigo. Dos húsares heridos se arrastraban por el suelo, esquivando las patas de los animales, intentando colocarse a la espalda del escuadrón. No querían verse pisoteados en la inminente arrancada.

Berret apareció entre la humareda, con su único ojo echando chispas y el sable en alto.

—¡Oficiales, a sus puestos...! ¡Primer Escuadrón del 4.° de Húsares...! ¡Al paso!

Frederic espoleó a *Noirot* mientras introducía la muñeca en el lazo formado por el cordón de la empuñadura del sable; las manos le temblaban, pero él sabía que no era a causa del miedo. Respiró hondo varias veces y apretó los dientes; se sentía flotar en un extraño sueño.

Las dos filas arrancaron compactas, internándose en la humareda.

—¡Primer Escuadrón...! —la voz de Berret ya sonaba ronca—. ¡Al trote!

El sonido de los cascos de los caballos sobre la tierra se fue acompasando, con un retumbar que crecía en intensidad al acelerar los animales su cadencia. Frederic dejó colgar el sable de su muñeca derecha, empuñó una pistola con esa misma mano y mantuvo con firmeza las riendas en la izquierda. El olor de la pólvora quemada le inundaba los pulmones, sumiéndolo en un estado próximo a la borrachera. Respiraba excitación por todos los poros, tenía la mente en blanco y sus cinco sentidos se concentraban, con tesón animal, en que sus ojos penetraran la humareda para distinguir al enemigo que esperaba al otro lado, cada vez más cerca.

El escuadrón dejó atrás los últimos jirones de neblina gris, y ante él apareció de nuevo el cuadro español. Había muchos uniformes verdes tendidos en tierra, alrededor de las filas exteriores. Los hombres de la primera línea, arrodillados, cargaban a toda prisa sus armas, empujando con las baquetas. La segunda línea, la que estaba en pie, apuntaba. Frederic tuvo por un instante la impresión de que todos los mosquetones se dirigían hacia él.

—¡Primer Escuadrón...! ¡Al galope!

La segunda descarga enemiga partió a cien varas. Los fogonazos brotaron inquietamente próximos y esta vez Frederic pudo sentir que el plomo pasaba muy cerca, a escasas pulgadas de su cuerpo crispado por la tensión. A la espalda, por encima del batir de los cascos del escuadrón, pudo escuchar el relincho de animales alcanzados y gritos de furia de los jinetes. La formación comenzaba a disgregarse; algunos húsares se adelantaban a derecha e izquierda. Una granada estalló tan cerca que sintió el calor del metal al rojo que silbaba en el aire. El caballo de Philippo, un isabelino de crin recortada, pasó por delante de él galopando enloquecido, sin jinete. El comandante Berret seguía a la cabeza del escuadrón, apuntando el sable contra el enemigo del que ya se podían distinguir los rostros.

El estrépito de los cascos batiendo la tierra, la furiosa galopada de *Noirot,* el poderoso resuello del animal, los pulmones de Frederic ardiendo por el acre olor de la pólvora, el sudor que empezaba a cubrir el cuello de la montura, las mandíbulas del jinete apretadas, la llovizna que continuaba cayendo, el agua que chorreaba del colbac hacia la nuca... Ya no había punto de retorno. El mundo se reducía a una enloquecida cabalgada, al ansia de barrer de la faz de la tierra aquellos odiosos uniformes verdes, aquellos chacós de plumas rojas que formaban un muro vivo, erizado de fusiles y bayonetas. Sesenta, cincuenta varas. La línea de hombres arrodillados ya levantaba de nuevo sus mosquetones, mientras la segunda, la que estaba en pie, mordía los cartuchos y los empujaba a toda prisa por los cañones de sus armas todavía humeantes.

La corneta aulló el terrible toque de carga, la orden de atacar a discreción, y cien gargantas gritaron «¡Viva el Emperador!» en clamor salvaje que se alzó a lo largo del escuadrón, ahogando el temblor de tierra bajo las patas de los caballos. Frederic espoleaba a *Noirot* hasta arrancarle sangre de los flancos; gesto innecesario, pues el caballo ya no respondía a la presión de las riendas. Avanzaba como una flecha, tendido el cuello y desorbitados los ojos, el bocado lleno de espuma, tan ofuscado como su jinete. Ya eran varias las monturas que galopaban con la silla vacía, sueltas las bridas, entre las filas compactas pero cada vez más desordenadas del escuadrón. Treinta varas.

Todo el universo estaba concentrado para Frederic en recorrer la última distancia antes de que los mosquetones que apuntaban escupiesen su rosario de muerte. Con el sable colgando del cordón de la muñeca, la hoja golpeándole el muslo y la pistola bien sujeta en la mano crispada, tensó todavía más los músculos, dispuesto a recibir en pleno rostro la descarga que ya era inevitable. Como en un sueño irreal vio que la segunda fila del cuadro enemigo alzaba los fusiles en desorden, que algunos españoles arrojaban las baquetas sin terminar de cargar, que otros apuntaban con ella todavía dentro del cañón, paralela a la reluciente bayoneta. Diez varas.

Vio el rostro de un oficial de uniforme verde gritando una orden cuyo sonido quedó ahogado por el fragor de la carga. Disparó su pistola contra el oficial, la metió en la funda y empuñó el sable, afirmándose cuanto pudo en la silla. Entonces la línea de hombres arrodillados hizo fuego, el mundo se tornó relámpagos y humo, aullidos, barro y sangre. Sin saber si estaba herido o no, saltó arrastrado por su caballo entre el bosque de bayonetas. Descargó sablazos sobre cuanto tenía a su alcance, golpeó, tajó con desesperada ferocidad, gritando como un poseso, sordo y ciego, empujado por un odio inaudito, con el ansia de exterminar a la Humanidad entera. Una cabeza hendida hasta los dientes, una masa de hombres revolcándose en el barro bajo las patas de los caballos, un rostro moreno y aterrado, la sangre chorreando por hoja y empuñadura, el chasquido del acero sobre la carne, un muñón sanguinolento donde antes había una mano que empuñaba una bayoneta, *Noirot* encabritado, un húsar que descargaba sablazos a ciegas con la cara cubierta de sangre, más caballos sin jinete que relinchaban despavoridos, gritos, batir de aceros, disparos, fogonazos, humo, alaridos, caballos que se pisaban las tripas, hombres cuyas entrañas eran pisoteadas por caballos, acuchillar, degollar, morder, aullar...

Llevado de su impulso, el escuadrón arrasó todo un vértice del cuadro y siguió la cabalgada, desviándose a la izquierda de su ruta por efecto del choque. Frederic se vio de pronto fuera de las líneas enemigas, sosteniéndose sobre la silla, entumecido el brazo que empuñaba el sable. La corneta ordenaba reagruparse para una nueva carga, y los húsares recorrieron casi un centenar de varas antes de recobrar el control de sus monturas, que galopaban alocadamente. Frederic dejó colgar el sable del cordón de la muñeca y tiró con fuerza de las riendas de *Noirot,* frenándolo casi sobre el terreno, patinando los cuartos traseros sobre el suelo húmedo. Después, sin aliento, zumbándole los oídos y sintiendo la sangre palpitarle con fuerza en las sienes, envarada la nuca por un dolor atroz, recobrando algunos fragmentos de lucidez, espoleó de nuevo su montura hacia el estandarte en torno al cual se arremolinaba el escuadrón

Al comandante Berret le colgaba inerte al costado el brazo derecho, roto de un balazo. Estaba muy pálido, pero lograba mantenerse sobre la silla, con el sable en la mano izquierda y las riendas entre los dientes. Su único ojo ardía como un carbón encendido. Dombrowsky, intacto en apariencia, tan frío y tranquilo como si en vez de en una carga hubiese participado en un ejercicio, se acercó al comandante, lo saludó con una inclinación de cabeza y tomó el mando.

—¡Primer Escuadrón del 4.° de Húsares...! ¡Carguen! ¡Carguen!

Frederic tuvo tiempo de percibir una fugaz visión de Michel de Bourmont con la cabeza descubierta y el dormán desgarrado, levantando el sable mientras el escuadrón se lanzaba de nuevo al ataque. Los caballos fueron ganando otra vez velocidad, se acompasó el retumbar de los cascos, y los húsares empezaron a cerrar filas mientras acortaban distancia con el cuadro enemigo. La lluvia caía ahora con fuerza y las patas de los animales chapoteaban en el barro, arrojándolo a ráfagas sobre los jinetes que galopaban detrás. Frederic espoleó a *Noirot* colocándose aproximadamente en su puesto, al frente y en el ala izquierda de la primera línea. Le sorprendió ver que ningún oficial cabalgaba a su lado, hasta que de pronto recordó el caballo de Philippo galopando sin jinete tras la explosión de la granada, antes del choque.

El cuadro estaba rodeado de cuerpos de hombres y caballos tendidos en tierra. De sus filas, ya menos nutridas, partió una descarga que se abatió sobre el escuadrón a cien varas. El caballo del portaestandarte Blondois hincó la cabeza, recorrió un trecho tropezando sobre las patas delanteras y derribó a su jinete. De la fila se adelantó un húsar sin colbac, con la coleta y trenzas rubias agitándose al viento de la galopada, que arrebató el estandarte de las manos de Blondois antes de que éste rodase por tierra. Era Michel de Bourmont. A Frederic se le erizó la piel y se puso a gritar «¡Viva el Emperador!» con un entusiasmo salvajemente coreado por los hombres que cabalgaban a su alrededor.

El cuadro español estaba a menos de cincuenta varas, pero la humareda de pólvora era ahora tan densa que apenas se podían distinguir sus contornos. Algo rápido y ardiente le rozó a Frederic la mejilla derecha, haciendo vibrar el barboquejo de cobre. Extendió el brazo armado con el sable mientras *Noirot* franqueaba de un salto un caballo muerto con su jinete debajo. Un reguero de fogonazos perforó la cortina de humo. Se encogió tras el cuello del caballo para eludir el vendaval de plomo y volvió a erguirse, ileso, con la boca seca y el cuerpo crispado por la tensión. Apretó los dientes, se afirmó en los estribos y se encontró dando sablazos entre un bosque de bayonetas que buscaban su cuerpo.

Luchó por su vida. Luchó con todo el vigor de sus diecinueve años hasta que el brazo llegó a pesarle como si fuese de plomo. Luchó atacando y parando, tirando estocadas, sablazos, hurtando el cuerpo a las manos que intentaban derribarlo del caballo, abriéndose paso entre aquel laberinto de barro, acero, sangre, plomo y pólvora. Gritó su miedo y su bravura hasta tener la garganta en carne viva. Y por segunda vez se encontró cabalgando fuera de las filas enemigas, a campo abierto, con la lluvia azotándole la cara, rodeado de caballos sin jinete que galopaban enloquecidos. Se palpó el cuerpo y sintió una alegría feroz al no encontrar herida alguna. Sólo al llevarse la mano a la mejilla derecha, que le escocía, la retiró manchada de sangre.

El metálico quejido de la corneta congregaba de nuevo al escuadrón en torno al estandarte. Frederic tiró de las bridas y recobró el control de su caballo. Había varias monturas con la silla vacía que erraban de un lado para otro, heridos que se agitaban en el barro, tendiendo los brazos implorantes a su paso. Frederic miró la hoja del sable, que había afilado sólo unas horas antes, y la encontró mellada y tinta en sangre, con fragmentos de cerebro y cabellos adheridos a ella. La limpió con repugnancia en la pernera del pantalón y espoleó a *Noirot* en pos de sus camaradas.

El comandante Berret ya no aparecía por ninguna parte. De Bourmont, con un tajo en la frente y otro en el muslo, sostenía en alto el estandarte; sus ojos relucían detrás de una máscara de sangre que le manchaba las trenzas y el mostacho, y miraron a Frederic sin reconocerlo. Seguía lloviendo. Junto a él, cruzado el sable sobre el pomo de la silla, tan sereno como en una parada militar, Dombrowsky tiraba del freno de su montura esperando que el escuadrón se agrupase de nuevo.

—¡Primer Escuadrón del 4.° de Húsares...! —el sable del capitán apuntó hacia el cuadro, que a pesar de los dos embates sufridos todavía mantenía la formación, aunque entre la humareda podía verse que sus filas habían clareado de forma terrible. ¡Viva el Emperador...! ¡Carguen!

Los supervivientes del escuadrón corearon el grito de batalla, cerraron filas y avanzaron por tercera vez hacia el enemigo. Frederic ya no era dueño de sus actos; sentía un profundo cansancio, una amarga desesperación al comprobar que el odiado cuadro verde todavía aguantaba, a pesar de haber recibido sobre el terreno dos demoledoras cargas de la mejor caballería ligera del mundo. Había que terminar aquello de una vez, había que aplastarlos a todos, degollarlos y arrojar una tras otra sus cabezas al fango, pisotearlos bajo las herraduras de los caballos hasta convertirlos en barro ensangrentado. Había que borrar a aquel obstinado grupo de hombrecillos verdes de la faz de la tierra, y él,

Frederic Glüntz, de Estrasburgo, era quien iba a hacerlo. Por el maldito Dios que sí.

Espoleó por enésima vez a *Noirot,* apretando filas con los húsares que cabalgaban a su lado. Ya no estaba allí Maugny. Ni Laffont. El Primer Escuadrón había perdido la mitad de sus oficiales. Una compañía del Octavo Ligero que había avanzado tras los húsares se encontraba muy cerca del cuadro verde, castigándolo continuamente con descargas cerradas. Los fogonazos de los disparos brillaban con mayor intensidad, porque la tarde declinaba y el espeso manto de nubes se oscurecía ya sobre las montañas que cerraban el valle hacia el horizonte.

Volvió a sonar la corneta, volvió a acompasarse el galope de los caballos, volvió Frederic a empuñar firme el sable, a asegurarse sobre la silla y los estribos. Cansados, los animales hundían las patas en el barro, resbalaban y saltaban chapoteando en los charcos, pero finalmente alcanzó el escuadrón la velocidad de carga. La distancia que lo separaba de la formación enemiga fue disminuyendo rápidamente y llegaron otra vez los disparos, la humareda, los gritos y el fragor del choque, como si se tratase de una pesadilla destinada a repetirse hasta el fin de los tiempos.

Había una bandera. Una bandera blanca con letras bordadas en oro. Una bandera española, defendida por un grupo de hombres que se apiñaban en torno como si de ello dependiera su salvación eterna. Una bandera española era la gloria. Sólo había que llegar hasta allí, matar a los que la defendían, tomarla y blandirla con un grito de triunfo. Era fácil. Por Dios, por el diablo, que era rematadamente fácil. Frederic exhaló un grito salvaje y tiró bruscamente de las riendas, forzando a su caballo a acudir hacia ella. Ya no había cuadro; tan sólo puñados de hombres que se defendían a pie firme, aislados, blandiendo sus bayonetas en desesperado esfuerzo por mantener alejados a los húsares que los acuchillaban desde sus caballos. Un español que sostenía el fusil por el cañón se cruzó en el camino de Frederic, atacándolo a culatazos. El sable se levantó y bajó tres veces, y el enemigo, ensangrentado hasta la cintura, cayó bajo las patas de *Noirot.* La bandera estaba defendida por un viejo suboficial de blancos bigotes y patillas, rodeada por cuatro o cinco oficiales y soldados que se batían a la desesperada, espalda contra espalda, peleando como lobos acosados que defendieran a sus cachorros contra los húsares que perseguían el mismo fin que Frederic. Cuando éste llegó a ellos, el suboficial, herido en la cabeza y en los dos brazos, apenas podía sostener el estandarte. Un joven alto y delgado, con galones de teniente y un sable en la mano, procuraba parar los golpes que se dirigían contra el maltrecho abanderado, cuyas piernas empezaban a flaquear. Cuando el viejo suboficial se derrumbó, el teniente arrancó de sus manos el asta, y lanzando un grito terrible intentó abrirse paso a sablazos entre los enemigos que lo rodeaban. Ya sólo dos de sus compañeros se tenían en pie en torno a la enseña. «¡No hay cuartel!», gritaban los húsares que se arremolinaban alrededor de la bandera, cada vez más numerosos. Pero los españoles no pedían cuartel. Cayó uno con la cabeza abierta, luego otro se derrumbó alcanzado por un pistoletazo. El que sostenía el estandarte estaba cubierto de sangre de arriba abajo, los húsares lo acuchillaban sin piedad y había recibido ya una docena de heridas. Frederic se abrió paso y le hundió varias pulgadas de su sable en la espalda, mientras otro húsar arrancaba la bandera de sus manos. Al verse privado de la enseña, pareció como si el ansia de pelear abandonase al moribundo. Bajó el sable, abatido, cayó de rodillas y un húsar lo remató de un sablazo en el cuello.

El cuadro estaba deshecho. La infantería francesa acudía a la bayoneta dando vivas al Emperador, y los españoles supervivientes arrojaban las armas y echaban a correr, buscando la salvación en la fuga hacia el bosque cercano.

La corneta tocó a degüello: no había cuartel. Por lo visto, a Dombrowsky le había exasperado la tenaz resistencia y quería dar un escarmiento. Eufóricos por la victoria, los húsares se lanzaron en persecución de los fugitivos que chapoteaban en el barro corriendo por sus vidas. Frederic galopó de los primeros con los ojos inyectados en sangre, balanceando el sable, dispuesto a hacer todo lo posible para que ni un solo español llegase vivo a la linde del bosque.

Era un juego de niños. Los iban alcanzando uno a uno, acuchillándolos sin detenerse, sembrando los campos de cuerpos inmóviles y ensangrentados. *Noirot* llevó a Frederic hasta un español que corría, la cabeza descubierta y desarmado, sin volverse a mirar atrás, como si pretendiese ignorar la muerte que cabalgaba a su espalda, atento sólo a los árboles próximos entre los que veía su salvación.

Pero no hubo salvación posible. Con una sensación de haber vivido antes la misma escena, Frederic galopó hasta su altura, levantó el sable y lo dejó caer sobre la cabeza del fugitivo hendiéndola en dos mitades, como una sandía. Echó una ojeada sobre la grupa y vio el cuerpo de bruces, piernas y brazos abiertos, aplastado contra el barro. Otros dos húsares pasaron por su lado, lanzando jubilosos gritos de victoria. Uno de ellos llevaba ensartado en la punta del sable un chacó español manchado de sangre.

Frederic se unió a ellos en la persecución de un grupo de cuatro fugitivos. Los húsares se desafiaban unos a otros a ver quién llegaba antes, por lo que espoleó furiosamente a *Noirot,* resuelto a ganar la carrera. Los españoles corrían con las piernas manchadas de fango tropezando en el lodo, angustiados al ver cómo sus perseguidores acortaban la distancia. Uno de ellos, convencido de la inutilidad de su esfuerzo, se detuvo de pronto y se volvió hacia los húsares, quieto y desafiante, los brazos en jarras. Con la frente orgullosamente erguida vio cómo Frederic y sus dos compañeros llegaban hasta él, y sus ojos relampaguearon en el rostro tiznado por la pólvora, bajo el cabello revuelto y sucio, hasta que los perseguidores llegaron a su altura y le cortaron la cabeza.

Poco más adelante alcanzaron al resto, derribándolos a sablazos uno tras otro. Los árboles ya estaban próximos, se habían acercado a ellos en diagonal. La corneta del escuadrón tocaba llamada para reunir a los húsares dispersos; Frederic estaba a punto de tirar de las riendas para volver grupas. Entonces miró a la izquierda y los vio.

Salían del bosque en una línea compacta. Era un centenar de jinetes con petos verdes y chacós negros galoneados de oro. Cada uno de ellos llevaba apoyada en el estribo derecho una larga lanza ornada con una pequeña banderola roja. Se quedaron unos momentos inmóviles y majestuosos bajo la lluvia, como si contemplasen el campo de batalla en el que acababa de ser acuchillado medio millar de sus compatriotas. Después sonó una corneta, coreada por gritos de pelea, y la línea de jinetes bajó las lanzas antes de arrancar al galope, como diablos sedientos de venganza, cargando de flanco contra el desordenado escuadrón de húsares.

A Frederic se le heló la sangre en las venas mientras de su garganta brotaba un grito de angustia. Los dos húsares próximos, que se habían vuelto al escuchar la corneta enemiga, tiraron del freno de sus caballos, haciéndolos deslizarse varias varas por el barro sobre los cuartos traseros, y picaron espuelas para alejarse de allí a toda prisa.

Por todas partes los húsares volvían grupas, retirándose en total confusión. Parte de la línea de jinetes españoles alcanzó a un nutrido grupo cuyas fatigadas monturas eran ya incapaces de mantener la distancia frente a los que ahora eran sus perseguidores, equipados con caballos frescos y con lanzas contra las que nada podía hacer el sable. El choque fue breve y decisivo. Los lanceros ensartaron a sus adversarios, derribándolos de sus monturas en desordenado tropel de hombres y caballos. Algunos húsares que todavía conservaban cargadas carabinas o pistolas, montados o pie a tierra, hacían fuego contra los jinetes que barrían el campo como una ola desenfrenada, como una mortal guadaña que segaba a su paso todo rastro de vida. Desconcertado, todavía sin saber qué hacer, Frederic vio cómo la línea de lanceros alcanzaba el centro del escuadrón, y cómo el estandarte se agitaba en lo alto y después caía abatido entre un bosque de lanzas. No pudo distinguir nada más, porque un grupo de lanceros se apartó del grueso de la formación y cargó contra los ocho o diez húsares que todavía se encontraban dispersos en las proximidades, aislados de los restos del escuadrón. Frederic sintió como si despertase de un sueño; un hormigueo de terror le recorrió los muslos y el vientre. Entonces agachó la cabeza, inclinó el cuerpo sobre el cuello de *Noirot* y lo espoleó brutalmente, golpeándole la grupa con el plano del sable, lanzándolo en alocada carrera para que le ayudase a salvar la vida.

Los llevaba detrás, muy cerca, a quince o veinte varas de distancia. *Noirot* estaba al límite de sus fuerzas, cubierto el bocado de espuma, la lluvia y el sudor chorreándole por la piel reluciente. El caballo de un húsar que galopaba delante hundió las patas delanteras en un charco y proyectó al jinete sobre las orejas. El húsar se incorporó a medias, cubierto de barro de la cabeza a los pies, con una pistola en una mano y el sable en la otra. Por un segundo, Frederic pensó tenderle una mano para subirlo a la grupa, pero descartó la idea; su propio peso era ya demasiado para el pobre *Noirot.* El húsar derribado lo vio pasar sin detenerse, disparó su última bala contra los lanceros que venían detrás y levantó débilmente el sable antes de recorrer un trecho pataleando sobre el barro, ensartado en el asta de una lanza.

Frederic, que se había vuelto a medias para contemplar horrorizado la escena, comprendió que las fuerzas de su caballo flaqueaban por momentos. *Noirot* avanzaba dando botes, tropezando con las piedras, resbalando en el lodo. Del galope había pasado casi a un trote forzado y dolorido. Los flancos del animal palpitaban con violencia en el esfuerzo y la respiración le hacía brotar vaharadas de vapor de los ollares. Los lanceros le daban alcance sin remedio, se podía escuchar con claridad el sonido de los cascos de sus monturas, los gritos con que se animaban unos a otros en la bárbara cacería.

Frederic estaba enloquecido por el pánico. Era un miedo cerval, espantoso, atroz. La cabeza le daba vueltas mientras buscaba con la mirada algún lugar donde guarecerse. Sentía tensos los músculos de la espalda, crispados como si esperase de un momento a otro sentir el crujido de sus costillas rompiéndose bajo el aguzado hierro que presentía próximo. Quería vivir.

Vivir a toda costa, aunque fuera mutilado, ciego, inválido... Anhelaba vivir con todas sus fuerzas, se negaba a morir allí, en el valle cubierto de barro, bajo el cielo gris que ya oscurecía con rapidez, en aquella lejana y maldita tierra a la que jamás debió llegar. No quería terminar solo y acosado como ún perro, ensartado cual macabro trofeo en el asta de una lanza española.

Con un último esfuerzo, *Noirot* alcanzó la linde del bosque, internándose entre los primeros árboles, tropezando con los matorrales, haciendo caer sobre Frederic ráfagas de agua de las ramas próximas. El animal, fiel hasta el fin a su noble instinto, anduvo todavía un trecho antes de derrumbarse entre los arbustos con un desgarrado relincho de agonía, los flancos empapados en sangre, atrapando bajo su cuerpo estremecido por los últimos estertores una pierna del jinete.

Frederic recibió el golpe en el costado izquierdo, sobre el hombro y la cadera. Quedó aturdido, con el rostro entre el barro y las hojas secas, ajeno a cuanto le rodeaba hasta que escuchó el galope próximo de un caballo. Entonces recordó las largas lanzas españolas e intentó ansiosamente incorporarse. Tenía que echar a correr, tenía que alejarse de allí antes de que sus perseguidores le cayesen encima.

Noirot estaba inmóvil, con las entrañas reventadas por el esfuerzo, y sólo de vez en cuando exhalaba débiles relinchos y agitaba la cabeza, con los ojos turbios de agonía. Frederic intentó liberar su pierna aprisionada. El sonido de los cascos estaba cada vez más cerca, casi allí mismo. Mordiéndose los labios para no gritar de terror, apoyó las manos manchadas de barro contra el lomo del caballo, empujando con toda el alma para liberarse.

En el bosque, a su alrededor, sonaban gritos y disparos. El sable atado a su muñeca le estorbaba los movimientos, por lo que se arrancó el cordón de la mano con dedos temblorosos. Hurgó nerviosamente en las fundas del arzón, empuñando la pistola que todavía no había sido disparada. Volvió a empujar con todas sus fuerzas, sintiéndose al borde del desmayo. En el mismo instante en que lograba sacar la pierna de debajo de su caballo moribundo, una silueta verde apareció entre los árboles lanza en ristre, cabalgando directamente hacia él.

Rodó sobre sí mismo buscando la protección de un tronco cercano. Las lágrimas corrían por sus mejillas cubiertas de lodo y hojas cuando levantó la pistola empuñándola con ambas manos, apuntando al pecho del jinete. Al ver el arma, el lancero encabritó el caballo. El fogonazo del disparo nubló la visión de Frederic, la pistola le saltó de las manos. Un relincho, un golpe pesado entre los arbustos. Frederic vio las patas del caballo agitándose en el aire, arrastrando al jinete en su caída. Había fallado el tiro, le había dado a la montura. Con un grito desesperado, ahogándose en el áspero olor a pólvora quemada, Frederic concentró sus escasas fuerzas en un encarnizado afán de sobrevivir. Se incorporó como pudo, saltó sobre el cuerpo inmóvil de *Noirot,* se metió entre las patas del otro caballo y cayó sobre el lancero que intentaba levantarse, rota el asta de la lanza, ya con medio sable fuera de la vaina. Golpeó el rostro del español hasta que éste comenzó a echar sangre por la nariz y los oídos. Fuera de sí, emitiendo desgarradas imprecaciones, martilleó con los puños cerrados sobre los ojos de su adversario, mordió la mano que intentaba empuñar el sable, escuchando crujir huesos y tendones entre sus dientes. Aturdido por la caída y los golpes, el lancero intentaba protegerse el rostro ensangrentado con los brazos, gimiendo como un animal herido. Rodaron ambos por el suelo, empapados en barro, bajo la lluvia que seguía goteando de las ramas de los árboles. Con la energía que le daba la desesperación, Frederic agarró con las dos manos el sable del lancero, medio fuera de la vaina, y fue empujando pulgada a pulgada el palmo de hoja desnuda hacia la garganta de su enemigo. Ponía en ello toda la fuerza que podía reunir, apretando los dientes de forma que le crujía la mandíbula, aspirando entrecortadas bocanadas de aire. Los ojos ya ciegos del lancero parecían a punto de salirse de las órbitas bajo las cejas hinchadas, rotas y sangrantes. A tientas, el español agarró una piedra y la estrelló contra la boca de Frederic. Sintió éste crujir sus encías, saltar los dientes hechos pedazos. Escupió dientes y sangre mientras con un último, salvaje esfuerzo, con un grito inhumano que brotó del fondo de sus entrañas, llevó el afilado borde del sable a la garganta de su enemigo, presionando a derecha e izquierda, hasta que un viscoso chorro rojo le saltó a la cara, y los brazos del español se desplomaron, inertes, a los costados.

Se quedó allí, tumbado de bruces sobre el cadáver del lancero, abrazado a él y sin fuerzas para moverse, brotando de sus destrozados labios un gemido ronco. Estuvo así largo rato con la certeza de que se estaba muriendo sin remedio, tiritando de frío, con un dolor tan agudo en las sienes y la boca que parecía le hubieran desollado toda la cabeza. No pensaba en nada, su cerebro estaba al rojo vivo, era una masa incandescente y martirizada. Se escuchó a sí mismo rogando a Dios que le permitiera dormir, perder el conocimiento; pero el suplicio de su boca aplastada lo mantenía despierto.

El cuerpo del español ya estaba rígido y frío. Frederic se deslizó a un lado, quedando boca arriba. Abrió los ojos y vio el cielo negro sobre las copas de los árboles cuajadas de sombras. Era de noche.

El fragor del combate continuaba en la distancia. Se incorporó con doloroso esfuerzo hasta quedar sentado. Miró a su alrededor, sin saber hacia dónde encaminarse. Su estómago vacío lo atormentaba con terribles punzadas, así que buscó a tientas la silla del lancero muerto. No halló nada, pero sus manos torpes encontraron el sable. De todas formas, la boca le ardía como si tuviera fuego dentro. Se levantó tambaleante, con el sable en la mano, y echó a andar entre los árboles, hundiendo las botas en el fango. No le importaba hacia dónde iba; su única obsesión era alejarse de allí.

7. La gloria

Caminó sin rumbo fijo, internándose en el bosque. De vez en cuando se detenía, apoyado en el tronco de un árbol, tembloroso y empapado, llevándose las manos a la boca destrozada que le hacía gemir de dolor. Había dejado de llover, pero las ramas seguían goteando mansamente. Entre los matorrales podía ver a lo lejos quebrarse la oscuridad bajo los fogonazos de la lucha que continuaba. El chisporroteo de las descargas se percibía con nitidez; el combate rugía como una tormenta lejana.

Los disparos resonaron a veces en el bosque, no lejos de él, aumentando su zozobra. Resultaba imposible averiguar dónde se hallaban las líneas francesas; habría que esperar al amanecer para dirigirse a ellas. Se estremeció. La sola idea de caer en manos de los españoles lo angustiaba hasta el punto de arrancarle estertores de animal acosado. Tenía que salir de allí. Tenía que retornar a la luz, a la vida.

Tropezó con unas ramas caídas y dio de bruces en el barro. Se levantó chapoteando y se echó hacia atrás el cabello revuelto y enlodado, mirando temeroso las sombras que lo cercaban. En cada una creía descubrir un enemigo.

Sentía un frío intenso, atroz. Las mandíbulas le temblaban aumentando el dolor de sus encías sangrantes y deshechas. Se palpó con la lengua los dientes que le quedaban: había perdido toda la mitad izquierda de la boca, podía notar entre la monstruosa inflamación ocho o diez raíces astilladas. El dolor se le extendía a las quijadas, el cuello y la frente. Todo el cuerpo le ardía de fiebre; la infección y el frío iban a terminar con él si no hallaba un lugar donde cobijarse.

Distinguió una luz entre los árboles. Quizá fueran franceses, así que se encaminó hacia ella, rogando a Dios para no toparse con una patrulla española. El resplandor aumentaba a medida que se iba acercando; se trataba de un incendio. Anduvo con toda clase de precauciones, observando con cautela los alrededores.

Era una casa situada en un claro. Ardía con fuerza a pesar de la lluvia reciente, derrumbándose la techumbre entre un torbellino de chispas, propagándose también el fuego a las ramas de algunos árboles próximos. Las llamas brotaban arrancando intensos silbidos de vapor a la madera mojada.

Había un grupo de hombres junto al claro. Podía distinguir los chacós y los fusiles, recortados a contraluz sobre el resplandor del incendio. Desde el lugar en que se hallaba, Frederic no podía saber si eran españoles o franceses, así que permaneció agazapado entre los arbustos, apretando la empuñadura del sable en la mano crispada. Oyó el relincho de un caballo y unas voces confusas en lengua que no pudo identificar.

No se atrevía a aproximarse más por temor a hacer ruido entre los matorrales. Incluso aunque se tratara de franceses podían disparar sobre él, sin reconocer su uniforme bajo la capa de barro que le cubría el cuerpo. Esperó durante largo rato, indeciso. Si eran españoles y lo atrapaban, podía considerarse hombre muerto, y quizá no con la rapidez deseable en tales circunstancias.

Estaba cansado; viejo y cansado. Se sentía como un anciano que hubiese envejecido cincuenta años en pocas horas. La última jornada desfiló ante sus ojos hinchados por la fatiga como si se tratase de cosas ocurridas hacía mucho tiempo, durante toda una vida. La tienda en el campamento, el sable que refulgía bajo la luz del candil, Michel de Bourmont fumando su pipa... Michel. De nada le había servido su juventud, su belleza, su valor. Aquel estandarte abatido entre un haz de lanzas enemigas, aquel quejido de agonía de la corneta tocando inútilmente llamada, aquellas monturas sin jinete que erraban por el valle enfangado, bajo la lluvia. Al menos, se dijo, Michel de Bourmont había caído a caballo, viéndole la cara a la muerte como Philippo, como Maugny, como Laffont, como los demás. No estaban, igual que Frederic, agazapados en el barro, encogidos de terror, esperando de un momento a otro ver surgir la muerte a traición desde las sombras; una muerte sucia, oscura, indigna de un húsar. Con amargura, Frederic consideró que había sido un largo camino para terminar aplastado en el lodo, como un perro.

Pero él estaba vivo. El pensamiento se fue abriendo paso hasta hacerlo sonreír con una mueca feroz. Todavía estaba vivo, su pulso seguía latiendo, el cuerpo le ardía, pero lo sentía arder. Los otros, en cambio, se encontraban a estas horas yertos y fríos, cadáveres empapados que yacían anónimos en el valle... Quizá hasta los habían despojado de sus botas.

La guerra. ¡Qué lejos estaba de las enseñanzas de la escuela militar, de los manuales de maniobra, de los desfiles ante una multitud encandilada por el brillo de los uniformes...! Dios, si es que había un Dios más allá de aquella siniestra bóveda negra que rezumaba humedad y muerte, concedía a los hombres un pequeño rincón de tierra para que ellos, a sus anchas, creasen allí el infierno.

La gloria. Mierda de gloria, mierda para todos ellos, mierda para el escuadrón. Mierda para el estandarte por el que había sucumbido Michel de Bourmont, que en aquel momento estaría siendo paseado como trofeo por uno de esos lanceros españoles. Que se quedaran todos ellos con su maldita gloria, con sus banderas, con sus vivas al Emperador. Era él, Frederic Glüntz, de Estrasburgo, el que había cabalgado contra el enemigo, el que había matado por la gloria y por Francia, y que ahora estaba tirado en el barro, en un bosque sombrío y hostil, aterido de frío, con hambre y sed, la piel ardiéndole de fiebre, solo y perdido. No era Bonaparte quien estaba allí, por el diablo que no. Era él. Era *él.*

La calentura le hacía dar vueltas la cabeza. Ay, Claire Zimmerman, con su lindo vestido azul, con los bucles dorados que relucían a la luz de los candelabros. ¡Si vieras a tu apuesto húsar...! Ay, Walter Glüntz, respetable cabeza de honrado comerciante que miraba con orgullo a su hijo oficial. ¡Si lo pudieras ver ahora!...

Al diablo. Al diablo todos ellos con su romántica y estúpida idea de la guerra. Al diablo los héroes y la caballería ligera del Emperador. Nada de eso se sostenía a la luz de aquella terrible oscuridad, entre los matorrales, junto al resplandor del incendio cercano.

Lo acometió un violento cólico. Desabotonó el pantalón y se quedó allí en cuclillas, sintiendo la inmundicia deslizarse entre sus botas, angustiado ante la idea de que los españoles lo sorprendieran así. Barro, sangre y mierda. Eso era la guerra, eso era todo, Santo Dios. Eso era todo.

Los soldados se iban. Dejaban el claro iluminado por las llamas sin que hubiera podido averiguar su nacionalidad. Se quedó inmóvil, agazapado hasta que el rumor se alejó.

Sólo escuchaba ya el crepitar de las llamas. El fuego suponía un riesgo, lo iluminaría al acercarse. Pero también era calor, vida, y él se estaba muriendo de frío. Apretó fuerte el sable en la mano y se acercó despacio, encorvado, sobresaltándose cada vez que sus botas chapoteaban demasiado o quebraban una rama.

El claro estaba desierto. Casi desierto. La luz danzante de las llamas iluminaba dos cuerpos tendidos en tierra. Se acercó a ellos con toda clase de precauciones; ambos vestían la casaca azul y el calzón blanco de un regimiento francés de línea. Estaban rígidos y fríos, sin duda llevaban allí varias horas. Uno de ellos, boca arriba, tenía la cara destrozada por innumerables tajos causados por un sable o una bayoneta. El otro yacía de costado, en posición fetal. Sin duda lo habían matado de un tiro.

Les habían quitado las armas, los correajes y las mochilas. Una de ellas estaba a algunas varas, junto a un montón de tizones humeantes, abierta y con el contenido desparramado por el suelo, sucio y roto: un par de camisas, unos zapatos de suela agujereada, una pipa de barro partida en tres pedazos... Frederic buscó impaciente algo que comer. Sólo encontró en el fondo de la mochila un poco de tocino y se lo llevó a la boca con ansia; pero las encías inflamadas le escocieron de modo terrible. Se pasó el tocino al lado derecho de la boca, sin mejor resultado. Era incapaz de masticar. Lo acometió una fuerte náusea y cayó de rodillas, vomitando bilis en hondas arcadas. Estuvo así un rato, con la cabeza apoyada en las manos, hasta que logró serenarse. Después, con agua de un charco, se enjuagó la boca en inútil intento de aliviar el dolor; se incorporó y fue hasta las llamas, apoyándose en una pared de adobe de la arruinada choza. El calor inundó su cuerpo con tan grata sensación que le rodaron lágrimas por las mejillas. Permaneció así un rato, a dos varas del fuego, con la ropa humeando de vapor, hasta que consiguió secarla un poco.

Corría grave peligro allí en el claro, iluminado por el incendio. Cualquiera que rondara por las inmediaciones podía descubrirlo. Pensó una vez más en los rostros morenos y crueles de los campesinos, de los guerrilleros, de los soldados... ¿Acaso había diferencia en aquella maldita España? Con un esfuerzo de voluntad se apartó de las llamas y anduvo apoyándose en la cerca. Los restos de razón que conservaba le decían que permanecer allí era equivalente al suicidio, pero su cuerpo seguía reacio a obedecer. Se detuvo de nuevo, miró indeciso hacia las llamas y después contempló la oscuridad del bosque, a su alrededor.

Estaba muy cansado. La perspectiva de volver a arrastrarse de nuevo en la oscuridad, entre los matorrales empapados, lo hizo tambalearse. Observó su propia sombra, que las llamas hacían oscilar muy larga a sus pies. Estaba perdido, seguramente destinado a morir. Junto al fuego, al menos, no perecería de frío. Retrocedió entre la lluvia de brasas y cenizas y descubrió un lugar resguardado, junto a un muro de piedra y adobe, a cinco o seis varas de la hoguera. Se acurrucó allí con el sable entre las piernas, apoyó la cabeza en el suelo y se quedó dormido.

Soñó que cabalgaba por campos devastados, sobre un fondo de incendios lejanos, entre un escuadrón de esqueletos enfundados en uniformes de húsar que volvían hacia él sus cráneos descarnados para mirarlo en silencio. Dombrowsky, Philippo, De Bourmont... Todos estaban allí.

Lo despertó el frío del amanecer. El incendio se había apagado y sólo quedaban tizones que humeaban entre cenizas. El cielo clareaba hacia el este y entre las copas de los árboles relucían algunas estrellas.

No había vuelto a llover. El bosque seguía en sombras, pero ya se podían distinguir sus contornos.

El rumor de la batalla se había extinguido; el silencio era total, sobrecogedor. Frederic se incorporó, frotándose el cuerpo dolorido. Tenía el lado izquierdo de la cara terriblemente hinchado. Le dolía de forma encarnizada, incluyendo el oído, por el que no captaba sonido alguno, tan sólo un zumbido interno que parecía brotar de lo más hondo del cerebro. El párpado del ojo izquierdo también estaba cerrado por la hinchazón, apenas veía nada por él.

Intentó orientarse. El sol salía por el este. Quiso recordar la disposición aproximada del campo de batalla, en el que el bosque quedaba hacia el oeste, cerca de la aldea que el Octavo Ligero había atacado el día anterior. Haciendo esfuerzos para concentrarse calculó que las líneas francesas, en el momento en que se perdió, se encontraban hacia el sudeste. La situación podía haberse modificado durante la noche, pero eso no había forma de saberlo.

Se preguntó quién habría ganado.

Echó a andar en dirección al día que se levantaba. Caminaría hasta la linde del bosque, observando con prudencia los alrededores, y por ella intentaría acercarse a los cerros en los que la tarde anterior se apoyaban las líneas francesas. No estaba muy seguro de sus fuerzas: el estómago lo atormentaba con intensas punzadas, la boca y la cabeza le ardían. Avanzaba tropezando con ramas y arbustos, y de vez en cuando se veía obligado a detenerse, sentándose en la tierra todavía embarrada, para recobrar energías. Marchó así durante una hora. Poco a poco, la luz grisácea del amanecer fue barriendo las sombras hasta permitirle ver con claridad cuanto había a su alrededor. Al inclinar la cabeza podía contemplar su pecho, brazos y piernas, cubiertos por una costra de barro seco y hojas; el dormán estaba desgarrado, habían saltado la mitad de los botones. Tenía las manos rugosas y ásperas, con negra suciedad bajo las uñas rotas. De pronto, miró el sable que tenía en la mano y comprobó con sorpresa que no era el suyo. Hizo memoria y recordó al español entre las patas del caballo, intentando sacarlo de la vaina. Se echó a reír como un demente; olvidaba que había degollado al lancero con su propio sable. El cazador cazado por el cazador a quien intentaba dar caza. Absurdo trabalenguas. Ironías de la guerra.

Había un pequeño claro bajo una enorme encina. Iba a pasar de largo cuando vio un caballo muerto, con la silla forrada de piel de carnero característica de los húsares. Se acercó con curiosidad; quizá su jinete estuviera cerca, vivo o no. Descubrió un cuerpo tendido entre los matorrales y se aproximó con el corazón saltándole en el pecho. No era francés. Tenía trazas de campesino, con polainas de cuero y casaca gris. Estaba boca abajo, con un trabuco cerca de las manos crispadas. Agarró la cabeza por los cabellos y le miró el rostro. Llevaba patillas de boca de hacha, barba de tres o cuatro días, y su color era el amarillento de la muerte. Cosa por otra parte lógica, habida cuenta del boquete que tenía en mitad del pecho, por el que había salido un reguero de sangre que ahora estaba bajo su cuerpo, mezclada con el barro. Sin duda era un campesino, o un guerrillero. Todavía no tenía la rigidez característica de los cadáveres, por lo que dedujo que llevaba poco tiempo muerto.

—La verdad es que no es muy guapo —dijo una voz en francés a su espalda.

Frederic dio un respingo y soltó la cabeza, volviéndose mientras levantaba el sable. A cinco varas de distancia, con la espalda apoyada en el tronco de la encina, había un húsar. Estaba medio sentado, en camisa y con el dormán azul extendido sobre el estómago y las piernas. Tendría unos cuarenta años, con un frondoso mostacho y dos largas trenzas que le pendían sobre los hombros. Los ojos eran de un gris ceniza; la piel muy pálida. Su chacó rojo estaba a un lado, el sable desnudo al otro, y sostenía una pistola en la mano derecha, apuntándole.

Aturdido por la sorpresa, Frederic se fue inclinando hasta quedar de rodillas frente al desconocido.

—Cuarto de Húsares... —murmuró con voz apenas audible—. Primer Escuadrón.

La inesperada aparición soltó una carcajada, interrumpiéndola de inmediato con un rictus de dolor que le contrajo el rostro. Cerró un momento los párpados, volvió a abrirlos, escupió a un lado y sonrió mientras bajaba la pistola.

—Tiene gracia. Cuarto de Húsares, Primer Escuadrón... Yo también soy del Primer Escuadrón, querido... Yo *era* del Primer Escuadrón, sí. ¿No tiene gracia? Por la cochina madre de Dios que tiene gracia, vaya que sí... Nunca te hubiera reconocido con ese uniforme rebozado en barro. ¿Te conozco? No, creo que ni tu propia madre te reconocería con esa jeta aplastada, hinchada como un pellejo de vino. ¿Cómo te lo hicieron?... Bueno, dime quién eres de una maldita vez, en lugar de estarte ahí mirándome como un pasmarote.

Frederic clavó el sable en el suelo, junto a su muslo derecho.

—Glüntz. Subteniente Glüntz, Primera Compañía.

El húsar lo miró, interesado.

—¿Glüntz? ¿El subteniente joven? —movió la cabeza, como si le costase trabajo aceptar que estuviesen hablando de la misma persona—. Por los clavos de Cristo, que no hubiera sido capaz de reconocerlo jamás... ¿De dónde sale con ese aspecto?

—Un lancero me dio caza. Perdimos los caballos y peleamos en tierra.

—Ya veo... Fue ese lancero el que le dejó la cara así, ¿verdad? Es una pena. Recuerdo que era usted un guapo mozo... Bueno, subteniente, disculpe si no me levanto y saludo, pero no ando bien de salud. Me llamo Jourdan... Armand Jourdan. Veintidós años de servicio, Segunda Compañía.

—¿Cómo llegó hasta aquí?

El húsar sonrió como si la pregunta fuera una estupidez.

—Como usted, supongo. Galopando como alma que lleva el diablo, con tres o cuatro de esos jinetes de peto verde haciéndome cosquillas con sus lanzas en el culo... Al internarme en el bosque les di esquinazo. Anduve toda la noche por ahí, encima del pobre *Falú,* el buen animal que tiene usted al lado, muerto de un trabucazo. Ese hijo de puta al que usted le miraba la cara hace un momento fue quien me lo mató.

Frederic se volvió a mirar el cadáver del español.

—Parece un guerrillero... ¿Fue usted quien le dio el balazo?

—Claro que fui yo. Ocurrió hace cosa de una hora; *Falú* y yo andábamos intentando regresar a las líneas francesas, caso de que todavía existan, cuando ese tipo salió de los matorrales, descerrajándonos su andanada en las narices. Mi pobre caballo fue quien se llevó la peor parte... —miró con tristeza hacia el animal muerto—. Era un buen y fiel amigo.

—¿Qué ha sido del escuadrón?

El húsar se encogió de hombros.

—Sé lo mismo que usted. Quizá a estas horas ya ni exista. Esos lanceros nos la jugaron bien, dejándonos pasar y cargándonos después de flanco. Yo iba con cuatro compañeros: Jean-Paul, Didier, otro al que no conocía y ese sargento bajito y rubio, Chaban... Los fueron cazando detrás de mí, uno a uno. No les dieron la menor oportunidad. Con los caballos exhaustos después de tres cargas y la persecución, aquello era como cazar ciervos amarrados a un poste.

Frederic levantó el rostro y miró al cielo. Entre las copas de los árboles se veían grandes claros de cielo azul.

—Me pregunto quién habrá ganado la batalla —comentó, pensativo.

—¡Cualquiera sabe! —dijo el húsar—. Desde luego, mi subteniente, ni usted ni yo.

—¿Está herido?

Su interlocutor miró a Frederic en silencio durante un rato, y después una sonrisa sarcástica apareció en un extremo de su boca.

—Herido no es la palabra exacta —dijo, con la expresión de quien saborea una broma que sólo él puede entender—. ¿Ve usted el trabuco de ese fiambre? —preguntó señalando el arma con su pistola— ¿Ve esa bayoneta plegable de dos palmos de larga que tiene junto al cañón...? Bueno, pues antes de que lo mandara al infierno, ese hijo de puta mezclada con un obispo tuvo tiempo de hurgarme con ella en las tripas.

Mientras hablaba, el húsar apartó el dormán que tenía sobre el estómago, y Frederic soltó una exclamación de horror. La bayoneta había entrado en la pierna derecha un poco por encima de la rodilla, desgarrando longitudinalmente todo el muslo y parte del bajo vientre. Por la espantosa herida, llena de grandes coágulos de sangre, se veían brillar huesos, nervios y parte de los intestinos. Con su cinto y las correas del portapliegos, el húsar se había atado el muslo en inútil intento por mantener cerrados los bordes de la tremenda brecha.

—Ya lo ve, subteniente —comentó mientras volvía a cubrirse con el dormán—. Yo ya estoy listo. Por suerte no me duele demasiado; tengo toda la parte inferior del cuerpo como dormida... Lo curioso es que, al rajarme, la bayoneta no debió de tocar ningún vaso importante; habría muerto desangrado hace rato.

Frederic estaba espantado por la fría resignación del veterano.

—No puede quedarse así —balbuceó, sin saber muy bien qué era lo que podía hacerse por el herido—. Tengo que llevarlo a alguna parte, buscar ayuda. Eso... Eso es atroz.

El húsar se encogió otra vez de hombros. Todo parecía importarle un bledo.

—No hay nada que pueda hacerse. Aquí, por lo menos, con la espalda apoyada en este árbol, estoy cómodo.

—Quizá puedan curarlo...

—No diga tonterías, mi subteniente. Después de una hora así, esto es gangrena segura. En veintidós años he visto muchos casos por el estilo, y ya tengo el colmillo retorcido para hacerme ilusiones... El viejo Armand sabe cuándo los naipes vienen mal dados.

—Si no le prestan ayuda, morirá sin remedio.

—Con ayuda o sin ella, yo voy aviado. No tengo humor para andar de un lado para otro, pisándome las tripas; en mi estado, resultaría incómodo. Prefiero estar donde estoy, tranquilo y a la sombra. Ocúpese de sus propios asuntos.

Los dos quedaron en silencio durante un largo rato. Frederic sentado en el suelo, rodeándose las rodillas con los brazos; el húsar, con los ojos cerrados, apoyada la cabeza en el tronco de la encina, indiferente a la presencia del joven. Por fin Frederic se levantó, desclavó su sable del suelo y se acercó al herido.

—¿Puedo hacer algo por usted antes de irme?

El húsar abrió despacio los ojos y miró a Frederic como si le sorprendiera verlo todavía allí.

—Puede que sí —dijo lentamente, mostrándole la pistola que seguía manteniendo entre los dedos—. La descargué contra ese tipo, y me gustaría tener una bala dentro por si se acerca algún otro... ¿Le importaría cargármela? En mi silla hay todo lo necesario.

Frederic agarró la pistola por el largo cañón y se encaminó hacia el caballo muerto. Encontró un saquito de paño encerado lleno de pólvora y una bolsa con balas. Cargó el arma, empujó con la baqueta y la dejó lista. Se la llevó al herido, entregándole también el sobrante de pólvora y munición.

El húsar contempló apreciativamente el arma, la sopesó un momento en la palma de la mano y la amartilló.

—¿Desea algo más? —le preguntó Frederic.

El húsar lo miró. Había un destello de burla en sus ojos.

—Hay un pueblecito en el Béarn donde vive una buena mujer cuyo marido es soldado y está en España —murmuró, y Frederic creyó percibir en su voz un remoto rastro de ternura que desapareció de inmediato—. En otro momento, subteniente, es posible que le hubiera dicho el nombre de ese pueblo, por si alguna vez pasaba por allí... Pero ahora me da lo mismo. Además, si he de serle franco, usted huele a muerto, como yo. Dudo mucho que regrese a Francia, ni a ninguna otra parte.

Frederic lo miró, desagradablemente sorprendido.

—¿Qué ha dicho?

El húsar cerró los ojos y volvió a apoyar la cabeza en el tronco.

—Lárguese de aquí —ordenó con voz desmayada—. Déjeme en paz de una maldita vez.

Frederic se alejó, confuso, con el sable en la mano. Pasó junto a los cadáveres del caballo y el guerrillero y todavía se volvió a mirar atrás, aturdido. El húsar seguía inmóvil, con los ojos cerrados y la pistola en la mano, indiferente al bosque, a la guerra y a la vida.

Anduvo un trecho entre los matorrales y se detuvo a cobrar aliento. Entonces oyó el disparo. Dejó caer el sable, se cubrió la cara con las manos y se puso a llorar como un chiquillo.

Al cabo de un rato echó a andar de nuevo. Ignoraba ya dónde estaba el este, dónde el oeste. El bosque era un laberinto donde resultaba imposible orientarse, una trampa que olía a podredumbre, a humedad, a muerte. La pesadilla no tenía fin, su cuerpo entumecido apenas podía dar un paso, el dolor de la cara lo enloquecía. Se miró las manos vacías, vio que había olvidado el sable y volvió atrás a buscarlo. Pero a los pocos pasos se detuvo. Al diablo el sable, al diablo con todo. Anduvo sin rumbo fijo, errante, tropezando y golpeándose contra los árboles. La vista se le nublaba, la cabeza daba vueltas como sumida en un torbellino. La fiebre le hacía hablar en voz alta, delirante. Conversaba con sus compañeros, con Michel de Bourmont, con su padre, con Claire... Ya lo había entendido, ya lo había logrado entender. Como Pablo en el camino de Damasco, había caído del caballo... La idea lo hizo reír a carcajadas, que sonaron espectrales en el silencio del bosque. Dios, Patria, Honor... Gloria, Francia, Húsares, Batalla... Las palabras salían de su boca una tras otra, las repetía cambiando el tono de voz. Se estaba volviendo loco, por su vida que sí. Lo estaban volviendo loco entre todos, allí, a su alrededor, susurrándole estupideces sobre el deber, sobre la gloria... El húsar moribundo era el único que entendía la cuestión, por eso se había pegado un pistoletazo. El muy tunante, perro viejo, había sabido tomar el atajo. Vaya que sí. Los demás no tenían maldita idea de nada, romántica y estúpida Claire, infeliz Michel... Mierda, barro y sangre, eso era. Soledad, frío y miedo, un miedo tan enloquecedoramente espantoso que daba ganas de gritar de pura y desnuda angustia.

Gritó. A pesar del dolor de su boca hinchada y supurante, gritó hasta que dejó de oírse. Gritó al cielo, a los árboles. Gritó al mundo entero, insultó a Dios y al diablo. Se abrazó al tronco de un árbol y se echó a reír mientras lloraba. El dormán, cubierto de barro seco, estaba rígido como una coraza. Se lo arrancó de encima y lo arrojó entre los arbustos. Buen paño, primorosamente bordado, vaya que sí. Se pudriría en el humus de aquel podrido bosque junto a *Noirot,* junto al húsar que se había pegado un tiro, junto a todos los imbéciles, hombres y animales, que se dejaban atrapar en la ronda macabra. Quizá, pronto, junto al propio Frederic.

Se estaba volviendo loco. Se estaba volviendo loco. Se estaba volviendo loco, maldita sea. ¿Dónde estaba Berret? ¿Dónde estaba Dombrowsky? ¿Dónde estaba el coronel Letac, una carga, ejem, caballeros, que haga correr a esos piojosos por toda Andalucía...? Al infierno, al diablo todos. Se había dejado atrapar como un imbécil. Ellos también, pobres tipos, se habían dejado atrapar. Todo el universo se había dejado atrapar, por el amor de Dios, ¿no había nadie que se diera cuenta? Que lo dejaran también a él en paz. ¡Sólo quería irse de allí! ¡Que lo dejaran en paz, por misericordia...! ¡Se estaba volviendo loco y sólo tenía diecinueve años!

El húsar moribundo tenía razón. Los viejos soldados, eso lo descubría ahora, siempre tenían razón. Por eso se callaban. Ellos *sabían,* y el conocimiento, la sabiduría, los tornaba silenciosos e indiferentes. Ellos sabían, al diablo con todo. Pero no se lo contaban a nadie; eran viejos zorros astutos. Que cada palo aguantara su vela, que cada cual aprendiera por sí solo. En ellos no había valor; había *indiferencia.* Estaban al otro lado del muro, más allá del bien y del mal, como el abuelo de Frederic, el viejo Glüntz, que se dejó morir cansado de esperar la muerte. No había nada más que hacer, el camino estaba espantosamente claro. Honor, Gloria, Patria, Amor... Había un punto sin retorno, al que se llegaba tarde o temprano, en el que todo se tornaba superfluo, adquiría sus límites precisos, su exacta dimensión. Ella estaba allí, plantada en mitad del camino, con una guadaña tan letal como un escuadrón de lanceros. No había nada más, no había rutas de escape. Era absurdo correr, era absurdo detenerse. Sólo quedaba acudir con calma a su encuentro y acabar de una maldita vez.

De pronto, todo pareció muy simple, elementalmente sencillo. Frederic se detuvo y hasta profirió una exclamación, sorprendido por no haber sido capaz de averiguarlo antes. Llegó tambaleante a la linde del bosque y allí se detuvo, todavía maravillado de su descubrimiento, enflaquecido y febril, desfigurado y cubierto de barro, con el cabello revuelto y los ojos brillándole como brasas. Contempló el cielo azul, los campos salpicados de olivos color ceniza, las aves que volaban sobre lo que había sido un campo de batalla, y soltó una formidable carcajada dirigida a todo cuanto lo rodeaba.

Se sentó sobre el tocón de un árbol con una rama seca en las manos, hurgando abstraído la tierra entre sus botas manchadas de lodo. Y cuando vio acercarse por la linde del bosque al grupo de campesinos armados con hoces, palos y navajas, se levantó despacio con la cabeza erguida, miró sus rostros cetrinos y aguardó, inmóvil y sereno. Pensaba en el abuelo Glüntz, en el húsar herido bajo la gran encina. Y no sentía más que una cansada indiferencia.

Majadahonda, julio de 1983

La pasajera del *San Carlos**

Al capitán de la marina mercante don Antonio Pérez-Reverte. 37 años en la mar.

* Publicado en la Revista *Lucanor*, mayo de 1992.

I.

Eran otros tiempos. Ahora cualquier imbécil puede llevar un barco a base de apretar botones y con una terminal de satélite; pero entonces todavía quedábamos hombres en los puentes, en cubierta y en los sollados. Hombres para palear carbón empapados en sudor como en la boca del infierno, o pasar días con el sextante en la mano, en mitad del Atlántico y con mal tiempo, acechando la aparición del sol o de una estrella para determinar latitud y longitud sobre una carta náutica. Hombres para destrozar un burdel en Rotterdam, secar un bar en Tánger, o mantenerse al timón con olas de ocho metros y a la capa, mirando al capitán silencioso y acodado junto a la bitácora como quien mira a Dios.

También eran otros barcos, y otros pasajeros. Los unos eran motoveleros que parecían aves blancas en el horizonte, o vapores de hierro testarudos y sólidos en el andar. Los otros eran tipos cuya fisonomía delataba su pasado o su futuro: plantadores tostados por el sol, con ojos amarillos de malaria; misioneros jóvenes acariciando sueños de martirio y gloria, o barbudos, flacos y febriles, atiborrados de dudas y de quinina; militares de caqui abrevando en grupos; funcionarios de blanco colonial, hundida la nariz en vasos de ginebra; esposas de tez pálida o enrojecida, avejentadas por los trópicos; negros de corbata, miembros del clan favorecido por la metrópoli, futuros ministros y también futura carne de linchamiento tras la independencia.

Ésos eran mis pasajeros. Durante muchos años los estuve llevando con sus equipajes, ida y vuelta una vez al mes, entre Cádiz y Santa Isabel, con buen y mal tiempo, sin ningún percance que anotar en el cuaderno de bitácora del *San Carlos*. Salvo la última maniobra, con doscientos treinta y cuatro refugiados, veinte guardias civiles y dos ametralladoras en el puente, cuando largamos amarras de Santa Isabel pegando tiros al aire para mantener alejada a la muchedumbre que pretendía asaltar el barco; aún no estoy seguro de si para cortarnos el cuello o para que los sacáramos de allí. Pero ésa es otra historia.

La que pretendo contarles empezó seis o siete años antes del último viaje. Corrían los tiempos en que Fernando Poo era todavía eso: una colonia próspera y ejemplar habitada por blancos altaneros y negritos buenos, con plantadores de cacao que dedicaban el tiempo libre a emborracharse y a engendrar mestizos, y con un gobernador militar, hombre recto y católico practicante, que iba a misa los domingos y que, al caer cada tarde, rezaba el rosario en familia en la veranda de su residencia, un palacete colgado entre buganvillas, ceibas y cocoteros, sobre el Atlántico.

A ella la vi subir al barco en Cádiz. Recorrió la escala real, cinco metros de plancha inestable vibrando bajo sus tacones altos, como sólo una de cada cien mujeres sabe hacerlo: con seguro balanceo de piernas y caderas, leve como un soplo, con la brisa cómplice haciendo ondear la falda de su vestido blanco. Todo en ella parecía dorado: el cabello, las pestañas, la piel. Martín, mi tercero, que por aquel entonces era aún demasiado joven y demasiado impresionable, alargó una mano para ayudarla a pisar cubierta y ella se lo agradeció con una mirada azul que lo hizo enrojecer. Una mirada de esas por las que un hombre de los de antes era capaz de hacerse matar en el acto. Pero de todos nosotros fue el contramaestre Ceniza, acodado en la regala con los ojos entornados por el humo de un cigarrillo, quien resumió mejor la cuestión: «He ahí una mujer», dijo entre dientes. Y aunque yo, que estaba cerca, apenas pude escuchar el comentario, bastó el gesto de homenaje, una breve señal de asentimiento que hizo inclinando un poco la cabeza gris, para que leyese en sus labios sin palabras. Porque, de una u otra forma, el contramaestre se limitaba a expresar un sentimiento general, compartido desde el puente, donde yo mismo estaba con un ojo en la maniobra y otro en la escala real, hasta el muelle, donde los estibadores, con los brazos en jarras, observaban admirados el paisaje. Ella era, exactamente, lo que en aquel tiempo aún llamábamos una mujer de bandera.

Él subió detrás. Flaco y bien vestido, sombrero de paja y corbata con calcetines a juego, con una maleta de piel en cada mano. Se le veía chico de buena familia en pos de un destino decente al regreso, dieciocho meses en los trópicos, funcionario medio de la administración colonial con prometedora carrera más adelante, si lograba sobrevivir a la humedad, a la fiebre, al alcohol, al aburrimiento. Le calculé treinta años; un par más que a ella. Y poco tiempo de casados. Dos o tres meses, a lo sumo.

II.

Fue un viaje tranquilo. Tuvimos buen tiempo y hermosas puestas de sol costeando África hasta el golfo de Guinea. Ella solía pasar el tiempo en una hamaca de cubierta, bronceándose la piel con el cabello recogido en un pañuelo de seda, gafas oscuras y un libro en las manos. Al atardecer, antes de vestirse para la cena, la veíamos siempre a popa, observando las aves marinas que planeaban en la estela mientras la corredera desgranaba milla tras milla en el Atlántico. Tenía una forma peculiar de inclinar el rostro sobre la borda, como si la espuma de las hélices, al batir las aguas, arrastrase imágenes que no le disgustara ver desvanecerse mar adentro. Sólo en aquel momento parecía sonreír como para sí misma, algo distante, con ese leve toque de fatiga, o de hastío, que a veces es posible percibir en algunas mujeres jóvenes a las que suponemos una historia que contar.

Pero ella jamás contó nada. Se limitaba a una breve inclinación de cabeza cuando algún pasajero o tripulante le dirigía un saludo, o cuando alguien, más atrevido, se hacía el encontradizo sobre cubierta. Creo que jamás la vi reír, o pronunciar diez palabras seguidas; ni siquiera cuando Martín, las dos o tres veces que ella y su marido fueron invitados a cenar en mi mesa de la cámara, hacía esfuerzos desesperados para llamar su atención. A pesar de ello, cuando dejamos atrás el trópico de Cáncer mi tercero estaba enamorado hasta la médula, y su dolencia aumentó a medida que nuestra latitud se aproximaba al Ecuador. Aquello me hubiera dado lo mismo en otras circunstancias; pero a fin de cuentas se trataba de mi barco. Ella era una mujer casada y su marido un pasajero absolutamente honorable, en principio. Además estábamos en alta mar, lo que me convertía en responsable moral de la situación. Así que una noche subí al puente mientras Martín hacía su cuarto de guardia, me apoyé a su lado en la bitácora y en voz baja, para evitar que nos oyera el timonel, le dije que estaba dispuesto a colgarlo del palo mayor si seguía haciendo el idiota. Creo que captó el fondo del asunto, pues a partir de entonces dejó de tartamudear en su presencia y todo fue como una seda.

Y no es que al marido le hubiera importado mucho. Lo cierto es que resultaba un tipo curioso. Yo estaba al corriente —a un capitán, en un barco, se le ocultan muy pocas cosas— de que las noches en el camarote de primera que ambos ocupaban eran ardientes, por decirlo de algún modo. Mayordomos y camareros daban fe, y era inevitable que eso llegara a mis oídos, de que tras la cena, ya en la intimidad de sus estrechas literas, ambos se entregaban a prolongados y ruidosos ejercicios conyugales. Lo extraño de todo aquello es que, durante el día, en la vida cotidiana de a bordo, apenas se prestaban atención, y era imposible, por mucho que se acechase, percibir en ellos los gestos tradicionales que uno suele esperar en tales casos, cuando hay de por medio una joven pareja de recién casados. Mientras ella permanecía en cubierta, con su libro o absorta en la estela del barco, él consolidaba una estrecha relación con Óscar, el *barman* de a bordo, a cuyo segundo taburete por la izquierda, el que daba a uno de los ojos de buey de estribor, parecía abonado en permanencia. Bebía como un profesional: solo, despacio y en silencio. Y a pesar de su aire de muchacho de buena familia, Óscar terminó confesándome que había algo encanallado en la forma de torcer el bigote rubio a la hora de contemplar al trasluz la transparencia del sexto o séptimo martini. El resto del tiempo lo pasaba en el salón de juego, compartiendo tapete y baraja con un plantador muy adinerado, un comandante de la policía territorial que era una auténtica mala bestia, y el obispo de Bata, que regresaba de un cónclave en la Península y se moría por el póker descubierto. El joven marido jugaba bien y tranquilo, con mucha sangre fría, perdía con una sonrisa de desdén bajo el bigotillo rubio y ganaba encogiéndose de hombros, con los ojos entornados por el humo del cigarrillo americano que, invariablemente, tenía colgado en la comisura de la boca. En toda una vida de zarandeos en la mar y broncas en los puertos he aprendido un par de cosas sobre los hombres. Sé a quién confiar el timón cuando la mar pega de través, reconozco a un fogonero en tierra por su forma de caminar cuando está borracho, y en un bar adivino de un vistazo, entre veinte fulanos, el que lleva un cuchillo escondido en la caña de la bota. Por eso ante aquel mozo estaba seguro de no engañarme: alguien, su padre o su tutor, tenía que haber suspirado con alivio cuando, tras mover un par de influencias y conseguir meterle un destino en el bolsillo, logró subirlo a un barco, facturándolo para las colonias con su flamante mujercita. Con la esperanza, imagino, de que tardase mucho en volver.

III.

Una mañana, con el sol reverberando en la rada de Santa Isabel como en un círculo de plata, echamos el ancla con el estrépito de cadenas y las maniobras de rigor mientras harapientos negros en calzón corto afirmaban las estachas chorreantes de agua sucia. Se tendió la escala real y primero ella sin volver la cabeza, y luego él tocándose el ala del sombrero, desembarcaron sin más ceremonia y salieron de nuestras vidas.

En la monótona existencia local, que sólo se animaba cuando algún plantador se volvía majara y le pegaba un tiro a su mujer, o los pamues del interior violaban a una monja antes de hacerla filetes a machetazos, la llegada mensual del *San Carlos* era fiesta de precepto en el calendario local. Mi barco era el único vínculo que en aquel tiempo unía a los colonos con la metrópoli, así que la arribada rozaba el acontecimiento. La mayor parte de la población masculina blanca se congregaba en el muelle para asistir a la maniobra de atraque, ver qué novedades deparaba la lista de pasaje, y subir después a bordo para instalarse en el confortable, ventilado y bien provisto bar de la cámara, del que procuraban no salir hasta dos días después, cuando llegaba la hora de largar amarras. Entonces se agrupaban todos de nuevo en el muelle para agitar pañuelos y envidiar la suerte de quienes ponían agua de por medio. Todavía me parece verlos: ruidosos, maledicentes y malhumorados, despotricando de los negros, del meapilas del gobernador y de los precios del cacao, enflaquecidos por las fiebres o grasientos y sudorosos, con sus camisas blancas o caquis pegadas al cuerpo por la transpiración, y trasegando alcohol como si les fuera la vida en ello. Deshechos por el calor, la cirrosis, la gonorrea y el aburrimiento.

Por supuesto que se fijaron en ella. Yo imaginaba lo que iba a ocurrir y no quise perdérmelo, asomado al alerón de babor. Apenas apareció su melena rubia en lo alto de la escala real los vi agitarse en tierra, sorprendidos y ávidos, venteando una caza que, eso saltaba a la vista, estaba muy por encima de sus posibilidades. Hubo hasta algún silbido de admiración contenido a duras penas cuando el marido, que bajó tras ella ajeno en apariencia a la expectación suscitada, llegó al muelle y, tras quitarse un instante el sombrero con irónica cortesía en atención a los espectadores, se la llevó del brazo. A mi lado, en el puente, Martín miraba obstinadamente en dirección contraria, hacia el mar, apretada la mandíbula y pálido como la chaqueta de uniforme que se había abotonado hasta el cuello para la ocasión. Ella ni siquiera se había vuelto a decirle adiós.

IV.

Pasaron ocho meses antes de que volviéramos a verla. Al marido sí nos lo encontramos puntualmente a bordo, de treinta en treinta días, siempre ocupando su taburete favorito cada vez que tocábamos tierra en Santa Isabel. Llegaba a bordo con el resto de los blancos locales, saludaba a Óscar y se pasaba dos días bebiendo como una esponja hasta que retirábamos la escala y largábamos amarras. Fue así, en el atestado bar del *San Carlos*, entre humo de cigarros, rumor de conversaciones, codazos disimulados y risitas en voz baja, cómo las almas caritativas en que tan pródiga era la pequeña vida social de la colonia me mantuvieron informado de los acontecimientos. Al principio el tono era compasivo, del tipo: «pobre chico, con una mujer así, usted ya me entiende, capitán»... seguido todo ello de una mueca desdeñosa o burlona y un guiño socarrón sobre el borde de un vaso mientras al fondo de la barra, ajeno en apariencia a la glosa de su desgracia, el marido miraba abstraído por el ojo de buey, rumiando sus pensamientos entre los vapores siempre compasivos del martini. En sucesivos viajes, a medida que el rumor del asunto se extendía hasta extremos que no podían pasar inadvertidos al propio interesado, el tono era ya de abierta rechifla, con bromas en voz alta, gestos alusivos e incluso comentarios directos que el marido encajaba con una media sonrisa entre aturdida y distante, como si aquella humillación pública pudiera ser aceptada de más o menos buen grado, a modo de resignada expiación por oscuros pecados sólo por él conocidos.

Así, de escala en escala, fuimos siguiendo puntualmente la evolución de la historia. En principio había sido un plantador de cacao; el mismo que, en el primer viaje, compartió tapete y baraja con el marido en la cámara. Después vino el turno de un poderoso comerciante en maderas, antes de que la fortuna sonriese a uno de los más altos funcionarios de la administración colonial. No tardó en correrse la voz, y menudearon los candidatos. En el microcosmos blanco de la colonia no había secreto que resistiese un par de copas entre amigos; además, los agraciados eran los primeros en alardear públicamente de tan soberbio trofeo de caza. Ella, matizaban con una mueca de envidia quienes quedaban fuera de la categoría mínima exigida para ejercer derecho a opción, picaba muy alto. Era también, al parecer, de gustos caros y muy ambiciosa, y sabía sacar partido de ello. Se hablaba de joyas, talones bancarios firmados entre arrebatos de pasión, y también de un par de apacibles vidas familiares deshechas irremediablemente, para gran escándalo de las almas pías locales y regocijo de quienes miraban los toros desde la barrera.

Hacia los últimos viajes comprendí que la situación se volvía insostenible. El amante de turno, otro plantador de categoría, con posesiones en la isla y el continente, ocupaba la cabecera de la crónica local a causa de cierto desagradable suceso doméstico. Para una esposa cualquiera, a quien el espejo mantenía con objetiva crueldad al corriente de los estragos de una docena de años entre humedades ecuatoriales y fiebres diversas, una cosa era no darse por enterada de que el marido se alegrara la vida jugueteando con las siempre dóciles miningas del servicio doméstico, y otra muy distinta que el interesado regresara a casa al amanecer silbando alegremente y con cabellos rubios enredados en la ropa. Así que, una de tales madrugadas, una esposa se había sentado a esperar en camisón, bajo el ventilador que giraba perezosamente en el techo, con una botella de ginebra en una mano y una pistola en la otra. Había errado el blanco por quince centímetros, quizá porque cuando el marido abrió la puerta y se encontró con el cañón del arma apuntándole a bocajarro, la esposa ya se había bebido la botella de ginebra y su pulso dejaba mucho que desear. Aquel tiro hizo mucho ruido, valga el fácil retruécano: el caso se hizo del dominio público y el gobernador militar, que hasta entonces había procurado no darse por enterado, decidió tomar cartas en el asunto. Aquello no era moral. El marido fue convocado por vía de urgencia y, tras una breve conversación cuyos pormenores jamás salieron a la luz, abandonó el despacho de Su Excelencia con un traslado fulminante a la Península que equivalía a una expulsión sumaria.

V.

Y fue así cuando, transcurridos aquellos ocho meses, la vimos subir de nuevo a bordo. Era un atardecer de esos muy lentos y tranquilos, con el sol que se deslizaba despacio a lo largo de la costa, silueteando cocoteros sobre la Cuesta de las Fiebres. Era rojo el reflejo del mar en el puerto y los muelles, y el aire parecía inflamado por algún incendio lejano. Eran rojas las paredes blancas de la Aduana, y rojas las camisas y rostros de los colonos y funcionarios que, como en cada viaje, se congregaban en el muelle después de la última copa a bordo para despedir a los pasajeros y observar la maniobra de largar amarras. Yo sabía lo que iba a suceder, anunciado desde dos días atrás con la ruindad y la mala fe que son de esperar en tales casos. Todos estaban allí aquella tarde: los habituales y también los que no lo eran, venidos expresamente para no perderse el espectáculo.

No quedaron defraudados. Estaba a punto de ordenar la maniobra cuando los vi bajar de un coche, precedidos por un par de negros con su equipaje. La gente que aguardaba a pie de pasarela abrió paso en silencio. Ella vestía de blanco, como al subir al barco en Cádiz, y su cabello dorado tenía reflejos rojizos cuando, antes de ascender por la pasarela, se quitó las gafas oscuras y paseó una mirada azul, serena y singular, por los rostros que la rodeaban. Estaba tan bella como el primer día, y vi que Martín, mi tercero, tragaba saliva con dificultad, aun estando tan al corriente de lo ocurrido como lo estábamos yo y el ruin comité de despedida congregado en el muelle. Entonces el marido, que miraba al suelo, le tocó el codo y ella levantó la barbilla, desafiante, y se puso de nuevo en movimiento como si despertara de un sueño o una imagen, pisó la escala y ascendió por ella con aquel balanceo suave de falda y caderas en las que no se ponía el sol, una entre cien, recuerden, sólo una de cada cien mujeres es capaz de moverse así al abandonar la seguridad de tierra firme, y mucho menos dejando lo que aquella dejaba a su espalda.

Pensé que se encerrarían en su camarote hasta zarpar, pero me equivocaba. Se quedaron los dos en cubierta, mirando hacia el muelle mientras bajaban la pasarela y los negros soltaban amarras de los norays, dejando caer con un chapoteo las estachas al mar. Y mientras yo daba la orden de largar todo a popa, timón a estribor y avante poca, y el *San Carlos* empezaba a separarse lentamente del muelle, el grupo que estaba en tierra se agitó con un rumor que fue creciendo hasta llegar a los pasajeros en cubierta. Primero fueron sonrisas descaradas, adioses guasones, pañuelos agitándose con mala intención. Después, gestos inequívocos que dieron paso a groseras carcajadas. Me volví a mirar a la pareja, interesado, casi desatendiendo la maniobra. Acodados en la tapa de regala, sin apartar los ojos de tan brutal despedida, los dos observaban impasibles el espectáculo, como si nada de todo aquello se refiriese a sus propias vidas. No había en sus rostros expresión alguna, rastro de ira o vergüenza. Si acaso, altanería en la mirada fría, en los ojos azules de ella. Y quizá un punto de absorta atención, de reflexiva curiosidad en él, en su forma de observar a la gente que lo insultaba. Como si de sus rostros y voces pudiera extraer interesantes consecuencias.

Y entonces, desde el muelle, llegó hasta nosotros, hasta él, clara y distinta, pronunciada con perfecta nitidez en un grito ruin, aquella palabra que yo había escuchado ya varias veces en voz baja entre los rumores del bar de a bordo, en cada escala, pero que hasta ese momento, ya en la impunidad del muelle con el barco zarpando, nadie había tenido aún el valor de escupirle a la cara:

—¡Adiós, cabrón!

Siguió un estallido de risas y de esa forma quedaron colmadas las expectativas del rebaño congregado en el muelle. Todo estaba consumado. Y entonces, cuando las carcajadas aún restallaban en el aire, él pareció volver lentamente en sí. Lo vi incorporarse un poco, aún apoyado en la borda, e interrumpir a la mitad el gesto, apenas iniciado, de encender un cigarrillo. Se quedó mirando a los de abajo de hito en hito, absorto, como si repasara sus rostros uno por uno. Y entonces torció el bigotillo rubio en una sonrisa que nunca le habíamos visto antes; una mueca desdeñosa, casi cruel, de esas que tardan una eternidad en definirse y que siguen ahí incluso cuando su propietario se ha ido. Y con esa sonrisa en la boca levantó una mano, agitándola lentamente, en gesto de decir adiós.

—Para cabrones, vosotros —dijo por fin en voz alta y clara, muy despacio, arrastrando las palabras, y volviéndose a medias hacia la mujer, que permanecía impasible, le pasó un brazo sobre los hombros y la atrajo hacia sí—... Porque ésta es una puta profesional —se puso el cigarrillo en la boca, soltó una carcajada y con la mano libre se tocó la chaqueta, a la altura del bolsillo interior donde tenía la cartera—. Y vuestro dinero me lo llevo aquí... No olvidéis saludar de mi parte al gobernador.

El viento soplaba de tierra, con olor a raíces y humedad, enredando el cabello de la mujer sobre su cara. Ella se lo apartó con un gesto, hermosa y fría como el mármol, inalterable, y pude ver cómo sus ojos azules paseaban un destello de triunfo sobre los rostros estupefactos del muelle rojizo, donde agonizaban los últimos rayos de luz. Entonces ordené timón a la vía y avante a media máquina, y con un rumor de hélices que hacía vibrar su viejo casco, el *San Carlos* puso proa al mar abierto.

Cartagena, julio de 1991

La sombra del águila*

A Fernando Labajos, que era mi amigo y no llegó a general.

Y a la memoria del cabo Belali Uld Marabbi, muerto en combate en Uad Ashram, 1976.

* Publicado por entregas en *El País*, agosto de 1993.

I. El flanco derecho

Estaba allí, de pie sobre la colina, y al fondo ardía Sbodonovo. Estaba allí, pequeño y gris con su capote de cazadores de la Guardia, rodeado de plumas y entorchados, gerifaltes y edecanes, maldiciendo entre dientes con el catalejo incrustado bajo una ceja, porque el humo no le dejaba ver lo que ocurría en el flanco derecho. Estaba allí igual que en las estampas iluminadas, tranquilo y frío como la madre que lo parió, dando órdenes sin volverse, en voz baja, con el sombrero calado, mientras los mariscales, secretarios, ordenanzas y correveidiles se inclinaban respetuosamente a su alrededor. Sí, Sire. En efecto, Sire. Faltaba más, Sire. Y anotaban apresuradamente despachos en hojas de papel, y batidores a caballo con uniforme de húsar apretaban los dientes bajo el barbuquejo del colbac y se persignaban mentalmente antes de picar espuelas y salir disparados ladera abajo entre el humo y los cañonazos, llevando las órdenes, quienes llegaban vivos, a los regimientos de primera línea. La mitad de las veces los despachos estaban garabateados con tanta prisa que nadie entendía una palabra, y las órdenes se cumplían al revés, y así nos lucía el pelo aquella mañana. Pero él no se inmutaba: seguía plantado en la cima de su colina como quien está en la cima del mundo. Él arriba y nosotros abajo viéndolas venir de todos los colores y tamaños. *Le Petit Caporal,* el Pequeño Cabo, lo llamaban los veteranos de su Vieja Guardia. Nosotros lo llamábamos de otra manera. El Maldito Enano, por ejemplo. O *Le Petit Cabrón.*

Le pasó el catalejo al mariscal Lafleur, siempre sonriente y untuoso, pegado a él como su sombra, quien igual le proporcionaba un mapa, que la caja de rapé, que le mamporreaba sin empacho fulanas de lujo en los vivacs, y blasfemó en corso algo del tipo sapristi de la puttana di Dio, o quizá fuera lasaña di la merda di Milano; con el estruendo de cañonazos era imposible cogerle el punto al Ilustre.

—¿Alguien puede decirme —se había vuelto hacia sus edecanes, pálido y rechoncho, y los fulminaba con aquellos ojos suyos que parecían carbones ardiendo cuando se le atravesaba algo en el gaznate— qué diablos está pasando en el flanco derecho?

Los mariscales se hacían de nuevas o aparentaban estar muy ocupados mirando los mapas. Otros, los más avisados, se llevaban la mano a la oreja como si el cañoneo no les hubiera dejado oír la pregunta. Por fin se adelantó un coronel de cazadores a caballo, joven y patilludo, que había estado abajo: ida y vuelta y los ojos como platos, sin chacó y con el uniforme verde hecho una lástima, pero en razonable estado de salud. De vez en cuando se daba golpecitos en la cara tiznada de humo porque aún no se lo creía, lo de seguir vivo.

—La progresión se ve entorpecida, Sire.

Aquello era un descarado eufemismo. Era igual que, supongamos, decir: «Luis XVI se cortó al afeitarse, Sire». O: «El príncipe Fernando de España es un hombre de honestidad discutible, Sire». La progresión, como sabía todo el mundo a aquellas alturas, se veía entorpecida porque la artillería rusa había machacado concienzudamente a dos regimientos de infantería de línea a primera hora de la mañana, sólo un rato antes de que la caballería cosaca hiciera filetes, literalmente, a un escuadrón del Tercero de Húsares y a otro de lanceros polacos. Sbodonovo estaba a menos de una legua, pero igual daba que estuviese en el fin del mundo. El flanco derecho era una piltrafa, y tras cuatro horas de aguantar el cañoneo se batía en retirada entre los rastrojos humeantes de los maizales arrasados por la artillería. No se puede ganar siempre, había dicho el general Le Cimbel, que mandaba la división, cinco segundos antes de que una granada rusa le arrancara la cabeza, pobre y bravo imbécil, toda la mañana llamándonos muchachos y valientes hijos de Francia, *tenez les gars,* sus y a ellos, la gloria y todo eso. Ahora Le Cimbel tenía el cuerpo tan lleno de gloria como los otros dos mil infelices tirados un poco por aquí y por allá frente a las arruinadas casitas blancas de Sbodonovo, mientras los cosacos, animados por el vodka, les registraban los bolsillos rematando a sablazos a los que aún coleaban. La progresión entorpecida. Agárreme de aquí, mi coronel.

—¿Y Ney? —el Ilustre estaba furioso. Por la mañana le había escrito a Nosequién que esperaba dormir en Sbodonovo esa misma noche, y en Moscú el viernes. Ahora se daba cuenta de que todavía iba a tardar un rato—. ¿Qué pasa con Ney?

Aquella era otra. Las tropas que mandaba Ney habían tomado tres veces a la bayoneta, y vuelto a perder en memorable carnicería —línea y media en el boletín del Gran Ejercito al día siguiente—, la granja que dominaba el vado del Vorosik. Por allí se nos estaban colando los escuadrones de caballería rusos uno tras otro, como en un desfile, todos invariablemente rumbo al flanco derecho. Que a esas horas aún se llamaba flanco derecho como podría llamarse Desastre Derecho o Gran Matadero Según Se Va A La Derecha.

Entonces, empujando una gruesa línea de nubes plomizas que negreaba en el horizonte, un viento frío y húmedo empezó a soplar desde el este, abriendo brechas en la humareda de pólvora e incendios que cubría el valle. El Ilustre extendió una mano, requiriendo el catalejo, y oteó el panorama con un movimiento semicircular —el mismo que hizo ante la rada de Abukir cuando dijo aquello de «Nelson nos ha jodido bien»— mientras los mariscales se preparaban lo mejor que podían para encajar la bronca que iba a caerles encima de un momento a otro. De pronto el catalejo se detuvo, fijo en un punto. El Enano apartó un instante el ojo de la lente, se lo frotó, incrédulo, y volvió a mirar.

—¿Alguien puede decirme qué diantre es eso?

Y señaló hacia el valle con un dedo imperioso e imperial, el que había utilizado para señalar las Pirámides cuando aquello de los cuarenta siglos o —en otro orden de cosas— el catre a María Valewska. Todos los mariscales se apresuraron a mirar en aquella dirección, e inmediatamente brotó un coro de mondieus, sacrebleus y nomdedieus. Porque allí, bajo el humo y el estremecedor ronquido de las bombas rusas, entre los cadáveres que el flanco derecho había dejado atrás en el desorden de la retirada, en mitad del infierno desatado frente a Sbodonovo, un solitario, patético y enternecedor batallón con las guerreras azules de la infantería francesa de línea, avanzaba en buen orden, águila al viento y erizado de bayonetas, en línea recta hacia el enemigo.

Hasta el Ilustre se había quedado sin habla. Durante unos interminables segundos mantuvo la vista fija en aquel batallón. Sus rasgos pálidos se habían endurecido, marcándole los músculos en las mandíbulas, y los ojos de águila se entornaron mientras una profunda arruga vertical le surcaba el entrecejo, bajo el sombrero, como un hachazo.

—Se han vu-vuelto lo-locos —dijo el general Labraguette, un tipo del Estado Mayor que siempre tartamudeaba bajo el fuego y en los burdeles, porque en la campaña de Italia lo había sorprendido un bombardeo austríaco en una casa de putas—. Completamente lo-locos, Si-Sire.

El Enano mantuvo la mirada fija en el solitario batallón, sin responder. Después movió lento y majestuoso la augusta cabeza, la misma —evidentemente— en la que él mismo se había ceñido la corona imperial aquel día en Notre-Dame, tras arrancarla de las manos del papa Clemente VII, inútil y viejo chocho, ignorante de con quién se jugaba los cuartos. Fíate de los corsos y no corras. Que se lo preguntaran, si no, a Carlos IV, el ex rey de España. O a Godoy, aquel fulano grande y simpaticote con hechuras de semental. El macró de su legítima.

—No —dijo por fin en voz baja, en un tono admirado y reflexivo a la vez—. No son locos, Labraguette —el Petit se metió una mano entre los botones del chaleco, bajo los pliegues del capote gris, y su voz se estremeció de orgullo—. Son soldados, ¿comprende...? Soldados franceses de la Francia. Héroes oscuros, anónimos, que con sus bayonetas forjan la percha donde yo cuelgo la gloria... —sonrió, enternecido, casi con los ojos húmedos—. Mi buena, vieja y fiel infantería.

Iluminada fugazmente desde su interior por los relámpagos de las explosiones, la humareda del combate ocultó por un momento la visión del campo de batalla, y todos, en la colina, se estremecieron de inquietud. En aquel instante, la suerte del pequeño batallón, su epopeya osada y singular, la inutilidad de tan sublime sacrificio, acaparaban hasta el último de los pensamientos. Entonces el viento arrancó jirones de humo abriendo algunos claros en la humareda, y todos los pechos galoneados de oro, alamares y relucientes botonaduras, todos los estómagos bien cebados del mariscalato en pleno, exhalaron al unísono un suspiro de alivio. El batallón seguía allí, firme ante las líneas rusas, tan cerca que en poco tiempo llegaría a distancia suficiente para cargar a la bayoneta.

—Un hermoso su-suicidio —murmuró conmovido el general Labraguette, sorbiéndose con disimulo una lágrima. A su alrededor, los otros mariscales, generales y edecanes asentían graves con la cabeza. El heroísmo ajeno siempre conmueve una barbaridad.

Aquellas palabras rompieron el estado de hipnosis en que parecía sumido el Ilustre.

—¿Suicidio? —dijo sin apartar los ojos del campo de batalla, y soltó una breve risa sarcástica y resuelta, la misma del 18 Brumario, cuando sus granaderos hacían saltar por la ventana a los padres de la patria pinchándolos con las bayonetas en el culo—. Usted se equivoca, Labraguette. Es el honor de Francia —miró a su alrededor como si despertara de un sueño y alzó una mano—. ¡Alaix!

El coronel Alaix, que coordinaba las misiones de enlace, dio un paso al frente y se quitó el sombrero. Era un individuo de ascendencia aristocrática, relamido y pulcro, que lucía un aparatoso mostacho rizado en los extremos.

—¿Sire?

—Averígüeme quiénes son esos valientes.

—Inmediatamente, Sire.

Alaix montó a caballo y galopó ladera abajo, mientras todos en la colina se mordían los galones de impaciencia. Al poco rato estaba de vuelta, sin aliento, con un agujero en mitad de la escarapela tricolor que lucía en el emplumado sombrero. Saltó del caballo antes de que éste se detuviera encabritado entre una nube de polvo, imitando la pose del jinete de cierto conocido cuadro de Gericault. Alaix tenía fama de numerero y fantasma, y nadie lo tragaba en el Estado Mayor. A todos los mariscales les habría encantado verlo partirse una pierna al desmontar.

El Ilustre lo fulminaba con la mirada, impaciente.

—¿Y bien, Alaix?

—No se lo va a creer, Sire —el coronel escupía polvo al hablar—. No se lo va a creer.

—Lo creeré, Alaix. Desembuche.

—No se lo va a creer.

—Le aseguro que sí. Venga.

—Es que es increíble, Sire.

—Alaix —el Ilustre daba impacientes golpecitos sobre el cristal del catalejo—. Le recuerdo que al duque de Enghien lo hice fusilar por menos de eso. Y que con esa mierda de flanco derecho deben de quedar cantidad de vacantes de sargento de cocinas...

Los generales se daban con el codo y sonreían, cómplices. Ya era hora de que le metieran un paquete a aquel gilipollas. Alaix suspiró hondo, hundió la cabeza entre los entorchados de los hombros y se miró la punta del sable.

—Españoles, Sire.

El catalejo fue a caer entre las botas del Ilustre. Un par de mariscales de Francia se abalanzaron a recogerlo, con presencia de ánimo admirable pero estéril. El Enano estaba demasiado boquiabierto para reparar en el detalle.

—Repita eso, Alaix.

Alaix sacó un pañuelo para secarse la frente. Le caían gotas de sudor como puños.

—Españoles, Sire. El 326 batallón de Infantería de Línea, ¿recuerda...? Voluntarios. Aquellos tipos que se alistaron en Dinamarca.

Como obedeciendo a una señal, todos cuantos se hallaban en lo alto de la colina miraron de nuevo hacia el valle. Bajo los remolinos de humo, en filas compactas entre las que relucían sus bayonetas, haciendo caso omiso del diluvio de fuego que levantaba surtidores de tierra y metralla a su alrededor, marchando a través de los rastrojos de maizal sembrados de cadáveres, el 326 batallón de Infantería de Línea —o sea, nosotros— proseguía imperturbable su lento avance solitario hacia los cañones rusos.

II. El 326 de Línea

Hasta ese momento habíamos tenido suerte: las granadas rusas pasaban altas, roncando sobre nuestros chacós, con una especie de *raaas-zaca* parecido al rasgarse de una tela, antes de reventar con un ruido sordo, primero, y algo parecido a una pila de objetos de hojalata cayéndose después. *Cling clang.* Hacían como cling clang y eso era lo malo, porque en realidad el ruido lo levantaba la metralla saltando de acá para allá: algo muy desagradable. Y aunque aún no habíamos tenido impactos directos sobre la formación, de vez en cuando alguno de nosotros lanzaba un grito, llamaba a su madre o blasfemaba, yéndose al suelo con una esquirla en el cuerpo. Poca cosa, de todos modos; apenas seis o siete heridos que, en su mayor parte, se incorporaban cojeando a las filas. Era curioso. Otras veces, al primer rasguño que justificara el asunto, cualquiera de nosotros se quedaba tumbado, dispuesto a quitarse de en medio. Pero aquella mañana, en Sbodonovo, nadie que pudiera tenerse en pie se quedaba atrás. Hay que ver lo que son las cosas de la vida.

Había un humo de mil diablos, y nos estrechábamos cada uno contra el hombro del compañero, apretando los dientes y las manos crispadas en torno al fusil con la bayoneta calada. Raas-zaca-bum-cling-clang una y otra vez, y nosotros procurando mantener el paso y la formación a pesar de lo que estaba cayendo. Varias filas por delante veíamos el sombrero del capitán García, buen tipo, un chusquero valiente, pequeñajo y duro como la madre que lo parió, de Soria, con aquellas patillas enormes, de boca de hacha, que casi le tapaban la cara. Raas-zaca-bum-cling-clang. Llevaba el sable en alto y de vez en cuando se volvía a gritarnos algo, pero con aquel jaleo no se oía un carajo, mi capitán, lo único que teníamos claro era adónde íbamos y para qué. A esas alturas suponíamos que los franchutes y los rusos y hasta el emperador de la China habrían visto ya nuestra maniobra y que algo tenía que pasar, pero con tanto humo y tanta leche no teníamos forma de saber lo que ocurría alrededor. Menos mal que a los artilleros ruskis debía de habérseles ido la mano con el vodka, porque tiraban fatal, y nosotros, los del segundo batallón del 326 de Línea, agradecíamos el humo que nos protegía un poco de vez en cuando.

Raaas-zaca-bum. Tanto va el cántaro a la fuente. Cling-clang. La primera granada que nos acertó de lleno hizo un agujero en el ala izquierda de la formación y convirtió en casquería surtida al sargento Peláez y a dos fulanos de su pelotón. Pobre sargento. Todo aquel largo camino, de Écija a Dinamarca por la antigua ruta de los Tercios, y la encerrona de Seelandia, y el campo de prisioneros, y Europa a pinrel para terminar palmando frente a Sbodonovo como un idiota, con el Enano y sus mariscales allá atrás en la colina, mirándote por el catalejo. En julio de 1808, cuando el primer motín de la División del Norte contra las tropas francesas —hasta ese momento aliadas—, fue Peláez quien le voló el cerebro de un pistoletazo al comandante Dufour, el gabacho adjunto, que era un perfecto cantamañanas. Habían llegado órdenes de Bernadotte y Pontecorvo para que los quince mil españoles destacados en Dinamarca jurásemos lealtad a Pepe Botella, es decir, José Bonaparte, hermano del Petit Cabrón, y varios de los regimientos dijimos que ni hasta arriba de jumilla. Que éramos españoles y que los alonsanfán verdes las habían segado. Déjennos volver a España y que cada chucho se lama su propio órgano, mesié, dicho en fino, o sea. Entonces, con la tropa medio amotinada, a Dufour no se le ocurrió otra cosa que darnos el cante con su acento circunflejo:

—¡Peggos espagnoles! ¡Tgaidogues...! ¡Juguéis fidelidad al Empegadog y al gey de Espagna Gosé Bonapagte o seguéis fusilados!

En ese plan se puso el franchute. Y a todo esto el coronel Olasso, que era un poco para allá, o sea afrancesado, dudaba entre una cosa y otra. Que si Dufour tiene razón, que si esto y que si lo otro, que si nuestro honor es la disciplina. Total: venga a marear la perdiz. Entonces Peláez solucionó la papeleta yéndose derecho a Dufour y alumbrándole la sesera sin decir esta boca es mía, y al coronel se le quitaron las dudas de golpe. Y es que no hay nada como un buen pistoletazo a bocajarro en el momento oportuno. Es mano de santo.

Raas-zaca-bum-cling-clang. Allí seguían los cañones rusos dale que te pego, y nosotros cada vez más cerca. El pobre Peláez se iba quedando atrás, charcutería fresca entre los maizales quemados, y había llovido mucho desde el follón de Dinamarca. Ustedes no están en antecedentes, claro, pero en su momento aquello dio mucho de qué hablar. Podría resumirse la historia en pocas líneas: Godoy lamiéndole las botas al Enano, Trafalgar, alianza hispano-francesa, quince regimientos españoles destacados en Dinamarca bajo el mando del marqués de La Romana, dos de mayo en Madrid y resulta que los aliados se convierten en sospechosos. Y el Emperador con la mosca tras la oreja.

—Vigílemelos, Bernadotte.

—A la orden, Sire.

—Esos hijoputas ya son difíciles como aliados, así que cuando sepan que les estamos fusilando a los paisanos para que los pinte al óleo ese tipo, Goya, figúrese la que nos pueden organizar.

—Me lo figuro, Sire. Gente bárbara, inculta. Vuestra Majestad sabe lo que necesitan: un rey justo y noble, como vuestro augusto hermano José.

—Deje de darme coba y mueva el culo, Bernadotte. Lo hago a usted responsable.

Fue más o menos así. A todo esto, nosotros estábamos dispersos un poco por aquí y por allá guarneciendo Jutlandia y Fionia. Había pasado ya el tiempo feliz de las cogorzas de ginebra y las Gretchen rubias, de caderas confortables, que nos revolcábamos —a menudo ellas a nosotros— en los pajares locales. Ahora se olía próxima la chamusquina, las Gretchen se encerraban en sus casas con los legítimos, y los barcos ingleses patrullaban la costa sin que nosotros tuviésemos muy claro si había que darles candela cumpliendo órdenes o pedirles que nos recibieran a bordo para ir a España. El caso es que a partir de mayo los gabachos empezaron a desconfiar de nuestros contactos con los británicos. Que si usted le ha enviado un mensaje a aquel barco inglés. Que a usted qué coño le importa, Duchamp, lo que yo envíe o deje de enviar. Que si tal y que si cual, mondieu. Que yo me carteo con quien me da la gana. Que si su honog de soldado, Magtinez. Que si me voy a tener que cagar en tus muertos, franchute de mierda. Total. Empezaron a detener oficiales, a desarmar unidades y a exigirnos juramento de lealtad, que a esas alturas era como pedirle peras al olmo. En vista del panorama, La Romana nos hizo jurar que permaneceríamos fieles a Fernando VII y que íbamos a intentar llegar a España como fuera, para ajustarles allí las cuentas a los gabachos.

—Nos abrimos, López. Disponga la evacuación.

—A la orden, mi general.

—Hay que largarse con lo puesto y aprisa, así que avise a los jefes y oficiales. El plan es capturar Langeland y concentrar en la isla a nuestros quince mil hombres para embarcar en la flota inglesa y salir por pies.

—Espero que los británicos cumplan su palabra, mi general.

—Eso esperamos todos. Sería muy incómodo liar la que vamos a liar para quedarnos en tierra.

—Viva España, mi general.

—Que sí, que viva. Pero espabile.

Fue bonito para quienes lo lograron. Nos hicimos con Langeland en un golpe de mano y todas las unidades dispersas por la costa danesa recibieron orden de acudir allí como quien acaba de patear un avispero. Los primeros en llegar fueron los del Batallón Ligero de Barcelona, y siguieron otros, infiltrándose entre las líneas y guarniciones francesas, desarmando a sus adjuntos gabachos y a las tropas danesas que no se quitaban de en medio. En varias ocasiones hubo que aplicar sin contemplaciones el sistema Peláez, pero el caso fue que entre el 7 y el 13 de agosto, en una de las mayores evasiones de la historia militar —el tal Jenofonte sólo se largó de Persia con ochocientos diez hombres más—, nueve mil ciento noventa españoles lograron llegar a Langeland para embarcar en los buques ingleses. Lo malo es que otros cinco mil ciento setenta y cinco nos quedamos a medio camino: los Regimientos de Guadalajara y Asturias —apresados por los daneses en Seelandia tras el motín donde Peláez disparó su pistoletazo—, el Regimiento del Algarve —atrapado en la ratonera de Jutlandia—, el destacamento que el mariscal Bernadotte tenía incorporado a su guardia personal, los heridos y los rezagados, amén de algunas pequeñas unidades que, como la nuestra, la sección ligera del Regimiento Montado de Villaviciosa, tuvieron mala suerte.

Lo cierto es que los de la Ligera estuvimos a punto de conseguirlo. Llegamos a la costa con el resto del regimiento y los daneses y los mondieus pegados a los talones, bang-bang y todo el mundo corriendo, maricón el último, para averiguar que los barcos daneses en los que íbamos a atravesar el brazo de mar hasta la isla se habían rajado, dejándonos sin transporte. Nuestros antiguos aliados estaban a punto de echarnos el guante como a los compañeros del Algarve, abandonados por sus jefes y conducidos hasta el embarcadero por un oscuro capitán con muchas agallas, el capitán Costa, donde tuvieron que rendirse —después de que Costa se pegara un tiro— cercados por los franchutes y sus mamporreros daneses. A nosotros estaba a punto de ocurrirnos lo mismo, pero nuestro coronel Armendáriz, que a pesar de ser barón los tenía bien puestos y no estaba dispuesto a pudrirse en un pontón gabacho, ordenó echar los caballos al agua y cruzar el canal nadando, agarrados a las crines y a las sillas. Y allá fue el regimiento. Algunos se ahogaron, otros fueron alejados por la corriente, o les fallaron las fuerzas. Nosotros, los de la sección ligera, recibimos la orden de sacrificarnos para proteger a los que se iban.

—Te ha tocado, Jiménez. Cubrís la retirada.

—No jodas.

—Como te lo cuento.

Y allí nos quedamos a regañadientes, en la playa, cubriendo la retaguardia, aguantando como pudimos más por el qué dirán que por otra cosa, peleando a la desesperada hasta que la mayor parte del Villaviciosa estuvo a salvo en la isla. Entonces los pocos de nosotros que sabían nadar echaron a correr para tirarse al agua con los últimos caballos, a probar suerte, aunque de éstos ya no llegó ninguno. El resto hicimos de tripas corazón, levantamos los brazos y nos rendimos.

Fuimos a Hamburgo, a inaugurar un campo de prisioneros nuevecito y asqueroso, para comernos cuatro años a pulso, con otros infelices deportados de la guerra de España. Tiene gracia: después, cuando Napoleón se cayó con todo el equipo, los alemanes juraban y perjuraban que ellos siempre estuvieron contra el Petit Cabrón. Pero había cantidad de ellos en el ejército gabacho. En Hamburgo, sin ir más lejos, nos vigilaban centinelas alemanes y franceses, y cuando alguno de nosotros lograba evadirse, eran los vecinos de los pueblos cercanos los que muchas veces nos denunciaban, o nos devolvían al campo a patadas en el culo. Ahora tengo entendido que allí nadie recuerda que haya habido nunca un campo de prisioneros españoles en Hamburgo, y es que los Fritz son estupendos para el paso de la oca, pero andan siempre fatal de memoria. En fin. El caso es que estábamos bien jodidos en nuestro campo de prisioneros cuando, en 1812, al Enano va y se le ocurre invadir Rusia. Cuando se preparan invasiones a gran escala, la carne de cañón se cotiza bien. Así que los veteranos de la División del Norte que habíamos sobrevivido al frío, el tifus y la tuberculosis, tuvimos nuestra oportunidad: seguir pudriéndonos allí o combatir con uniforme gabacho.

—A ver. Voluntarios para Rusia.

—¿Para dónde?

—Para Rusia.

Dos mil y pico preguntamos dónde había que firmar. Después de todo, de perdidos al río.

En cuanto a ríos, con la *Grande Armée* habíamos terminado vadeando unos cuantos. La santa Rusia estaba llena de rusos que nos disparaban y de malditos ríos donde nos mojábamos las botas. Antes del Moskova y Moscú, el último era aquel Vorosik que circundaba en parte Sbodonovo, por cuyo vado seguían colándose los escuadrones de cosacos que tenían el flanco derecho francés hecho una piltrafa, mientras en su colina del puesto de mando el Petit nos miraba admirado por el catalejo, preguntándole a Alaix quiénes coño éramos esos tipos estupendos que, a pesar de la que nos estaba cayendo encima, avanzábamos imperturbables, en perfecto orden, hacia las líneas enemigas.

Y sin embargo, la respuesta era sencilla. En medio del desastre del flanco derecho del ejército napoleónico, cruzando los maizales batidos por la artillería rusa, en formación y a paso de ataque, los cuatrocientos cincuenta españoles del segundo batallón del 326 de Infantería de Línea, no efectuábamos, en rigor, un acto de heroísmo. Para qué vamos a ponernos flores a estas alturas del asunto. La cosa era mucho más simple: ningún herido que pudiera andar se quedaba atrás, y avanzábamos en línea recta hacia las posiciones rusas, porque estábamos intentando desertar en masa. Aprovechando el barullo de la batalla, el segundo del 326, en buen orden y con tambores y banderas al viento, se estaba pasando al enemigo. Con dos cojones.

III. La sugerencia del mariscal Murat

Total. Que estábamos allá abajo, a dos palmos de las líneas rusas y aguantando candela mientras intentábamos pasarnos al enemigo como el que no quiere la cosa, y desde su colina, sin percatarse de nuestras intenciones, el Estado Mayor imperial nos tomaba por héroes. Los generales se miraban unos a otros sin dar crédito a lo que estaban viendo. Regardez, Dupont. Oh-la-la les espagnols, quién lo iba a decir. Siempre protestando, que si ésta no es su guerra, que si vaya mierda de rancho, y ahora mírelos, atacando en plena derrota, con un par. Nomdedieu. Quién lo hubiera dicho cuando los alistamos para Rusia casi a la fuerza, o esto o pudrirse en Hamburgo. Y se daban unos a otros palmaditas en la espalda porque así, desde su punto de vista, no era para menos, con aquel flanco derecho que estaba literalmente hecho trizas, maizales humeantes llenos de muertos como si alguien se hubiera estado paseando por allí con una máquina de picar carne, los cañones de los Iván dale que te pego y el segundo del 326 siempre adelante, recto hacia el enemigo con la que estaba cayendo. Oh, les espagnols. Que son braves, los tíos. Quién nos lo iba a decir, Dubois. Vivir para ver. Togueadogues, eso es lo que son. Unos togueadogues.

Por su parte, el Enano no nos quitaba ojo. Cada vez que el humo de las granadas rusas cubría el valle frente a Sbodonovo, arrugaba la frente imperial pegándose el catalejo a la cara, inquieto por la suerte del pequeño batallón solitario que aguantaba el tipo frente a las líneas enemigas donde todos sus anfansdelapatrí habían salido por piernas. Ese gesto lo repetía a cada instante, pues aquella mañana los artilleros ruskis quemaban pólvora con entusiasmo, y con tanta granada y tanto raas-zaca-bum y tanto *pobieda tovarich* en el flanco derecho, había ratos en que el Petit y su Estado Mayor tenían la misma visión del flanco en cuestión que podía tener una fuente de salmonetes fritos. La verdad es que, desde aquella colina, el panorama del campo de batalla era impresionante: maizales chamuscados que humeaban, filas azules en retirada por la derecha o sosteniendo la línea en el centro y a la izquierda, los campos salpicados de manchitas azules más pequeñas, individuales e inmóviles. Heridos y muertos a granel, casi tres mil a aquellas alturas del asunto, y todavía quedaba tajo para un buen rato. De pronto los cañones del zar soltaban una andanada en condiciones, las filas azules del 326 desaparecían bajo la humareda, y todo el mundo en la colina, bordados y entorchados en pleno del mariscalato imperial, contenía el aliento imitando al fulano de capote gris y enorme sombrero que oteaba el paisaje con el ceño fruncido. Después, un poco de brisa abría claros entre el humo para mostrarles al 326 que proseguía su avance en buen orden, el Petit sonreía un poco, así, a su manera, torciendo la boca como si acabara de confirmar una corazonada, y todos los pechos galoneados en oro, todos los comparsas que lo rodeaban a la espera de un ducado en Holstein, una pensión vitalicia o un enchufe para su yerno en Fontainebleau, suspiraban a coro compartiendo solícitos su alivio, mais oui, Sire, voila les braves y todo eso.

—Los va-van a de-descuartizar —tartamudeó el general Labraguette, resumiendo el pensamiento de los que estaban en la colina.

Labraguette era el optimista del Estado Mayor imperial, así que la cosa estaba clara. El 326 tenía por delante menos futuro que María Antonieta la mañana que le cortaron el pelo en la Conciergerie. Sin embargo, al oír a Labraguette decir aquello, el Enano se puso el catalejo bajo el brazo y apoyó el mentón en un puño, frunciendo el ceño. Era el gesto que siempre ponía para salir en los grabados y ganar batallas, y solía costarle a Francia entre cinco y seis mil muertos y heridos cada vez.

—Hay que hacer algo por esos héroes —dijo por fin—. ¡Alaix!

—A la orden, Sire.

—Envíeles un mensaje para que retrocedan honorablemente. No merece la pena que se hagan matar de ese modo... Y usted, Labraguette, busque a alguien de la División Borderie para que proteja su retirada.

Labraguette dudaba en abrir la boca.

—Me te-temo que es imposible, Sire —se aventuró por fin.

—¿Imposible? —el Enano lo miraba con la simpatía de doce mosquetones en un pelotón de fusilamiento—. Esa palabra no existe en el diccionario.

Labraguette, que a pesar de ser general era un tipo leído, miraba al Ilustre, perplejo.

—Yo ju-juraría que sí, Sire. Imposible: algo que no es po-posible.

—Le digo que no existe —el Enano fulminaba a Labraguette con la mirada—. Y si esa palabra existe, cosa que dudo, va usted a la Academia y me la borra... ¿Se entera, Labraguette?

Labraguette ya no estaba perplejo. Ahora se retorcía una patilla con visible angustia.

—Na-naturalmente, Sire.

—Los listillos me repatean el hígado, Labraguette.

—Di-disculpad, Sire —el general había pasado ya del estado de angustia al estado viscoso—. Fue un ma-malentendido. Ejem. Un la-lapsus lingüe.

—Por un lapsus parecido a ese trasladé al coronel Coquelon a Sierra Morena, en España. Por allí anda, echando carreras por el monte con los guerrilleros.

—Glu-glups, Sire.

—Bien. ¿Qué pasa con la división Borderie?

—Que el 202 de Línea se lo he-hemos enviado a Ney a reconquistar la gr-gr-granja del Vorosik, Sire.

El Ilustre echó un vistazo en esa dirección y soltó entre dientes una de sus maldiciones corsas, algo del tipo mascalzone dil fetuccine de la puttana. Entre las llamas de la granja y la humareda de los maizales, junto al vado del Vorosik se veía algo azul mezclado con el centelleo de los sables de la caballería cosaca. En ese momento, el 202 de Línea no estaba para reforzar a nadie.

—¿Y qué hay del 34 Ligero?

—Hecho po-polvo, Sire. Ba-bajas del sesenta por ci-ciento.

—¿Qué me dice del 42 Regimiento de Granaderos a Caballo?

—Eso era ayer por la ma-mañana, Sire. Ahora son gr-granaderos a pie y apenas su-suman una co-compañía.

—¿Y el tercero de Dragones de Florencia?

—Pues corriendo van todos, Sire —Labraguette tragó saliva, señalando la dirección opuesta al campo de batalla—. Camino de Florencia.

El Ilustre miró al cielo y maldijo en arameo durante diez minutos sin que nadie osara interrumpirlo. Algo así como cazzo dil saltimboca de la madre que los parió y qué he hecho yo para merecer esto. Domingueros. Eso es lo que son todos. Unos domingueros de mierda que me van a hacer perder la batalla.

—Hay que hacer algo —dijo por fin, cuando recobró el aliento—. No puedo dejar solos a esos bravos allá abajo. Españoles o no, si luchan bajo mis águilas son hijos míos. Y mis hijos —hizo una pausa, y pareció que su mirada aquilina perforaba la humareda de pólvora del flanco derecho— son hijos de Francia.

El mariscalato en pleno mostró su aprobación con los murmullos apropiados. Hijos de Francia, naturalmente. Ése era el término justo. Brillante juego de palabras, Sire. Esa agudeza corsa, etcétera. El Enano cortó en seco el rumor de la claque levantando enérgico una mano.

—¿Alguna sugerencia? —preguntó, dirigiendo una mirada circular a los miembros de su Estado Mayor. Todos carraspearon adoptando gestos graves, igual que si tuviesen las sugerencias a montones en la punta de la lengua, pero nadie dijo esta boca es mía. La última vez que el Ilustre había hecho esa pregunta, en Smolensko, el general Cailloux había aconsejado «una táctica de flanqueo astuta como una zorra». Ejecutada sobre el terreno y encomendada a Cailloux su ejecución, la táctica había terminado convirtiéndose en un movimiento de retirada rápido como una liebre. Ahora, si es que aún continuaba vivo, degradado a capitán, Cailloux seguía un cursillo acelerado de tácticas de flanqueo sobre el terreno y en primera línea. Concretamente, en algún lugar del jodido flanco derecho.

—¡Murat!

El mariscal Murat, emperifollado como para un desfile, se cuadró con un taconazo. Iba de punta en blanco, con uniforme de húsar y entorchados hasta en la bragueta. Se rizaba el pelo con tenacillas y lucía un aro de oro en una oreja. Parecía un gitano guaperas vestido por madame Lulú para hacer de príncipe encantado en una opereta italiana.

—¿Sire?

El Enano hizo un gesto con la mano que sostenía el catalejo, en dirección al humo que en ese momento ocultaba de nuevo las filas azules del 326.

—Piense algo, Murat. Inmediatamente.

—¿Sire?

—Es una orden.

Murat arrugó el entrecejo y se puso a pensar, con visible esfuerzo. Era valiente como un choto joven, y punto. Lo suyo eran las cargas, la masacre, la vorágine. Le había costado mucho hacerse perdonar por el Ilustre su brillante gestión de orden público el 2 de mayo de 1808 en Madrid. *Esto lo arreglo yo con dos escopetazos, Sire,* había escrito, eufórico, ese mismo día a las doce de la mañana. Todavía se atragantaba al recordar cómo después, cuando fue a rendir cuentas a su despacho de Fontainebleau, el Enano le había hecho comerse la famosa carta, a pedacitos.

—Estoy esperando, Murat.

El Enano se golpeaba el faldón del capote gris con el catalejo, impaciente, y los generales y mariscales asistían a la escena con mal disimulado regocijo, esperando por dónde se arrancaba el de los rizos. A ver si el niño bonito sugería también una táctica de flanqueo astuta como el pobre Cailloux. Voluntarios ni al rancho, rezaba el viejo dicho de cuartel. A ellos se la iban a dar, viejos chusqueros, con la mili que llevaban a cuestas desde el 92, el que más y el que menos ya era sargento cuando el Petit cazaba talentos en el sitio de Tolon y ellos asaltaban trincheras inglesas a la bayoneta, le-jour-de-gluar y todo eso, los buenos tiempos republicanos antes del Consulado y el Imperio y tanto ascender y amariconarse y echar tripa. Tampoco había llovido desde entonces, ni nada. Quién nos ha visto y quién nos ve, Laclós, ahora con galones y entorchados, mirando el flanco derecho por catalejo, o sea.

—Murat.

—Sí, Sire.

—Sugiera algo de una puñetera vez.

Se daban con el codo los mariscales, como cuando el coronel Alaix estuvo a punto de ganarse un paquete a la vuelta del reconocimiento. Lo bueno de esas cosas era que cuando el Petit estaba de malas, el escalafón corría que daba gusto. El secreto estaba en cerrar la boca, la gueule, mon vieux, y pasar desapercibido. Mire a Murat, Lafleur, el rato que está pasando. El Rizos a punto de cagar las plumas. Seguro que sugiere una carga de caballería. Murat siempre está sugiriendo cargas. Tienen la ventaja de que se hacen en línea recta. No hay que calentarse mucho la cabeza, y después uno sale estupendo en los óleos de Meissonier. No hay como una carga de caballería para quedar bien delante del Enano.

—Sugiero una carga, Sire.

Los mariscales se guiñaban el ojo. Ya se lo dije, Leschamps, etcétera. Más simple que el mecanismo de un sonajero. El ilustre miró un par de segundos a Murat y después señaló hacia la humareda del valle con el pulgar, por encima del hombro.

—Perfecto. Hágalo.

El Rizos tragó saliva, con ruido. Una cosa era sugerir que alguien echara una galopada por el flanco derecho, y otra muy distinta descubrir que era él quien llevaba todas las papeletas en la tómbola.

—¿Perdón?

El Enano lo miró de arriba abajo. Tardó un rato.

—Parece un poco sordo esta mañana, Murat. ¿No acaba de proponerme una carga...? Pues suba a su caballo, póngase al frente de unos cuantos escuadrones, saque el sable y échele una mano a aquellos valientes del 326. Ya sabe. Tatarí tatarí. Usted tiene práctica en eso.

Murat hizo de tripas corazón, dio otro taconazo, se puso el colbac y subió a caballo. A media legua, al otro lado de la colina, estaban Fuckermann con el Cuarto de Húsares y Baisepeu con dos regimientos de caballería pesada con las corazas y los cascos reluciendo entre la hierba, acero bruñido como un espejo —fróteme eso, Legrand— listo para cubrirse de polvo y de sangre según las ordenanzas. Así que, de perdidos al Vorosik, se fue para ellos con un trotecillo corto y elegante, la mano en la cadera y la pelliza bailándole con garbo sobre el hombro izquierdo, con todo el Estado Mayor imperial viéndolo irse, las cosas como son, Laclós, cenutrio y hortera sí que es, el tío, pero los tiene bien puestos. Y además, una suerte de cojón de pato. Igual hasta le sale bien la maniobra.

—Conspicua gesta —apuntó el general Donzet—. Aunque resulte estéril, será hermosa.

Y suspiró hondo, dramático, para la posteridad. Donzet siempre lo hacía todo pensando en la posteridad, un auténtico pelmazo que, por otra parte, nunca acertaba un pronóstico. Se escurría el magín durante horas y horas hasta idear una frase lapidaria, y las soltaba, a veces sin venir a cuento, con la secreta esperanza de que alguna terminase figurando en los libros de Historia. Es de justicia consignar que lo consiguió, por fin, tres años más tarde, en Waterloo. Aquello de «Wellington está acabado, Sire. Muy mal se nos tiene que dar», lo dijo él. Fino estratega.

IV. La gitana del comandante Gerard

Cuentan los libros, al referirse a la campaña de 1812 en Rusia, que acudiendo en socorro de un batallón aislado —el nuestro—, Murat dirigió en Sbodonovo una de las más heroicas cargas de caballería de la Historia, ya saben, mucho sus y a ellos, galope de caballos y un zas-zas de sablazos entre humo y toques de corneta. Después llega Gericault, es un suponer, pinta con eso un cuadro que van y cuelgan en el Louvre, y entonces todo el mundo, oh, celui-la, mondieu que es hermosa la guerra, tan heroica y demás.

Heroica mis narices, Dupont. Estábamos nosotros, si ustedes recuerdan, los del segundo batallón del 326 de Línea, a unas quinientas varas de las líneas rusas, y los de las primeras filas nos preguntábamos ya cómo diablos podía hacerse, en mitad de aquel fregado, para demostrarle al enemigo que íbamos en son de paz, dispuestos a pasarnos a sus filas con armas y bagajes. A esas alturas ya no quedaba en el regimiento ningún jefe ni oficial francés que lo impidiera. El primer batallón, compuesto por italianos y suizos, había sido aniquilado junto al Vorosik. El resto del 326 lo componíamos los del segundo, y en cuanto a jefes y oficiales no españoles el asunto estaba resuelto desde hacía rato, porque justo antes de largarnos hacia el Iván, aprovechando el barullo cuando el flanco derecho empezó a irse al carajo, tanto el coronel Oudin como el comandante Gerard habían recibido cada uno su correspondiente tiro por la espalda. Una cosa limpia, bang y angelitos al cielo, más que nada por evitar que entorpecieran la maniobra. Lo del coronel era lo de menos, porque el tal Oudin era una mala bestia, normando, creo recordar, que no se fiaba ni de su padre, uno de esos que estaba todo el día dale que dale con lo de «peggos espagnoles, necesitáis disciplina» y cosas por el estilo. Ya cuando el paso del Niemen, Oudin había hecho fusilar a media docena de compañeros que intentaron tomar las de Villadiego y volver a España por su cuenta. Así que nadie lamentó verlo pararse de pronto, echar una mirada perpleja a la formación que marchaba cerrada a su espalda, y caer redondo en los maizales como un saco de patatas, el hijo de la gran puta, siempre dando la barrila como aquel idiota de comandante, Dufour, a quien el sargento Peláez le alumbró la sesera de un pistoletazo cuando el primer motín de Dinamarca.

Total, que pasamos por el maizal junto al fiambre del coronel y también junto al del comandante Gerard. Aquello sí era una lástima porque Gerard no era mala gente, sino uno de esos franchutes alegres y amables que había combatido en España, mayo de 1808 en el parque de Monteleón —una escabechina que nos contaba con detalle, admirado del valor de nuestros paisanos—, y escapado después de Bailén por los pelos, cuando Castaños hizo que el ejército gabacho, con todos sus entorchados y sus águilas invictas, se comiera una derrota como el sombrero de un picador.

—Que conste, guenegal Castanios, que me guindo pog evitag deggamamiento de sangge...

—Que sí, hombre, que sí. Venga, entrégueme la espada de una vez.

Gerard tuvo la suerte de salir como correo, a caballo, cruzando entre enjambres de guerrilleros que bajaban del monte como lobos a un festín, y el desastre lo cogió al otro lado de Despeñaperros, evitándole ir a pudrirse a Cabrera con el resto de sus compañeros franceses. Pobre Gerard. Mala suerte: salvar el pellejo en Bailén, cruzar Despeñaperros sin que los guerrilleros se hicieran unas borlas para el zurrón con sus pelotas, para terminar con un tiro nuestro en la espalda, justo en el momento en que se disponía a volverse para decirnos vamos, chicos, será duro pero nos queremos unos a otros, hagamos un esfuerzo más, qué coño. Estamos intentando construir Europa y todo eso. En fin. Adiós al valiente Gerard, franchute que hablaba español y le gustaba sentarse a vivaquear con nosotros escuchando la guitarra de Pedro el cordobés y que una vez, nos contaba, se tiró a una española guapísima en el Sacromonte, una gitana de ojos verdes con la que aún soñaba en las noches al raso de esta jodida Rusia. Y ahora pasábamos a su lado, tendido en el maizal tras haberle pegado un tiro, y nuestro único homenaje era apartar la vista para no encontrar sus ojos abiertos como un reproche.

Raas-zaca-bum. Cling-clang. Otra granada rusa reventó a la izquierda, tirándonos encima metralla y cascotes, y alguien gritó en las filas sacar de una maldita vez una jodida bandera blanca porque los ruskis nos van a freír como sigamos así. Pero el tambor mantenía el ritmo de paso de ataque porque el plan era aguantar hasta el límite como si de veras estuviésemos atacando, con el águila al viento y toda la parafernalia, sin descubrir el pastel por si las cosas se torcían en el último momento. Nadie deseaba terminar como aquellos ciento treinta desgraciados del regimiento José Napoleón, entre Vilna y Vitebsk y hasta arriba ya de tanta marcha y tanta contramarcha y tanta *Grande Armée,* y tanto cascarles a los Popof. A fin de cuentas, como nuestros paisanos allá abajo, los ruskis se limitaban a defender su tierra contra el Enano y los mariscales y toda la pandilla de mangantes de París, los Fouchés y los Talleyrand, con sus medallas y sus combinaciones de salón y toda su mierda bajo los encajes y las medias de seda y las puntillas. No era un trabajo simpático, aunque teóricamente íbamos ganando nosotros, o nuestros casuales aliados franchutes. Te cepillabas un regimiento ruso y después, al rematar a los heridos a la bayoneta, veías las caras de campesinos que te recordaban a tus paisanos de Aragón o de La Mancha. *Niet, niet,* te rogaban los desgraciados, *tovarich, tovarich,* y levantaban desde el suelo las manos ensangrentadas, llorando. Algunos no eran más que críos con los mocos y los ojos desorbitados por el miedo, y a veces tú hacías como que dabas el bayonetazo, pinchando un terrón, o su mochila, y procurabas pasar de largo, pero otras tenías encima del cogote la mirada de algún jefazo gabacho, ya sabéis mes enfants, nada de cuartel. *Pas de quartier.* Se han cargado al general Nosequiencogne, y hay que vengarlo facturando a unos cientos de estos eslavos. Eso de vengar a los generales tenía lo suyo: cuando palmaba uno con gorro de plumas todo era hay que vengarlo y demás, que si el honor de la *Grande Armée* y todo eso. Pero a los cientos de desgraciados de a pie que cascábamos a diario en la tropa podían perfectamente darnos *boudin,* que es como en el ejército franchute llaman a la morcilla. Total. Que tú andabas por allí, tomando, es un suponer, el reducto de Borodino a puro huevo, y habías dejado en el camino y en el asalto a trescientos compañeros y no pasaba nada. Pero si los Iván le habían dado candela a uno de nuestros generales, siempre había un gilipollas que gritaba lo de *pas de quartier* cuando algún oficial estaba cerca de ti para comprobar cómo ejecutabas la orden, y bueno, pues suspirabas hondo y le metías al *niet tovarich* que se rendía la bayoneta por las tripas, y santas pascuas.

El caso es que entre Vilna y Vitebsk algunos de los españoles de Dinamarca ya estábamos hasta las polainas de todo aquello, y además las noticias que llegaban desde España no eran como para levantarnos la moral de combate: iglesias saqueadas, mujeres a las que compañías enteras se pasaban por la piedra, los sitios de Gerona y Zaragoza, la resistencia de Cádiz, los ingleses en la Península y la guerra de guerrillas. O sea, todo cristo luchando allí para echar a los gabachos, y nosotros con su uniforme y su bandera, acuchillando rusos sin que nadie nos hubiese dado vela en aquel entierro, que a poco que nos descuidáramos iba a ser el nuestro. La mayor parte lamentábamos ya no habernos quedado de prisioneros en Hamburgo, porque a ver con qué cara llegábamos a España cuando ya estuviese liberada, contándoles que habíamos estado luchando en Rusia con el otro bando. Imagínense la papeleta. Nosotros no queríamos, nos obligaron, etcétera. Se lo juro a usted, señor juez. Eso si llegábamos hasta un juez, aunque fuera el de un consejo de guerra. Porque vete a contarle eso a un ex contrabandista de Carmona que lleva cuatro o seis años echado al monte, degollando franceses con la cachicuerna después de que le ahorcaran al padre, le mataran a la mujer y le violaran a la hija. Seguro que si asomábamos por allí las orejas, con nuestro currículum íbamos derechos de Hendaya o Canfranc al paredón. Eso, rápido y con mucha suerte si le caíamos en gracia al del Carmona. Menudos eran nuestros paisanos.

Total que, entre Vilna y Vitebsk, ciento y pico españoles, no del 326 sino de otro regimiento, el José Napoleón, intentaron abrirse por las bravas. Salió mal la cosa y terminaron por meter la pata del todo al disparar sobre los franceses encargados de cortarles el paso. Así que, tras rendirse, los hicieron formar y fusilaron a uno de cada dos, por sorteo. Tú sí, tú no. Tú sí, tú no. Carguen, apunten, bang. Después nos hicieron desfilar junto a los fiambres para que el paisaje sirviera de escarmiento. Aquella noche, en el vivac, ni siquiera Pedro el cordobés tuvo ganas de tocar la guitarra, y el comandante Gerard se pasó todo el rato callado, por una vez sin darnos la paliza con la historia de su gitana de ojos verdes.

Así nos fuimos acercando a Moscú, cada vez más convencidos de pasarnos a los rusos a la primera ocasión. Después de la carnicería de Borodino estuvo más claro que nunca: treinta mil bajas nosotros entre muertos y heridos y sesenta mil los rusos. Aquello fue excesivo, y algunos mariscales empezaron a murmurar que el Ilustre estaba perdiendo los papeles. Y si los de los galones y entorchados se mosqueaban, pues figúrense nosotros, que nos habíamos comido el baile de cabo a rabo. Así que los españoles del 326 fuimos corriendo la voz, hay que quitarse de en medio a la primera ocasión, pero con más tacto. El aniquilamiento de nuestro primer batallón en Sbodonovo puso las cosas más fáciles, de modo que convencimos al capitán García, le arreglamos el cuerpo al coronel Oudin y al pobre comandante Gerard, y nos fuimos hacia los Iván aprovechando la coyuntura. El problema residía en escoger el momento adecuado para dar el cante. Demasiado pronto, nos cascaban los franceses. Demasiado tarde, los rusos. Lo difícil era encontrar el término medio. Lo malo de estas cosas es que, hasta que el rabo pasa, todo es toro.

Y en esas estábamos en el flanco derecho, con el Petit Cabrón mirándonos por el catalejo desde su colina, cuando de pronto, en la retaguardia, los húsares del Cuarto y los coraceros de Baisepeau, que llevan toda la batalla contemplando el paisaje, ven que aparece Murat muy airoso a caballo y se dicen unos a otros la jodimos, Labruyere, vienen a invitarnos al baile. Estar aquí pintándola era demasiado bonito para que durase. Y el Rizos que llega con el sable desenvainado y los arenga:

—¡Hijos de Francia! ¡El Emperador os está mirando!

Y los húsares y los coraceros moviendo la cabeza, hay que fastidiarse, Leduc, podía mirar para otra parte, el Enano, con lo grande que es el campo de batalla y toda la maldita Rusia, fíjate, y se pone a mirarnos precisamente a nosotros. Y Murat que apunta con el sable hacia el sitio de la batalla donde el humo es más espeso, o sea, el flanco derecho donde dicen que hay unos cuatrocientos zumbados que, en lugar de salir por pies como todo el mundo, se empeñan, con lo que está cayendo, en ganarse la Legión de Honor a título póstumo. Para que los hagan mortadela no nos necesitan a nosotros. Pero el caso es que Murat hace caracolear el caballo y dice eso que todos estaban viendo venir:

—¡Cuarto de Húsares! ¡Monten...! ¡Quinto y Décimo de Coraceros! ¡Monten!

O sea, traducido, Leduc, que hay que ganarse el jornal. Y todo son ahora trompetazos y tambores y relinchos y cagüentodo en voz baja, y el Rizos con sus alamares y sus floripondios saludado por Fuckermann y Baisepeau, que se ponen al frente de sus respectivas formaciones y sacan los sables. Y alguien comunica que la carga es contra los cañones rusos del flanco derecho y ya te lo decía yo, Labruyere, que esos españoles bajitos y morenos del 326 nos iban a buscar un día la ruina, ya me contarás qué coño hacen en Rusia esos fulanos, y encima tirándose el pegote como héroes, hay que fastidiarse, en vez de estar en su tierra con el Empecinado o pudriéndose en el campo de prisioneros de Hamburgo, como es su obligación.

—¡Listos para cargar! —grita Murat, que va a lo suyo.

—¡Desenvaineeeen... sables! —corean Fuckermann y Baisepeau.

Y unos mil doscientos sables, más o menos, hacen *riiis-ras* al salir de la vaina y en ese momento entre el humo y todo lo demás se apartan un poco las nubes y aparece el sol como en Austerlitz, un sol grande y redondo, rojizo, muy a lo ruso, y lo hace con una oportunidad que parece preparada de antemano, justo para iluminar las hojas de acero desnudas. Y todo ese bosque de sables reluce con un centelleo que casi ciega a los que están en la colina del Estado Mayor alrededor del Ilustre, y todos son parbleus y sacrebleus y qué emocionante espectáculo, Sire. Y el Petit sin decir esta boca es mía, observando con ojo crítico la extensión, cosa de media legua, que la caballería debe cruzar en apoyo del 326, y confiando en que el suelo esté lo bastante compacto a pesar de la lluvia de ayer para que no fastidie las patas de los caballos.

—¿Cómo lo ve, Labraguette?

—Estupendamente, Si-sire, gracias —responde Labraguette con prudente entusiasmo, por si al Enano se le ocurre la mala idea de enviarlo a ver el paisaje más de cerca.

—Digo que cómo lo ve. Qué le parece.

—Me pa-parece bien, Sire.

—¿Cuántas bajas calcula usted que le costará a Murat llegar hasta los cañones rusos?

—No sé, Sire. Así, a o-ojo, unos se-setecientos muertos y he-heridos, Sire. Quizá más.

—Eso calculo yo —el Enano suspira para la Historia—. Pero la gloria de Francia lo exige... ¡C'est la guerre, Labraguette!

—Muy ci-cierto, Sire.

—Triste, pero necesario. Ya sabe, la patria y todo eso.

—Ahí le du-duele, Sire.

Mientras esto se comentaba en la colina, los del segundo del 326 llegábamos a unas cuatrocientas varas de los cañones rusos. Lo que se mire como se mire, aunque sea desertando, era mucho llegar.

V. Los adverbios del mariscal Lafleur

A lo lejos estalló un polvorín, una especie de hongo de fuego que iluminó las nubes grises que se cernían sobre Sbodonovo, y el estampido llegó un poco más tarde, amortiguado por la distancia. Algo así como un *tuum-pumba* sordo que hizo temblar las plumas en los sombreros de mariscales, generales y edecanes alrededor del Enano. El mariscal Lafleur, que en ese momento miraba por el catalejo, aseguró que en lo alto del hongo se veían figuritas humanas, pero Lafleur tenía fama de exagerado, así que nadie le hizo mucho caso. De todas formas, el pelotazo había sido tremendo.

—¿Son rusos o de los nuestros? —indagó el Ilustre, interesado.

—Rusos, Sire —aclaró alguien.

—Pues que se jodan.

Y siguió a lo suyo, que en ese momento consistía en seguir los movimientos del mariscal Ney. Después de despachar a Murat para que organizase su carga de caballería, el Enano había decidido olvidarse un rato del 326 de Línea para dedicar su atención a otros aspectos de la batalla. La cosa era que Ney, poniéndose a la cabeza de un par de regimientos de la Guardia, estaba a punto de tomar por cuarta vez, a la bayoneta, los escombros humeantes de la granja que dominaba el vado del Vorosik, por donde se nos habían estado colando durante toda la mañana los escuadrones de caballería cosaca que tanto daño hicieron en el flanco derecho. En ese preciso instante, Ney, como siempre despechugado y sin sombrero, con la casaca hecha trizas y la cara tiznada de pólvora, peleaba al arma blanca como un soldado más después de que le hubieran matado cuatro caballos frente a la granja, uno por asalto, contra los rusos que todavía aguantaban a esta parte del vado. La granja del Vorosik se había convertido en una de esas carnicerías memorables, sablazo va y sablazo viene, bayonetas por todas partes, fulanos gritando de furia o de pavor y sangre chorreando a espuertas, como si entre los muros calcinados de aquel recinto de locura hubiesen degollado a una piara de cerdos. Y en esto que los rusos empiezan a chaquetear, *tovarich, tovarich,* y a largarse hacia el río, y Ney les dice a los suyos apretad que es pan comido, muchachos, dadles lo suyo y que no vuelvan a por más, y los granaderos de la Guardia con los bigotazos y los aros de oro en la oreja y los gorros de pelo de oso y las bayonetas de cuatro palmos que avanzan como segando hierba, zas, zas, no deis cuartel, grita Ney cabreado porque lleva toda la mañana atascado en la puñetera granja, y a los ruskis les meten el *niet niet* en el cuerpo a bayonetazos, salvo a los jefes y oficiales que se rinden. A ésos la orden es cogerlos vivos porque los oficiales son unos caballeros, Marcel, que no te enteras, cómo se te ocurre volarle la sesera a ese capitán que se rendía, acabas de cargarte a un caballero, pedazo de imbécil, a ver si crees que todos son como tú, carne de cañón, o sea, chusma.

Arriba, en la colina del puesto de mando, el Petit le pidió el catalejo a Lafleur y echó un vistazo. Sonreía a medias, como cuando recibió la carta del emperador austríaco diciendo que sí, que María Luisa estaba en edad de merecer y él aceptaba, qué remedio, convertirse en suegro del Ilustre. No hay como ganar Marengos y Austerlices para emparentar con la realeza y marcarte un rigodón en Viena, o tal vez fuera un vals, con todas las frauleins mirándole el paquete al apuesto Murat, *donner und blitzen* con el feldmariscal, siempre tan ceñidito él y eructando a los postres, mientras el emperador de los osterreiches tragaba quina por un tubo, mordiéndose el cetro de humillación con los franchutes de amos del cotarro y el Enano con su uniforme de los domingos dándole palmaditas en la espalda, ese suegro simpático y rumboso, Papi, cómo lo ves. La única pega para el Enano era que la tal María Luisa respondía más bien al tipo cómo pretendes que yo te haga eso, esposo mío, ¿qué diría Metternich si me viera en esta postura? Mucho oig y mucho remilgo, eso era lo malo que tenían aquellas princesas tan educadas y tan Habsburgo. Poco imaginativa, a ver si me entienden, del tipo me duele la cabeza, querido, o bien ay, hola y adiós. En ese aspecto, el Enano seguía añorando a su ex, la Beauharnais, aquello sí era calor criollo a ritmo tropical. Llegaba, un suponer, de ganar la campaña de Italia, y allí estaba Josefina en la Malmaison, relinchando como una yegua, siempre lista para darle una carga de coraceros en condiciones. O dos.

—¡Lafleur!

—A la orden, Sire.

—Escriba a París. Estimados, etcétera, dos puntos. Sbodonovo está a punto de caer, moral alta, victoria segura —echó un vistazo rápido al flanco derecho, donde el humo de las explosiones ocultaba en ese momento al 326—. Mejor escriba *prácticamente* segura, por si acaso.

—El adverbio es superfluo, Sire —insinuó Lafleur, que era un mariscal miserable y pelota.

—Bueno, pues elimine el adverbio. Y añada que Moscú es nuestro, o casi.

—Muy bien, Sire —Lafleur escribía a toda prisa, con la lengua en la comisura de la boca, muy aplicado—. ¿Qué frase histórica ponemos esta vez como fórmula de despedida?

—No sé —el Enano paseó la vista por el campo de batalla—. ¿Qué le parece *en el corazón de la vieja Rusia quince siglos nos contemplan?*

—Magnífica. Soberbia. Pero ya usasteis una parecida, Sire. En Egipto. ¿Recordáis...? Las pirámides y todo eso.

—¿De veras? Pues cualquier otra —el Enano echó un nuevo vistazo alrededor, deteniéndose otra vez en la humareda que ocultaba al 326—. Algo de las águilas imperiales. Siempre queda bien eso del águila. Tiene garra.

Y se rió de su propio chiste, coreado por el mariscalato en pleno. Muy bueno, Sire. Ja, ja. Siempre tan agudo, etcétera. Qué gracia tiene el jodío. Después, todo el Estado Mayor se apresuró a sugerir variantes, Sire, el águila vuela alto, las alas del águila, la nobleza del águila francesa, Sire.

—¿La so-sombra del águila? —apuntó el general Labraguette.

—Me gusta —asintió el Enano, aún con los ojos fijos en el flanco derecho—. Eso está bien, Labraguette. La sombra del águila, bajo la que se baten los valientes. Como esos españoles de allá abajo, en mi ejército de veinte naciones. Mírelos: bajitos, indisciplinados, con mala leche, siempre tirándose unos a otros los trastos a la cabeza... Y sin embargo, bajo la sombra del águila imperial van hacia la muerte como un solo hombre, en pos de la gloria.

Batió palmas el mariscalato.

—Sublime, Sire.

—Lo ha dicho un gran hombre.

—Es que el que vale, vale. Y el que no, con Wellington.

—Menos coba, Lafleur. No sea imbécil —el Ilustre requirió el catalejo y echó una ojeada a retaguardia—. Por cierto. ¿Qué pasa con Murat?

Todos los mariscales empezaron a ir y venir aparentando estar muy ocupados en el asunto, a despachar batidores a caballo con mensajes para acá y para allá, Murat, a ver qué pasa con Murat, ya estáis oyendo que se impacienta el Emperador, esa carga es para hoy o para mañana, mondieu, así no hay cristo que gane esta guerra. Y los batidores galopando hacia cualquier parte sin saber adónde ir, agachándose bajo los cañonazos y jurando en francés, con los mensajes ilegibles e inútiles en la vuelta de la manga del dolmán agujereado por los tiros y la metralla, acordándose de la madre que parió a aquel primo suyo que los enchufó como enlaces en el Estado Mayor imperial.

El caso es que visto así, en panorámica, el Estado Mayor daba la impresión de tener una actividad del carajo, con todo el mundo pendiente otra vez del flanco derecho, donde los fogonazos de artillería se intensificaban de modo alarmante entre la humareda de pólvora. Allá abajo, los cuatrocientos y pico españoles del segundo batallón del 326 de Línea habíamos gozado hasta ese momento de la relativa protección de una contrapendiente suave entre los maizales, una especie de desnivel con cuatro o cinco pajares ardiendo y trescientos o cuatrocientos muertos repartidos un poco por aquí y por allá, el rastro de los muchos ataques sin éxito que la división había llevado a cabo sobre ese punto durante la mañana, y en la que el mismo general Le Cimbel se había cambiado el fusil de hombro, ya me entienden, nosotros los españoles decíamos *dejar de fumar,* o sea morirse. Cada uno eufemiza como puede, mi general. El caso es que Le Cimbel era uno de aquellos cuatrocientos despojos que marcaban el punto más avanzado de la progresión francesa en el flanco derecho frente a Sbodonovo: tal vez aquel fiambre sin cabeza junto al que pasábamos en ese momento. El punto más avanzado de la progresión. Tóqueme la flor, corneta. Lo del punto suena muy técnico: eso es lenguaje oficial de parte de guerra, como lo de *repliegue táctico,* o aquello otro, no se lo pierdan, de *movimiento retrógrado hacia posiciones preestablecidas,* dos formas como otra cualquiera de decir, Sire, nuestra gente ha salido giñando leches. En el flanco derecho ante Sbodonovo, el punto más avanzado de la progresión era el punto en que la carnicería se volvió tan insoportable que los supervivientes habían dicho pies para qué os quiero. Y nosotros, los del 326, apretados unos contra otros en las filas de la formación, blancos los nudillos de las manos crispadas alrededor de los fusiles con las bayonetas, estábamos a pique de rebasar el punto más avanzado de la maldita progresión de las narices, es decir el desnivel que con el humo nos protegía un poco del grueso de la artillería ruski. Ahora íbamos a quedar al descubierto ante todas las bocas de fuego de la madre Rusia, imagínense el diálogo de los artilleros: Popof, mira quiénes asoman por ahí con la que va cayendo, están locos estos franzuskis, acércame el botafuego que voy a arreglarles el cuerpo con la pieza de a doce. Carga metralla, Popof, que a esta distancia es lo que más cunde. Ahí va eso, que aproveche. Ésta por la liberté, ésta por la egalité y ésta por la fraternité.

Raaas-zaca-bum. De pronto no hubo cling-clang porque el sartenazo de los ruskis cayó en medio de la formación, toda la metralla entró en blando, y es imposible saber a cuántos se llevó por delante entre el humo, los gritos y la sordera que viene cuando una granada te revienta a la espalda. A los de las primeras filas nos salpicó sangre encima, pero no era nuestra, y sólo Vicente el valenciano soltó el fusil con una mano pegada todavía a la culata, el fusil girando en el aire con la mano incluida y Vicente mirándose el muñón esperando que alguien le explicara aquello. Quisimos agarrarlo para que se mantuviera en pie, pero el valenciano fue cayéndose al suelo hasta quedar de rodillas, siempre mirándose la mano, y se quedó atrás y ya no volvimos a verlo. Igual tuvo suerte y alguien le hizo un torniquete y se emboscó allí con una Marujska de tetas grandes y se convirtió en campesino y fue feliz con muchos hijos y nietos y ya no volvió a ver una guerra en su puñetera vida. Igual.

Y en esto el capitán García, todo pequeñajo y ennegrecido por la pólvora, nuestro único oficial superior a aquellas alturas del asunto, que seguía sable en alto gritándonos palabras que no entendíamos con el estruendo de los cañonazos, empezó a decirle algo a Muñoz, el alférez abanderado, a quien una esquirla rusa le había sustituido el chacó por un rastro de sangre deslizándosele por la frente y la nariz, que de vez en cuando se enjugaba con el dorso de la mano libre para que no le tapara el ojo izquierdo. No lo oíamos con los bombazos pero era fácil imaginarlo: Muñoz, atento a mi orden, en cuanto yo te dé el cante abates el águila de los cojones y le pones la bandera blanca, la sábana que llevas doblada bajo la casaca, y la agitas bien en alto para que la vean los Iván, y entonces ya sabes, todos a correr levantando en alto los fusiles para que sepan de qué vamos y no nos ametrallen a bocajarro, los hijoputas. Y en las filas pasándonos la voz, atentos, en cuanto el capitán dé la orden y Muñoz ice bandera blanca, fusiles en alto y a correr hacia los ruskis como si nos quitáramos avispas del culo, a ver si terminamos de una vez este calvario. Y otra granada rusa que pasa rasgando sobre nuestras cabezas, ahora va alta, muy atrás, y otra que llega más corta, cuidado con esa que las trae negras, y acertamos, y la granada también acierta, y más compañeros que se largan a verle el blanco de los ojos al diablo. Y el *ras-ras* de nuestras polainas rozando los maizales tronchados, negros de carbón y sangre, chamuscados por las bombas y las llamas escuchando el redoble del tambor que nos ayuda a mantener el paso en aquella locura. Y Popof que empieza a afinar la puntería mientras remontamos los últimos metros de contrapendiente. Y más raaaca-zas-bum y más cling-clang. Y ahora estamos casi al descubierto y nos están dando los rusos una que te cagas, y García grita algo que seguimos sin entender, mi capitán, no se moleste en abrir la boca hasta que no llegue el momento de salir arreando. Y el tambor que arrecia su redoble y las filas que se estrechan más, a ver si hay suerte y la siguiente granada le toca a otro, porque Dios dijo hermanos pero no primos. Y más raaca-zas y más bum-cling-clang y más compañeros que se quedan atrás en los maizales. Y la contrapendiente que se acaba, y humo por todos sitios, y ya tenemos las bocas de los cañones rusos a un palmo de la cara, y García que se vuelve y parece que nos mira uno por uno duro como el pedernal, aquí nos la jugamos, hijos míos, aquí nos sacan el último naipe, a correr que llueve. Y el alférez Muñoz se limpia por última vez la sangre de los ojos y mete la mano en la casaca para sacar la bandera blanca, y abate el águila para sustituir la bandera mientras sudamos a chorros bajo la ropa, mordiéndonos los labios de tensión y miedo. Y de pronto empieza a caernos metralla rusa a espuertas, por todos sitios, y todos gritan terminemos de una vez, y ya estamos a punto, no de levantar, sino de tirar los fusiles al suelo y correr hacia los rusos con las manos en alto, *españolski,*

españolski, cuando suenan trompetas por todas partes, a nuestra espalda, y nos quedamos de piedra cuando vemos aparecer una nube de jinetes, banderas y sables en alto, cargando por nuestros dos flancos contra los cañones rusos.

VI. La carga de Sbodonovo

Desde su colina, el Enano había visto abatirse la bandera del 326 a pocas varas de los cañones rusos, justo en el momento en que el alférez Muñoz se disponía a sustituirla por la sábana blanca y todos nos preparábamos allá abajo para consumar la deserción echando a correr hacia los Iván sin disimulo alguno. Era tanto lo que en ese momento nos caía encima, raas-zaca-bum y cling-clang por todas partes, que la humareda de los sartenazos ruskis cubría el avance del batallón, ocultándolo de nuevo a los ojos del Estado Mayor imperial. Con el catalejo incrustado bajo la ceja derecha, el Petit Cabrón fruncía el ceño.

—Ha caído el águila —dijo, taciturno y grave.

A su alrededor, todos los mariscales y generales se apresuraron a poner cara de circunstancias. Triste pero inevitable, Sire. Heroicos muchachos, Sire. Se veía venir, etcétera.

—Ejemplar sa-sacrificio —resumió el general Labraguette, emocionado.

De abajo llegaban unos estampidos horrorosos. Ahora era una especie de *pumba-pumba* en cadena. Toda la artillería rusa parecía ametrallar a bocajarro al batallón, o lo que quedara de él a tales alturas del episodio.

—Escabeche —dijo el mariscal Lafleur, siempre frívolo—. Los van a hacer escabeche... ¿Recordáis, Sire? Aquel adobo que nos sirvieron en Somosierra. ¿Cómo era? Laurel, aceite...

—Cierre el pico, Lafleur.

—Ejem, naturalmente, Sire.

—Es usted un bocazas, Lafleur —el Petit lo miró con la misma simpatía que habría dedicado a la boñiga de un caballo de coraceros—. Están a punto de hacer trizas a un puñado de valientes y usted se pone a disertar sobre gastronomía.

—Disculpad, Sire. En realidad, yo...

—Merece que lo degrade a cabo primero y lo envíe allá abajo, al maldito flanco derecho, a ver si se le pega a usted algo del patriotismo de esos pobres chicos del 326.

—Yo... Ejem. Sire... —Lafleur se aflojaba el cuello de la casaca, con ojos extraviados de angustia—. Naturalmente. Si no fuera por mi hernia...

—Las hernias se curan como soldado de infantería, en primera línea. Es mano de santo.

—Acertada apreciación, Sire.

—Imbécil. Tolili. Cagamandurrias.

—Ése soy yo, Sire. Me retratáis. Clavadito.

Y el pobre Lafleur sonreía, conciliador, entre la chunga guasona del mariscalato, siempre solidario en este tipo de cosas.

—A ver, Labraguette —el Ilustre había vuelto a mirar por el catalejo—. Anote: Legión de Honor colectiva para esos muchachos del 326 en caso de que alguno quede vivo, cosa que me sorprendería mucho. En todo caso, mención especial en la orden del día de mañana, por heroísmo inaudito ante el enemigo.

—He-hecho, Sire.

—Otra cosa. Carta a mi hermano José Bonaparte, palacio real de Madrid, etcétera. Querido hermano. Dos puntos.

Y el Ilustre se puso a dictar con destino a su pariente, ese que los españoles llamábamos Pepe Botella por aquello del trinque o la maledicencia, vaya usted a saber, dicen que le daba al rioja pero que tampoco era para tanto. El caso es que el Petit se despachó a gusto aquella mañana en la modalidad epistolar desde la colina de Sbodonovo y con Labraguette dándole al lápiz a toda leche. Hermanito del alma, tanto llorarme sobre tus súbditos, que si no hay quien gobierne con esta gente y que si tal y que si cual, a ver quién se las arregla en un país donde no hay dos que tomen café de la misma forma, o sea, solo, cortado, corto de café, largo, doble, con leche, para mí un poleo. Donde los curas se remangan la sotana, pegan tiros y dicen que despachar franchutes no es pecado, y donde la afición nacional consiste en darle un navajazo al primero que dobla la esquina, o arrastrar por las calles a quien sólo cinco minutos antes se ha estado aplaudiendo, y a menudo con idéntico entusiasmo. Me cuentas eso en cada carta, querido hermanito, dale que te pego con lo de que vaya regalo envenenado te hice, y que antes que rey de España hubieras preferido que te nombrara arzobispo de Canterbury, nos ha jodido. Pero, entre otras cosas, Canterbury no lo hemos conquistado todavía, y España, aunque esté llena de españoles, es un país con mucho futuro. Así que ya está bien de tanta queja y de tanto chivarte a Mamá de lo mal que lo pasas en Madrid. Para que te enteres, un batallón de tus súbditos acaba de cubrirse de gloria a las puertas de Moscú, por la cara. Así que ve tomando nota, Pepe. Que no te enteras. Un capullo, eso es lo que eres. Desde pequeño siempre has sido un capullo.

—Pásemelo a la firma, Labraguette. Y despáchelo.

—A la orden, Si-sire.

—Y ahora, ¿alguien puede decirme dónde está Murat?

No hizo falta. Un marcial toque de corneta ascendía hacia la colina desde el flanco derecho, y mariscales, generales, edecanes, ayudantes y correveidiles al completo saludaron con alborozo la buena nueva. Hablando del rey de Roma, es decir el de Nápoles, Sire, ahí lo tiene en plena carga, lento pero seguro ese Murat, observe el espectáculo que tiene tela. Y abajo, en la llanura de maizales chamuscados del flanco derecho, desplegándose en escuadrones multicolores, los húsares y los coraceros, mil y pico sables desenvainados y sobre el hombro derecho, tararí-tararí, listos para la memorable carnicería que los haría entrar de perfil, a los vivos y a los muertos, en los libros de Historia. Y acercándonos a vista de pájaro al meollo del asunto, volando sobre las apretadas formaciones donde los caballos relinchaban impacientes, tenemos a Murat, todo bordados y floripondios, con una capacidad mental de menos quince pero valiente como un toro español cuando los toros españoles salen valientes, levantando el sable sobre la cabeza rizada con tenacillas y diciendo sus y a ellos, muchachos, ese batallón español necesita ayuda y los vamos a ayudar, voto al Chápiro Verde. Y Murat, con su dolmán de seda y sus rizos de madame Lulú y su menos seso que un mosquito y todo lo que ustedes quieran, pero, eso sí, al frente de sus tropas en un tiempo en que los generales y los mariscales aún la diñan así y no de indigestión en la retaguardia, Murat, decíamos, se vuelve a su cornetín de órdenes y le dice venga, chaval, toca de una vez esa maldita carga y que el diablo nos lleve a todos. Y el chaval que escupe para mojarse los labios que tiene secos y toca carga y Fuckermann y Baisepeau que les gritan a sus húsares y coraceros aquello de al paso, al trote y al galope, y mil y pico caballos que se mueven hacia adelante, acompasando el ruido de los cascos y herraduras. Y Murat grita

Viva el Emperador y los mil y pico jinetes corean que sí, que vale, que viva el Petit Cabrón pero que aquí podía estar, más cerca, para compartir en persona aunque fuese un trocito de la gloria que a ellos les van a endilgar los cañones ruskis a chorros dentro de nada, gloria para dar y tomar, un empacho de gloria, mi primero, lo que vamos a tener en cinco minutos. Vamos a cagar gloria de aquí a Lima.

Y entonces hay como un trueno largo y sordo que retumba en el flanco derecho, y los doce escuadrones de caballería se extienden por la llanura mientras ganan velocidad, y los artilleros rusos que empiezan a espabilarse, Popof, mira lo que viene por ahí, ésa sí que no me la esperaba, *tovarich,* la virgen santa, nunca imaginé que tantos caballos y jinetes y sables pudieran moverse juntos al mismo tiempo, nosotros tan entretenidos tirando al blanco con ese batallón de mierda cuando lo que se nos venía encima era esto otro, a ver esa pieza, apunta que las cosas van a ponerse serias, mira cómo grita ahora el capitán Smirnoff, con lo tranquilo y contento que estaba hace sólo cinco minutos, el hijoputa. A ver esas piezas de a doce, apunten, fuego. Dales caña, Popof. Dales, que mira la que nos cae.

Total. Que los artilleros rusos cambian de objetivo y empiezan a arrimarle candela a Murat y sus muchachos, y el primer cañonazo va y arranca de su caballo al general Fuckermann y lo proyecta en cachitos rojos sobre sus húsares que van detrás, ahí nos las den todas, pero hay muchas más, raaas-zaca, raaas-zaca, y ya corren caballos sin jinete adelantándose a las filas cerradas de los escuadrones, bota con bota y el sable extendido al frente mientras suena el tararí tararí, y los húsares sujetan las riendas con los dientes y empuñan en la mano izquierda la pistola, y los coraceros con destellos metálicos en el pecho y la cabeza, con boquetes redondos que se abren de pronto en mitad de la coraza y todo se vuelve de pronto kilos de chatarra que rueda por el suelo, tiznándose de hollín y barro mientras sigue el tararí tararí y Murat, ciego como un toro, sigue al frente del asunto y está casi a la altura del 326, húsares por la derecha, coraceros por la izquierda y allá en su frente Estambul, o sea, Moscú, o sea, Sbodonovo, o sea los cañones rusos que escupen metralla como por un grifo. Y por fin llega, galopando a lomos de su caballo que va desencajado e imparable como una bala, cubierto de sudor y espuma, junto a las filas del heroico 326, y entre el humo y la velocidad ve fugazmente los rostros de esos valientes que lo miran boquiabiertos, socorridos en el último instante cuando libraban su último y heroico combate sin esperanza. Y a Murat, que en el fondo es tierno como el día de la Madre, se le pone la carne de gallina y grita, enardecido:

—¡Viva el 326! ¡Viva Francia!

Y todos sus húsares y coraceros, que ya rebasan al 326 por los flancos cargando contra los cañones rusos, todos esos jinetes rudos y veteranos que acuden a compartir el hartazgo de metralla que se están llevando los bravos camaradas del 326, corean con entusiasmo el grito de Murat y, a pesar de la que está lloviendo, saludan con sus sables a esos héroes bajitos y morenos, los fieles infantes del batallón español, al pasar junto a ellos galopando en línea recta hacia el enemigo. Y los del 326, mudos de agradecimiento, se ve que no encuentran palabras para expresar lo que sienten.

Y es que no hay palabras, Muñoz, quince minutos aguantando el cañoneo a quemarropa de los ruskis y, a punto de conseguirlo, justo en el momento en que bajas la bandera para sustituirla por la sábana blanca que llevas oculta en la casaca, con todos los compañeros acuciándote, date prisa, mi alférez, espabila que nos caemos con todo el equipo, suenan los trompetazos y Murat y mil doscientos franchutes aparecen cargando a uno y otro lado del batallón y encima pasan vitoreándote, los tíos, hégoes espagnoles, te dicen, camagadas y todo lo demás mientras acuden al encuentro de la metralla rusa, mira, lo positivo es que ahora tocaremos a menos cada uno, al repartir. Y todo el batallón que se queda de piedra viéndose en medio de una carga de caballería, y Murat saludando con el sable y su corneta dale al tararí tararí, de qué van estos fulanos, mi capitán, aquí hay un malentendido. Lo que está claro es que nos han fastidiado la maniobra, los gilipollas. Nos han jodido el invento. A ver quién es el guapo que deserta ahora, rodeado por mil doscientos húsares y coraceros que te dan palmaditas en la espalda.

Total. Que todos nos paramos un momento, aturdidos y sin saber qué hacer, pendientes de lo que dice el capitán García, y el capitán, pequeñajo y tiznado de pólvora, nos dirige una mirada de tranquila desesperación y después se encoge de hombros y le grita a Muñoz, eso sí lo oímos bien, alférez, levanta otra vez la bandera franchute, levanta el águila de los cojones y esa sábana blanca la haces cachitos y nos la podemos ir metiendo todos por el culo. Y el águila que se levanta de nuevo, y los coraceros y los húsares que siguen pasando a nuestro lado venga a dar vítores a los valegosos espagnoles, y García que nos dice hijos míos, suena la música así que a bailar tocan, echemos a correr hacia adelante y que sea lo que Dios quiera, allá cada cual, y vamos a meternos tanto en las filas de los Iván que al final no tengan más remedio que cogernos prisioneros. Conque levanta el sable, apunta a los artilleros rusos y dice eso de *¡Vivaspaña!* que es la única cosa nuestra que nos queda en mitad de toda esta mierda. Y Luisillo, nuestro tambor de quince años, redobla toque de carga, y los fulanos del 326 apretamos fuerte el fusil con la bayoneta y echamos a correr entre los jinetes hacia los cañones rusos, aunque antes de caer prisioneros alguien va a tener que pagar muy cara la mala leche que se nos ha puesto con el patinazo de esta mañana. Si no fuera por tanto cañonazo y tanta murga ya estaríamos trincando vodka en plan tovarich después de habéroslo explicado todo, cretinos. Así que ya puedes darte por jodido, Popof. Cagüentodo. Como llegue hasta ahí, por lo menos a los de las primeras filas os voy a dejar listos de papeles.

Y los artilleros ruskis, que ya tienen a los húsares y los coraceros encima y se defienden como pueden sobre sus cañones, echan un vistazo al frente y ven que por la cuesta suben cuatrocientos energúmenos erizados de bayonetas y gritando como posesos, cuatrocientos tipos con la cara tiznada por el humo y ojos enrojecidos de miedo y rabia, y se dicen: fíjate lo que sube por ahí, camarada, ésos no necesitan decir que no hay cuartel, lo llevan pintado en la cara, así que date por jodido, Popof, pero bien. Y el primero que llega hasta ellos es un capitán pequeño y negro de pólvora que grita algo así como *¡Vaspaña!, ¡Vaspaña!,* que nadie sabe muy bien lo que quiere decir, y ese capitán se tira encima de los primeros cañones como una mala bestia, y se lía a sablazos, y al capitán Smirnoff, que se ha puesto delante haciendo posturas de esgrima, le patea los huevos y después le abre la cabeza de un sablazo, y ahora llegan todos los demás gritando como salvajes, y a golpe de culata y bayonetazos, desesperados, como si nada tuvieran que perder, empitonan a Popof y a su santa madre, vuelcan los cañones, rematan a todo el que se mueve y, llevados por el impulso, mientras Murat y sus jinetes retroceden para reorganizar las filas desordenadas por la carga, siguen corriendo entre gritos y blasfemias hacia las filas de los regimientos rusos que, formados a la entrada de Sbodonovo, los miran acercarse inmóviles, incapaces de reaccionar, paralizados de estupor ante el espectáculo.

VII. La resaca del príncipe Rudolfkovski

Durante mucho tiempo, los historiadores militares han intentando explicarse lo que ocurrió en Sbodonovo, sin resultado. Sir Mortimer Flanagan, el famoso analista británico, afirma que se trató de una brillante improvisación táctica de Napoleón, la última chispa de su genio militar antes de extinguirse en Moscú y en la desastrosa retirada de Rusia. Por su parte, el francés Gerard de la Soufflebitez plantea las cosas desde otra óptica más limitada, o sea casera, atribuyendo a Murat el exclusivo mérito en la acción de Sbodonovo y evitando mencionar, incluso, la presencia del segundo batallón del 326 de Línea en la batalla. Sólo en la correspondencia privada del mariscal Lafleur —dirigida a su amante, la conocida soprano Mimí la Garce— se encuentra una irrefutable prueba del papel desempeñado por los españoles, cuando el mariscal escribe: *Les sanglots longs des baïonnettes des espagnols blessent les russes d'une langueur monotone...*, en clara alusión al asunto. Más explícito se muestra en sus memorias *(De Borodino a Pigalle,* San Petersburgo, 1830) el mariscal Eristof, que reconoce sin rodeos el importante papel jugado por los españoles en los acontecimientos de la jornada, sobre todo cuando el viejo león escribe aquello de: *En Sbodonovo, el 326 de Línea nos puteó bien.*

Y ahora pónganse ustedes en el lugar de los rusos. Tres o cuatro regimientos formados en perfecto orden a las puertas del pueblo, inactivos durante toda la mañana porque ya se habían encargado las baterías artilleras y la caballería cosaca de pulverizar el flanco derecho francés. Unos cuatro o cinco mil hombres tumbados en la hierba viendo los toros desde la barrera, fíjate, Vladimir, la que les está cayendo a los herejes, eso para que aprendan a invadir lo que no deben, Dios salve al zar y todo eso. Dame cartas. A ver, la sota de copas. Vaya día llevas, *tovarich*. Acabas de ganarme otro rublo. ¿A qué hora dices que sirven el rancho?... Y los oficiales tres cuartos de lo mismo: cómo lo lleva, conde Nicolai, bien, gracias. Estaba yo acordándome de aquella velada en San Petersburgo, en casa de Ana Pavlovna, junto a la princesa Bolkonskaia. Exquisito caviar, vive Dios. Lástima de inactividad, Boris, aquí toda la mañana con nuestros artilleros haciendo el trabajo y nosotros mano sobre mano, sin poder cubrirnos de gloria. A ver cómo diantre vuelvo yo a San Petersburgo sin un brazo en cabestrillo, o un heroico vendaje en torno a la cabeza para lucir en el palacio de la gran duquesa Catalina. Así no hay quien se coma una rosca por muy bien que uno baile el vals.

Y ése era el panorama a las puertas de Sbodonovo, con el pueblo ardiendo un poco al otro lado, hacia el vado del Vorosik, pero en esa parte estaba tranquilo, todo bajo control de los Iván. Hasta el príncipe Rudolfkovski, que mandaba la división, se había bajado del caballo y echaba una siestecita bajo un abedul. Ése era el panorama, repito, cuando de pronto empezó a oírse algo de barullo por la parte de los cañones. Entonces el príncipe Rudolfkovski, que por cierto era primo segundo del zar Alejandro, abrió un ojo y requirió a su ordenanza, el fiel Igor:

—Igor, ¿qué ocurre?

—No lo sé, padrecito —respondió el leal subalterno.

—Pues echa un vistazo, imbécil.

Quizá si el príncipe Rudolfkovski hubiese echado el vistazo personalmente habría cambiado el curso de los acontecimientos, pero vaya usted a saber. De hecho, Rudolfkovski dormía la siesta porque la noche anterior había estado despierto hasta altas horas beneficiándose a una robusta campesina a la que sus dragones habían descubierto oculta en un pajar de Sbodonovo. Además, al príncipe se le había ido un poco la mano con el vodka, cuyo consumo excesivo solía producirle una espantosa jaqueca. El caso es que el fiel Igor Igorovich pasó junto a los oficiales del estado mayor de Rudolfkovski, que charlaban en un grupito, y se acercó a echar un vistazo por la parte de los cañones. La familia del fiel Igor había servido a la familia Rudolfkovskaia desde tiempo inmemorial, y cada vez que un Rudolfkovski defendió a sus zares en un campo de batalla, hubo junto a él un Igorovich para limpiarle las botas y echarle agua caliente en la bañera. Lo cierto es que el príncipe no era demasiado duro con su leal siervo, y sólo lo azotaba por faltas muy graves como plancharle mal el cuello de una camisa, no bruñirle la hoja del sable de modo conveniente, o retrasarse en las marchas en vez de correr junto a su estribo derecho con una botella de champaña razonablemente frío a mano. Por lo demás, el príncipe Rudolfkovski era un amo justo y cabal. Quizá por eso, cuando el fiel Igor anduvo un cuarto de *versta* más y le echó un vistazo a lo que ocurría donde los cañones rusos, se detuvo un momento, miró hacia el lejano abedul donde el príncipe Rudolfkovski dormía la mona, y soltando una extraña risita entre dientes puso pies en polvorosa.

Así que las primeras señales de lo que iba a ocurrir llegaron un poco más tarde, cuando los cuatro o cinco mil rusos que holgazaneaban sobre la hierba vieron aparecer, de pronto, una compacta fila de uniformes azules que se dirigía hacia ellos a la carrera y pegando unos gritos que helaban la sangre. Mucho se ha discutido después la reacción de los ruskis, pero en esencia fue del tipo anda, Vladimir, qué cosa más rara, por ese lado debían estar nuestros artilleros y resulta que aparecen otros con uniforme azul, yo creía que iban de verde los nuestros, te vas a reír pero por un momento he creído que eran franceses, fíjate, si hasta la bandera parece francesa, estoy de lo más tonto esta mañana, cómo van a ser franceses si están hechos polvo en el flanco derecho. El caso es que, bien mirado, esa bandera no parece nuestra, ¿verdad? Oye, pues ahora que lo dices, tampoco eso que gritan me suena a ruso. *Vaspaña,* algo así como *Vaspaña,* pero francés tampoco es. A ver. Espera. Trae el catalejo. Hostia, Vladimir. Los franceses.

Unos dicen que gritábamos *Viva España* y otros que *Vámonos a España,* pero el caso es que los cuatrocientos, o lo que quedaba de nosotros, desembocamos en la llanura frente a Sbodonovo a la carrera, con las bayonetas por delante y la furiosa energía que te proporciona la desesperación. Mucho se discutió después el asunto, y la mayor parte coincidimos en afirmar que pretendíamos caer prisioneros para terminar de una vez, antes de que los húsares y los coraceros de Murat volviesen a cargar a nuestro lado creyendo ayudarnos contra los ruskis. Es cierto que los cañones de los Iván nos había hecho sufrir mucho y todavía íbamos calientes a pesar de haber empitonado a los artilleros; pero la verdad es que al llegar a la llanura nuestra intención era seguir hasta las filas rusas y allí adentro, una vez a salvo de nuestra propia caballería, arrojar las armas. El problema fue que los Iván se lo tomaron por la tremenda y mantuvieron el equívoco, o sea, nadie ataca así, en línea recta y a la bayoneta, a puro huevo, si no lo tiene muy claro. Así que espérame un momento, Vladimir, que ahora vuelvo. Sí, a retaguardia voy. A por tabaco.

Cuatro mil hombres saliendo por pies ante cuatrocientos es un espectáculo que no se dio con frecuencia en la campaña de Rusia. El movimiento de pánico se propagó como una ola, y las primeras filas ruskis echaron a correr. Las segundas hicieron lo mismo al pasar junto a ellas las primeras, y los de las últimas, que vieron a toda la vanguardia dar la vuelta y venírseles encima, se volvieron atropellándose unos a otros, desbordados los oficiales, y salieron zumbando hacia Sbodonovo, maricón el último, metiéndose por las calles del pueblo en dirección al río y al puente de la carretera de Moscú. Y nosotros corriendo detrás, esperad, pringaos, aquí hay un malentendido. Pero claro, en eso que algunos rusos se vuelven y nos descerrajan unos cuantos tiros, y a Manolo el maño y a Paco el sevillano los dejan secos en plena carrera, y empezamos a cabrearnos mientras vemos caer a unos cuantos más, colegas de los tiempos de Dinamarca, tiene guasa escaparte de unos y de otros para que un tovarich te pegue un tiro a última hora. Y en esas que llegamos junto a un abedul para darnos de boca con un ruski lleno de cordones y entorchados, con cara de resaca y pinta de mandar mucho, que no para de preguntar por un tal Igor, vete tú a saber quién coño es el Igor de las narices. Total, que el sargento Ortega intenta explicarle que nos rendimos, pero el otro dice algo de que los Rudolfkovski mueren pero no se rinden. Ortega, que es un buenazo, intenta explicarle pacientemente que no, míster, quienes nos rendimos somos nosotros, aquí, *españolski tovarich,* a ver si te enteras. Napoleón *kaput,* nosotros querer ir a España, *¿capito?* O sea que *fini la guerre.* Pero el ruski mira alrededor, ve a toda su tropa corriendo como conejos y a nosotros tiznados de humo, con las bayonetas manchadas de sangre de los artilleros que acabamos de cepillarnos allá atrás, y se cree que le estamos vacilando, o sea, estos hijoputoskis quieren quedarse conmigo. Así que saca una pistola y le descerraja al sargento Ortega un tiro a bocajarro, pumba, que le chamusca las patillas, menos mal que el Iván tenía el pulso fatal aquella mañana. Y claro, Ortega se cabrea y ensarta al ruski en el abedul de un sablazo, para que aprendas, gilipollas, que no se puede ir de buena fe, hay que joderse, chavales, con aquí el capitán general. Y eso que se lo dije bien clarito. A todo esto, los Iván corren por ahí diciendo que nos hemos cargado al príncipe Rudolfnosequé, y todos venga a correr más todavía, y en estas llegamos ya a las primeras casas del pueblo, con los rusos cruzándolo a toda prisa hacia el puente y la carretera de Moscú, entrando por un extremo y saliendo por el otro como si fueran a hacer un recado, a toda leche. Y en todo ese trajín no mantiene la calma más que la reserva de caballería cosaca, a la que alguien ordena que cubra la retirada. Así que, de pronto, cuando los del 326 vamos corriendo tras los rezagados rusos por la calle principal, todavía con intención de encontrar alguien a quien rendirnos, vemos aparecer dos escuadrones cosacos cargándonos de frente, sables en alto, atiza Gorostiza, ésos no huyen sino que atacan. Y nos miramos unos a otros para decirnos hasta aquí hemos llegado, compadres, vete a explicarles nada a éstos. Se acabó lo que se daba.

O sea, que nos caen encima doscientos y pico jinetes cosacos haciendo molinetes con los sables y las lanzas, y el capitán García se da cuenta de que no hay espacio para formar el cuadro. Entonces nos ordena hacer fuego por secciones porque aquí no hay *tovarich* que valga, hijos míos, así que ya nos rendiremos otro día. Y tenemos el tiempo justo de escalonarnos la mitad del 326 en la calle, mientras la otra mitad se reagrupa detrás con la lengua fuera, y ya tenemos a los cosacos a treinta varas mientras García se planta a la derecha, sable en mano, y el teniente Arregui a la izquierda. Y cuando los cosacos están a quince varas, García va y ordena primera descarga a los caballos, hijos míos, endiñársela por lo bajini para taponarles la calle a esos hijoputas. Y los de la primera fila, arrodillados, nos llevamos el fusil a la cara diciendo madre santísima, de ésta no salimos ni hartos de sopa.

—Primera sección, ¡fuego!

García los tiene bien puestos, las cosas como son. Y es un profesional. La primera descarga abate una veintena de caballos, formando un obstáculo para los jinetes que vienen detrás.

—Segunda sección, ¡fuego!

Ahí va eso. La segunda sección dispara sobre nuestros chacós mientras los de la primera seguimos las órdenes del teniente Arregui: primera sección, rodilla en tierra, carguen. Y tú vas, muerdes el cartucho igual que muerdes el miedo, lo metes en el cañón caliente, ahora la bala, golpe de baqueta y otra vez el fusil a la cara mientras los de la segunda, ya arrodillados también a tu espalda, cargan a su vez. Ahora son los de la tercera fila los que apuntan sobre nuestras cabezas.

—Tercera sección, ¡fuego!

Toma candela, Iván. Tres descargas en quince segundos, plomo barriendo la calle principal, patas y relinchos por el aire, cosacos por el suelo a un palmo de nosotros, angelitos al cielo. Pero siguen llegando más y más cuyos caballos tropiezan, se encabritan sobre los caídos. A nuestra espalda, Luisillo redobla sobre su parcheado tambor para darnos ánimos. Y la voz ronca del capitán García, no es para menos lo de ronca, con la mañana que lleva, se alterna con la del teniente Arregui mientras seguimos soltando descarga tras descarga:

—¡Tercera sección, carguen armas!

—¡Primera sección en pie! ¡Apunten! ¡Fuego!

El humo de pólvora negra empieza a cubrir la calle y las andanadas parten a ciegas, hacia el lugar de donde vienen los alaridos y los relinchos, fusilando a los cosacos a bocajarro.

—¡Primera sección, rodilla en tierra, carguen armas!

—¡Segunda sección, en pie! ¡Fuego!

—¡Segunda sección, rodilla en tierra! ¡Carguen armas!

—¡Tercera sección, en pie! ¡Fuego!

Así cinco minutos. Ahora ya no se ve nada de nada, y todos estamos dentro de una humareda oscura y acre, disparando contra un muro de niebla del que brotan alaridos, lamentos, detonaciones. La pólvora negra quemada se mete por las narices y aturde los sentidos, y ya no sabes dónde diablos estás, y tu único contacto con la realidad son las voces que te llegan, el capitán García de la derecha, el teniente Arregui de la izquierda, diciéndote que cargues y dispares, que cargues y dispares, que cargues y dispares. Y el otro contacto real es la culata, el gatillo, la baqueta del fusil que te quema las manos al tocar el cañón donde hasta la bayoneta parece al rojo. Y entonces, de pronto, unos jinetes cosacos consiguen llegar hasta nuestra izquierda, hay fogonazos y alaridos y *chas-chas* de sablazos que dan en blando, la fila parece estremecerse por ese lado y el teniente Arregui ya no dice nada y no vuelves a oírlo más, el tambor de Luisillo deja de pronto de redoblar, y es García quien te dice ahora que cargues y dispares, en pie o rodilla en tierra, que cargues y dispares. Y después oyes su voz, un grito desgarrado y brutal ordenando al ataque a la bayoneta, vamos de una vez a terminar con esos ruskis de mierda. Y a tu lado notas que los compañeros, a los que tampoco ves, se mueven contigo, adelante, y aúllan vamos a por ellos a masticarles los hígados, cagüentodo, rediós y la Virgen santa, y aprietas fuerte el fusil con la bayoneta y corres entre la niebla oscura de la pólvora hasta tropezar con cuerpos de caballos y de hombres, unos inmóviles y otros agitándose cuando trepas por encima de ellos, cuando escalas el montón y distingues brillos de acero entre la humareda espesa, y percibes sombras que también gritan en otra lengua, y tú empiezas a clavar la bayoneta en todo cuanto se pone delante, *¡Vaspaña!, ¡Vaspaña!,* y nuevos fogonazos de pólvora te chamuscan la cara mientras sigues adelante entre patas de caballos y cuerpos de hombres que se debaten ante ti, *¡Vaspaña!, ¡Vaspaña!,* y entre golpe y golpe de bayoneta tienes la visión fugaz de la cara de un crío que te espera en alguna parte, de una silueta de mujer que llora mientras te vas del pueblo camino abajo, o el rostro de tu madre junto al fuego, cuando eras zagalico. *¡Vaspaña!* O a lo mejor esas imágenes no son tuyas, no te pertenecen a ti sino a la memoria de los hombres que tienes enfrente, y tú se las vas arrancando a tajos de bayoneta.

Por fin la niebla empieza a disiparse y sigues corriendo con la garganta en carne viva de gritar, y el cuerpo destrozado de fatiga, hasta llegar a la otra punta del pueblo. Entonces te apoyas en el pretil de un puente hacia el que convergen por ambos lados muchos jinetes con gran estruendo de cascos y trompetas. Y ya te dispones a levantar la bayoneta para acuchillarlos también y llevarte lo que puedas por delante antes de ir a Dios y descansar de una puñetera vez, cuando te das cuenta de que son coraceros y húsares franceses, de tu bando, si es que a estas alturas puedes todavía sentirte en bando alguno, y que te aclaman entusiasmados porque acabas de cruzar Sbodonovo de punta a punta, haciendo huir a cuatro regimientos rusos y aniquilando a dos escuadrones cosacos.

VIII. Confidencias en Santa Helena

Años más tarde, después de Rusia, Leipzig y Waterloo, en Santa Helena y a punto de palmarla, el Enano le confiaría a su fiel compañero de destierro, Les Cases, que en Sbodonovo se le apareció la Virgen. A ver si no cómo se lo explica uno, Les Cases: un batallón que ni siquiera es francés y cambia el signo de la batalla dándole a los rusos las suyas y las de un bombero, o sea, pasándose por la piedra de amolar toda una batería artillera de piezas de a doce y cuatro o cinco regimientos, príncipe Rudolfkovski incluido. Según sus últimos biógrafos, el Ilustre hacía estas confidencias mientras clavaba agujas en un muñequito de cera representando la efigie de su carcelero sir Hudson Lowe, el malvado inglés a quien el gobierno de Su Majestad Británica encomendó el confinamiento y liquidación, en aquel islote del Atlántico convertido en cárcel, del hombre que había pasado veinte años jugando a los bolos con las coronas de Europa. Allí, en las largas veladas invernales, rodeado por sus últimos fieles, el Petit Cabrón pasaba revista a los recuerdos gloriosos mientras Les Cases y Bertrand tomaban oporto y notas para la posteridad. Algunos de sus juicios arrojan luz sobre rincones oscuros de la Historia, o revelan facetas desconocidas de los personajes. Que si Wellington no era más que un sargento chusquero con mucha potra. Que si Fouché un trepa y un pelota, Talleyrand una rata de cloaca y Metternich un perfecto gilipollas. También rememoraba el Ilustre cuestiones más íntimas. Las piernas de Desirée, por ejemplo, Les Cases, aquello era gloria bendita, mujer de bandera, se lo dice uno que de banderas entiende un rato. Lástima que tuviese aquel marido, Bernadotte, al final se colocó bien, ¿verdad? Rey de Suecia, y eso que era un completo soplador de vidrio. Los hay con suerte. En cuanto al príncipe Fernando, el hijo de Carlos IV, menudo personaje, Bertrand. Mi mayor venganza tras la guerra de España fue devolvérselo a sus paisanos. ¿No queréis Fernando VII? Pues que os aproveche. ¿Sabe usted, Les Cases, que cuando lo tuve preso en Valençay tardé algún tiempo en averiguar su estatura *real* porque siempre entraba en mi despacho de rodillas...? Brillante muchacho, el tal Fernando. Creo que lleva fusilada a media España. ¿No gritaban *vivan las caenas?* Pues toma caenas. *La joya de la corona,* lo llamaba aquel tipo grande y simpaticote, ¿recuerda, Bertrand? Godoy, creo recordar. El que chuleaba a la madre.

Al llegar a este punto, recordando los años de gloria, el Enano miraba el fuego de la chimenea y después sonreía a sus últimos fieles. Sobre España recordaba haber leído algo una vez, mientras esperaba que su caballería polaca despejara Somosierra. Una traducción sobre el *Poema de Mio Cid,* o algo por el estilo, Les Cases, resulta difícil acordarse bien ahora, con lo que ha llovido desde Somosierra y aquel puntazo que se marcó Poniatowski, ¿recuerda?, sus jinetes cargando ladera arriba con los españoles cogidos de través y Madrid a un paso, creíamos que eso lo dejaba todo resuelto, y ya ve. En ese momento, el Ilustre se quedaba pensativo y suspiraba mirando la chimenea. España. Maldito el día que decidí meterme en semejante berenjenal. Eso ni era guerra ni era nada; una pesadilla es lo que era, con el calor y las moscas y aquellos frailes con canana y pistoleras, y los guerrilleros cazándonos correos en cada vereda, y cuatro baturros con una bota de vino y una guitarra descalabrándome a las tropas imperiales a las puertas de Zaragoza mientras los ingleses sacaban tajada como de costumbre. Cada vez que miro uno de esos grabados del tal Goya me vienen a la memoria aquellos desgraciados con sus ojos de desesperación, engañados por reyes, generales y ministros durante siglos de hambre y miseria, analfabetos e ingobernables, con su orgullo y su furia homicida como único patrimonio. ¡Aquellas navajas, Les Cases, que daba miedo verlas! Mis generales todavía tienen pesadillas en que salen esas navajas donde ponía *Viva mi dueño* y hacían siete veces *clac* al abrirse. Esos bárbaros heridos de muerte, cegados por su propia sangre, que aún buscaban a tientas las junturas del peto del coracero para meterle la hoja de dos palmos hasta las cachas y llevárselo por delante, con ellos, al infierno. En España metimos bien la gamba, Bertrand. Cometí el error de darles a esos fulanos lo único que les devuelve su dignidad y su orgullo: un enemigo contra el que unirse, una guerra salvaje, un objeto para desahogar su indignación y su rabia. En Rusia me venció el invierno, pero quien me venció en España fueron aquellos campesinos bajitos y morenos que nos escupían a la cara mientras los fusilábamos. Aquellos hijoputas me llevaron al huerto a base de bien, se lo aseguro. España es un país con muy mala leche.

En fin. Que allí, en Santa Helena, el Enano seguía haciendo memoria. A vueltas con los españoles y el Cid, la cita era algo del tipo «qué buen vasallo fuera si tuviese buen señor». Y es que hay que fastidiarse, Les Cases: a veces uno encuentra escritas verdades como puños. Una gente como aquella, que hasta las mujeres empujaban cañones y tiraban de navaja para degollar franceses, y fíjese qué gobernantes ha tenido durante toda su desgraciada historia. Mientras el futuro Fernando VII me lamía las botas en Valençay, sus compatriotas destripaban franceses en las guerrillas o tomaban Sbodonovo a puro huevo, como aquel batallón, ¿cuál era? El segundo del 326 de Línea. Hermosa jornada, Bertrand, vive Dios, a las puertas de Moscú. El último vuelo del águila. Aún me parece estar en la colina, respirando el humo de pólvora que subía del campo de batalla, etcétera —en este punto, el Enano torcía la boca en una mueca nostálgica, y las llamas de la chimenea agitaban en su rostro sombras parecidas a recuerdos—. Aquel olor a pólvora, Les Cases. No hay nada que huela igual. El olor de la gloria.

—¿Y sabe qué le digo, Les Cases? Que me quiten lo bailado.

En ese punto, con la imaginación, el Petit Cabrón se trasladaba de nuevo a la colina frente a Sbodonovo, con el campo de batalla extendido a sus pies, recién conquistada por Ney la granja en el vado del Vorosik y el pueblo en manos francesas por la tozudez de un pintoresco batallón de españoles, con todos los mariscales, generales y edecanes aplaudiendo la gesta en el Estado Mayor imperial, extraordinario, Sire, glorioso día y demás, felicitando al ilustre como si Sbodonovo lo hubiera tomado él personalmente y no cuatrocientos desgraciados actuando por su cuenta.

—Gran día, Sire.

—He-hermosa ge-gesta, Sire.

—Chupado, Sire. Ahora, tomar Moscú lo tenemos chupado.

Y batían palmas, plas-plas, mientras acudían los ordenanzas con champaña y todo el mariscalato y generalato del Imperio brindaba por la victoria de Sbodonovo haciéndole al Ilustre de claque. Alonsafán, Sire. El zar Alejandro está listo de papeles y cosas como ésa.

Entonces aparece Murat por la falda de la colina. Y las cosas como son: tarugo y fantasma sí que era un rato, el nota, con aquellos rizos y el aire de príncipe gitano vestido para una opereta, cargando a la izquierda en los ajustados pantalones de húsar y con los zarcillos de oro en las orejas, un chapero de lujo es lo que parecía aquella prenda del arte ecuestre. Pero entre él y Ney sumaban, a cada cual lo suyo, el mayor volumen de redaños por metro cuadrado de toda la *Grande Armée.* El caso es que estando los mariscales en plena celebración en torno al Petit, llega Murat negro de pólvora, con la pelliza hecha jirones, tres balazos agujereándole el dolmán y esa mirada que se les pone a los que acaban de echarse una carrera con el cuarto jinete del Apocalipsis, ya saben, uno se levanta y echa a correr, o espolea el caballo para cruzar los mil metros más largos de su vida, sin saber si llegará al final o van a picarle el billete a mitad de camino. El caso es que Murat había bajado a la boca del infierno y ahora estaba de regreso, con un manojo de banderas rusas como trofeo.

—Llegué, vi y vencí, Sire.

Murat no era exactamente lo que entendemos por un tipo modesto. En cuanto a erudición, nunca había ido más allá de deletrear, no sin esfuerzo, el *Manual Táctico de Caballería* del ejército francés, que tampoco era precisamente la *Crítica de la razón pura* de don Emmanuel Kant. «El arma básica de la Caballería —empezaba el manual— se divide en dos: caballo y jinete...», y así durante doscientas cincuenta páginas. Respecto a lo del llegué y vi, Murat se lo había apropiado de un libro de estampas de sus hijos, algo que un general griego, o tal vez fuera romano, había dicho frente a las murallas de Troya cuando aquella zorra dejó a su marido para escaparse con un tal Virgilio, después de meterse dentro de un caballo de madera. O viceversa. Murat estaba muy orgulloso de haber retenido esa frase, que con la de «Y sin embargo, se mueve», de aquel famoso *condottiero* florentino, el general Leonardo Da Vinci, inventor del cañón, constituían la cumbre de sus conocimientos sobre literatura castrense y de la otra.

El caso es que Murat llegó a la cima de la colina, arrojó a los pies del Enano la media docena de banderas rusas que sus húsares y coraceros habían recolectado del campo de batalla tras la feroz carga del 326 de Línea, y dijo aquello de llegué, vi, etcétera, con los generales y mariscales mordiéndose de envidia las charreteras mientras lo criticaban por lo bajini, no te fastidia, Duroc, el niño bonito de las narices. Cualquiera diría que ha ganado la guerra él solo, total por darse una vuelta a caballo por el campo de batalla, cuando eso lo hace cualquier imbécil. Peste de tiempos, Morand, ya va siendo hora de que la Historia aprecie el esfuerzo intelectual que hacemos los del Estado Mayor, parece que en la guerra lo único importante sea ir de un lado a otro pegando tiros como un vulgar cabo furriel. Y encima va y hace frases, el tío, llegó y vio, dice, menudo enchufe tiene ese cabrón. Me pregunto qué le habrá visto el Ilustre para darle tanto cuartelillo. A lo mejor es que, guapo y con ese culo tan ceñido... Usted ya me entiende, Lafleur, aunque no creo yo que el Ilustre navegue a vela y vapor a estas alturas: me fijé en la dama rusa que le mamporreó usted anoche en el vivac, sí, aquella de las tetas grandes que disfrazó de oficial de coraceros para meterla de matute en su tienda. Muy bueno lo de la coraza, Lafleur, je, je. Muy logrado. Todos nos percatamos de que le venía un poco justa. En fin, que ahí tiene usted a Murat, triunfando con sus rizos y sus banderas y sus *veni, vidi, vici.* Lástima que los artilleros rusos no le hayan hecho la raya en medio con una granada del doce.

Mientras los mariscales intercambiaban *sotto voce* tales muestras de camaradería militar, Murat desmontaba e iba, contoneándose, a cuadrarse ante el Enano.

—Misión cumplida, Sire.

—Me alegro, Murat. Buen trabajo. Glorioso hecho de armas. Una carga heroica y todo eso.

—Gracias, Sire.

El Petit se colocó el catalejo bajo la ceja izquierda para echarle otro vistazo a Sbodonovo. Desde la granja del vado del Vorosik la división de Ney avanzaba, por fin, tras el hundimiento del flanco izquierdo ruso. Al otro lado del río, por la carretera de Moscú, las masas de infantería del zar se retiraban en desorden, hostigadas por la caballería ligera francesa, mientras en las afueras del pueblo, junto al puente, se concentraban las minúsculas manchitas azules del 326 de Línea tras su increíble carga a la bayoneta. Aquello era una victoria más imponente que la de Samotracia. Satisfecho, el Ilustre esbozó media sonrisa, le pasó al mariscal Lafleur el catalejo y, abriéndose el capote de cazadores de la Guardia, introdujo una mano entre los botones del chaleco.

—Cuéntemelo, Murat. Despacito y sin aturullarse, ya sabe. Sujeto, verbo y predicado.

Murat enarcó con dificultad una ceja y se puso a contar. Lo nunca visto, Sire. Toque de carga, mil doscientos jinetes tararí-tararí, o sea, indescriptible, o sea. Y en esto que llegamos junto a los cuatrocientos españoles del 326 justo cuando están a pocas varas de los cañones rusos, o sea, como quien dice, Sire, y resulta de que. Dispuestos a echárseles encima a puro huevo, Sire, supongo que capta el tono del asunto. Bueno, el caso es que cargamos vitoreándolos por su valor, y ellos nos miran con cara de sorpresa, o sea. Parecían incluso indignados, como si mismamente fuéramos a joderles la marrana. No sé si me explico.

—Se explica, Murat. Con cierta dificultad, como de costumbre. Pero se explica. Prosiga.

Y Murat prosigue narrando con su proverbial fluidez, o sea, Sire, los del 326 no esperaban ningún tipo de ayuda, o sea, dispuestos como estaban a hacer todo el trabajo con sus propias bayonetas. Así, tal cual. Por la cara. Mismamente como si fueran autómatas, Sire.

—Autónomos, Murat —corrigió el Enano.

—Bueno, Sire. Autónomos o como se diga. El caso es de que algunos incluso nos insultaban, Sire. «Hijoputas», decían, «qué hacéis aquí. A ver quién os ha dado vela en este entierro».

El Petit hizo un gesto augusto y comprensivo.

—Es lógico, Murat. Ya sabe lo quisquillosos que son los españoles. Honor y demás. Sin duda querían toda la gloria para ellos solos.

—Será eso, Sire —el Rizos fruncía el ceño, no muy convencido—. Porque nos llamaron de todo, o sea, de todo. Y nos hacían cortes de mangas, tal que así, con perdón, Sire. O sea. Algunos mismamente nos apuntaron con sus fusiles, como dudando si pegarnos un tiro.

Nueva sonrisa del Enano, a quien las victorias lo volvían de un indulgente que daba asco:

—Ahí los reconozco, Murat. Sangre fogosa. La furia española.

Murat asintió sin demasiado entusiasmo. Sus recuerdos sobre la furia española databan del 2 de mayo de 1808, jornada que vivió como gobernador militar de Madrid y que con gusto habría cambiado, a ciegas, por una jornada como gobernador militar en Papúa-Nueva Guinea. Por un momento recordó a las majas y chisperos metiéndose entre las patas de los caballos, las viejas tirándole macetas desde los balcones, los chuloputas y los jaques de los barrios bajos convergiendo hacia la Puerta del Sol con aquellas navajas enormes empalmadas, listos para acuchillar a sus mamelucos y coraceros. Fue muy comentado el caso de media docena de granaderos libres de servicio que no se habían enterado del alzamiento ni de nada, los infelices, y seguían tranquilamente sentados a la puerta de una tasca de Lavapiés, bebiendo limonada y diciéndole piropos a la cantinera, cosas del tipo guapa espagnola, si tu quegueg yo te hagué muy feliz y todo eso. Con la que se había liado por la ciudad y ellos allí, practicando idiomas. Hasta que de pronto vieron doblar la esquina a unos quinientos mil paisanos indignados llevando en brazos el cuerpo de una tal Manolita Malasaña. Cuando, un par de horas después, los compañeros de los granaderos fueron en su busca, los trozos más grandes que pudieron localizar consistían en doce criadillas ensartadas con un espetón en la puerta de la tasca. Sí. A Murat iban a contarle lo que era la furia española.

—El caso, Sire —continuó— es que cargamos con ellos contra los cañones, o sea, de aquella manera, y después, cuando yo reagrupaba a mis jinetes, siguieron corriendo a su aire hacia el pueblo, mismamente detrás de los rusos, y lo cruzaron de punta a punta, tal que así, enrollando a dos escuadrones de caballería cosaca.

—Arrollando, Murat.

—Bueno, Sire. Arrollando o enrollando, el caso es de que a los rusos se los pasaron por la piedra. Fue, o sea... —el Rizos frunció de nuevo el entrecejo, buscando una frase que resumiera gráficamente el espectáculo—. Fue osmérico.

—¿Osmérico?

—Sí. Ya sabéis, Sire: Osmero. Aquel general tuerto que conquistó Troya. El de los elefantes.

IX. Una noche en el Kremlin

El 15 de septiembre de 1812, en la vanguardia de las tropas francesas que entraron en Moscú, íbamos marcando el paso los supervivientes del segundo batallón del 326 de Infantería de Línea, a esas alturas menos de trescientos hombres en razonable estado de salud. El resto se había quedado por el camino, de Dinamarca al campo de prisioneros de Hamburgo, de allí a Vitebsk y Smolensko, y después Valutina y Borodino, con parada y fonda en las baterías rusas y la calle principal de Sbodonovo. La noche anterior la habíamos pasado a orillas del Vorosik, vendando nuestras heridas y enterrando a nuestros muertos, que eran unos cuantos; aproximadamente uno de cada cuatro, pues con tanto raaas-zaca y bang-bang, los cañones rusos y luego los cosacos en la calle principal nos habían dado también lo suyo antes de que los mandáramos a criar malvas. Todavía impresionado por el asunto, el Enano nos había hecho enviar un centenar de botellas de vodka de su tren de campaña personal para felicitarnos por la heroica gesta: cuídeme a esos valientes, Lafleur, antes de que los condecore personalmente en la plaza del Kremlin, ya sabe, dígales de mi parte que olé sus cojones y todo eso. Así que el mariscal Lafleur vino personalmente a traernos el vodka —«bgavos espagnoles, el Empegadog y la Patgia están oggullosos de vosotgos»—, mientras nos cachondeábamos entre las filas, aún tiznados de pólvora, la Patria dice aquí, mi primo, a ver a qué patria se refiere. Y a todo esto sin enterarse todavía de que la intención de los bgavos espagnoles era darse el piro, o sea, abrirnos. Así que dígale a la Madre Patria que me agarre de aquí, mi mariscal, silvuplé. Y es que hay que ser gabacho, o sea, gilipollas.

En fin. El caso es que al menos el vodka era vodka y que, como nos dijo el capitán García en cuanto Lafleur se quitó de en medio, al mal tiempo buena cara, hijos míos, de momento parece que somos héroes, así que paciencia y a barajar. Ya desertaremos más adelante. Entonces nos quitamos el gusto a pólvora de la boca despachando las cien botellas del Ilustre a la luz de las fogatas. Al beber nos mirábamos unos a otros el careto en silencio, mientras Pedro el cordobés pulsaba las cuerdas de su guitarra, por bulerías.

—Por lo menos —resumió el capitán, que se atizaba unos lingotazos de vodka horrorosos— seguimos vivos.

Era evidente. Seguíamos vivos todos, menos los muertos. Lo peor era que en Sbodonovo habíamos estado a punto de largarnos, y hubiéramos logrado desertar de no ser por la carga de caballería del Petit Cabrón. Como decía el fusilero Mínguez, un gaditano de San Fernando con más pluma que el sombrero de Murat, el Rizos podía haber ido a socorrer a la madre que lo parió, la muy zorra, con todos sus apuestos húsares y coraceros y toda la parafernalia, a un palmo habíamos estado de librarnos de los franchutes y mira, allí seguíamos pintándola, con más mili por delante que el cabo Machichaco. Nos habían jodido Murat y mayo con las flores.

Mínguez hacía estas reflexiones mientras nos zurcía los desgarrones de metralla en las casacas. Tenía buena mano para la aguja y el hilo, y le encantaba echarle una mano al cocinero con el rancho. Era de los veteranos del regimiento de Villaviciosa, alistado voluntario para ir a Dinamarca.

—Con ese nombre, me dije, *Villaviciosa,* tiene que ser un regimiento de lo más guarro.

Mínguez era muy maricón, pero en combate se volvía bravo como una fiera. Amaba en secreto al capitán García, aunque el suyo era un secreto a voces, y en cuanto empezaban los tiros procuraba situarse cerca, bayoneta en mano, dispuesto a defenderlo hasta la muerte como un tigre de Bengala, quítese de ahí, mi capitán, que van a darle un tiro, por Dios, al ruso que se acerque le saco los ojos. En Sbodonovo, Mínguez se había multiplicado alrededor del capitán, disparando, cargando el fusil, asestando bayonetazos a diestro y siniestro. Cuidado con ése, mi capitán, toma escopetazo, ruso malvado. Cúbrase, mi capitán, que me lo van a desgraciar. Nada, ni caso. Qué cruz de hombre. Así, a lo tonto, Mínguez se había cargado él solo a una docena de cosacos. Al terminar la batalla le chorreaba la sangre por la bayoneta y el cañón del fusil, hasta los codos.

—Lástima de cosacos —se lamentaba después, junto al fuego, mientras zurcía la casaca del capitán—. Ya me hubiera gustado verlos más de cerca, con esas barbazas y tan peludos, los salvajes.

Y le sonreía respetuosamente al capitán, que se dejaba querer, bonachón, porque el fusilero Mínguez era buena persona y nunca se pasaba de la raya. El caso es que aquella noche, a orillas del Vorosik, la guitarra de Pedro el cordobés y el vodka del Petit Cabrón fueron nuestra compañía bajo el cielo de Rusia, mientras los muertos se enfriaban alrededor, descansando por fin en paz, y los vivos rumiábamos en silencio nuestra nostalgia de España y nuestras desgracias. Y al día siguiente, con la casaca zurcida por el fusilero Mínguez, el pequeño y duro capitán García entró en Moscú a la cabeza del 326 de Línea, o sea, nosotros.

La verdad es que fue una entrada con mal pie, sin vítores ni gente mirándonos. El ejército enemigo, mandado por Kutusov, se había retirado con casi toda la población civil, y nuestras botas remendadas sonaban en las calles desiertas, donde sólo el graznar de cientos de cuervos y grajos negros que revoloteaban por los tejados saludó a las victoriosas águilas napoleónicas. Así fuimos adentrándonos en la ciudad, fusil al hombro, preguntándonos adónde iba a llevarnos todo aquello. De momento nos llevó hasta una explanada a orillas del Moskova y junto al Kremlin, entre torres antiguas y cúpulas de iglesias doradas, donde tras las formalidades de rigor el Enano tomó posesión del asunto, muy cabreado porque todos los moscovitas se habían abierto con el ejército ruso y allí dentro no quedaba nadie a quien impresionar con el despliegue, o sea que nos han jorobado el número, Labraguette, ese Kutusov me la ha jugado, esperaba conquistar una ciudad llena de gente y me entregan otra vacía, como si hubiera pasado por aquí la peste negra. Menudos hijoputas, los ruskis.

—Por lo menos la han dejado intacta —apuntó el general Donzet, siempre oportuno—. Imaginaos si le hubieran prendido fuego, Sire.

El caso es que, con moscovitas o sin ellos, el Ilustre no estaba dispuesto a que le chafasen su parada militar. Así que se nos ordenó formar en la explanada del Kremlin, banderas al viento y demás, con los generales franchutes pasándonos revista para comprobar si estábamos en condiciones de comparecer ante el Petit Cabrón, a ver, cepíllense un poco las botas, saquen pecho, esos chacós erguidos, capitán, qué coño de soldados tiene usted aquí. ¿Cómo dice? Ah, sí, los españoles del 326. Ya veo. Pero que sean ustedes los héroes de Sbodonovo no es excusa para que vayan con esa pinta, las casacas desabrochadas y sin afeitar. El Emperador estará muy impresionado con su bravura y todo lo que quieran, pero como no se aseen un poco les vamos a meter un paquete que se van a cagar por la pata abajo. Así que de frente, ar. Uno dos, up aro, uno dos, up aro. Alto. Fiiiir-mes. Así me gusta, capitán. Disciplina, eso es lo que ustedes necesitan. Mucha disciplina. A ver qué se han creído, aquí, los héroes.

—A mí me la van a dar estos salvajes, Leclerc. A mí, que perdí un primo segundo en Zaragoza y un cuñado en Bailén.

En eso, trompetas y clarines, vista a la derecha y todo lo demás, y el Enano que aparece pasando revista escoltado por los granaderos de la Vieja Guardia, magnífico día, Murat, a ver dónde tiene a esos valientes muchachos. Y todo el gallinero emplumado del Ilustre y compañía que se acerca al 326, oh, mais oui, son éstos, Sire, quién lo iba a decir, tan bajitos y con esas pintas infames, si no lo veo no lo creo, cuántos rusos dice usted que se cargaron en Sbodonovo. Y el capitán García que nos grita presenten armas y se cuadra saludando con el sable, pequeño y moreno con sus patillas de boca de hacha tapándole media cara, diciéndonos entre dientes poned cara de soldados, hijos míos, que no se os note mucho de qué vais. Más vale ser héroes a la fuerza que fusilados por sorteo, uno de cada dos, como aquellos compañeros a los que les echaron el guante en Vitebsk. Y a todo esto el Enano que se para ante García y lo mira de arriba abajo, con una mano entre los botones del chaleco y otra en la espalda, como en las estampas.

—Dígame su nombre, capitán.

—García, mi general. Ejem. Eminencia. Sire.

—A ver, Labraguette. Acérqueme una de esas legiones de honor que tengo reservadas para los valientes.

Sonaron redobles de tambores y un par de toques de corneta, a ver esas condecoraciones que son para hoy, pero las susodichas no aparecían por ninguna parte. El Enano despachó a Labraguette a hacer averiguaciones, y lo vimos regresar al cabo, más corrido que una mona, deshaciéndose en excusas. Las le-legiones de honor se habían pe-perdido en el campo de batalla de Sbodonovo, Sire. Una caja entera, nu-nuevecitas, en el fondo del río. Imperdonable descuido y de-demás.

El Petit fruncía el imperial ceño.

—No importa. Déme la suya.

—¿Perdón?

—Su legión de honor. Démela para este bravo capitán. A usted ya le buscaré otra cuando volvamos a París —el Petit miró la ciudad desierta a su alrededor y pareció estremecerse bajo el capote gris marengo—... Si volvemos.

Labraguette y los mariscales rieron aquello como si fuera una gracia, jé, jé, Sire, muy bueno el chiste. Siempre tan agudo. Pero el Enano miraba a los ojos del capitán García, y éste nunca estuvo muy seguro de si aquella vez, en la plaza del Kremlin, el Enano hablaba en broma o hablaba en serio. El caso es que después de colgarle al cuello la cruz, el Petit pasó entre nuestras filas estrechando algunas manos, bien hecho, muchachos, estoy orgulloso de vosotros. Os vi desde la colina. Algo magnífico. Francia os lo agradece y todo eso.

—¿De dónde eres, hijo?

—De Lepe, Zire.

Después hubo unos trompetazos más, redoble de tambores, y el Ilustre se retiró a ocuparse de sus cosas, no sin antes volverse a su Estado Mayor, tome nota, Labraguette, paga doble para el 326, déjenlos saquear un rato la ciudad con el resto de la tropa, y esta noche los quiero de guardia de honor en el Kremlin. Viva Francia y rompan filas. Ar.

Así que nos fuimos a dar una vuelta por Moscú y practicar un poco el pillaje, que a esas horas estaba siendo ejercido con entusiasmo por todo el ejército franchute. En la ciudad habían quedado pocos civiles, pero suficientes para que algunos soldados encontrasen rusas a las que violar, con lo que, bueno, se produjeron ciertas escenas poco agradables, de esas que nunca se mencionan en los heroicos partes de guerra militares. En cuanto al 326, después de pasar en Sbodonovo por la máquina de picar carne, no estábamos en condiciones de violar a nadie. Además, seguíamos dispuestos a largarnos a las primeras de cambio, y tampoco era conveniente dejar mal cartel entre los ruskis, que para eso de las violaciones tienen tan buena memoria como el que más. Así que, a renglón seguido de que el capitán García le rompiera la mandíbula de un puñetazo a Emilio el navarro, que intentó propasarse con una mujer en la calle Nikitskaia, todos nos conformamos con vodka, comida y echar mano a vajillas de plata y cosas de esas, incluido un cofre de monedas de oro que descubrimos en casa de un comerciante tras hacerle, durante un rato, cosquillas con las bayonetas. Nos encaminamos al Kremlin al atardecer, cargados de botín, con gorros y abrigos de piel, piezas de seda e iconos de plata. Todos sabíamos que tendríamos que abandonar aquello si lográbamos salir por pies y pasarnos por fin a los rusos, pero hicimos buena provisión, por si acaso. Y durante unas pocas horas, infelices de nosotros, fuimos los soldados más ricos de Europa.

Esa noche montamos guardia en las murallas exteriores del recinto sagrado, en el corazón del imperio ruso, lo que a tales alturas del asunto nos impresionaba un carajo de la vela, mi capitán, para impresión la de los cañones ruskis dándonos cera en Sbodonovo, o los dos escuadrones cosacos cargándonos por las bravas en la calle principal. Después de eso, tanto nos daba estar en el Kremlin o en el Vaticano. El caso es que, impresionados o no, cumplimos el honor que nos dispensaba el Ilustre asomados a las murallas, escuchando los cantos y la juerga de los franchutes que iban con antorchas de un lado para otro por la ciudad desierta. De vez en cuando llegaban hasta nosotros ruido de tiros aislados, carcajadas o el grito de una mujer.

A eso de la medianoche, el capitán García estaba apoyado en las almenas que daban a la ciudad vieja, encendiendo una tagarnina que había encontrado el día anterior en los bolsillos de un oficial de cosacos muerto. Sonaba en la oscuridad la guitarra de Pedro el cordobés, y alguien, uno de los centinelas inmóviles como sombras negras, tarareaba entre dientes una copla. Algo de una niña que espera y un hombre que está lejos, huido a la sierra. En esto García oyó unos pasos y, cuando se disponía a preguntar alto quién vive, santo y seña y toda esa jerga que suele barajarse antes de descerrajar un tiro, apareció el Enano en persona. Iba envuelto en su capote gris, inconfundible a pesar de la oscuridad. No había nadie tan bajito ni con un sombrero tan enorme en toda la *Grande Armée.*

—Buenas noches, capitán.

—A sus órdenes, Sire —García, cortadísimo, se cuadraba con un taconazo—. Sin novedad en la guardia.

—Ya veo —el Ilustre se apoyó en la muralla, a su lado—. Descanse. Y puede seguir fumando.

—Gracias, Sire.

Estuvieron un rato inmóviles los dos, el uno junto al otro, escuchando la guitarra del cordobés y la copla del centinela. García, que no las tenía todas consigo, observaba de reojo el perfil del Ilustre, iluminado apenas desde abajo por una hoguera que ardía al pie de la muralla. A quien le digan, pensaba, que estoy a dos palmos del fulano que tiene en el bolsillo a media Europa y acojonada a la otra media. Instintivamente rozó la culata de la pistola que llevaba al cinto, imaginando lo que ocurriría si le soltaba un tiro al Petit Cabrón así, por las buenas. ¿Qué dirían los libros de Historia...? *Napoleón Bonaparte, nacido en Córcega, muerto en las murallas del Kremlin por un capitán español. Véase Capitán García...* Y en la letra G: *García, Roque. Capitán de infantería. Mató a Napoleón de un pistoletazo en las murallas del Kremlin. Eso aceleró la liberación de España, pero García no estaba allí para disfrutar del asunto. Juzgado sumariamente por un tribunal militar francés, fue fusilado al amanecer...* Con un suspiro, el capitán apartó la mano de la culata. Figurar en los libros de Historia no era la pasión de su vida.

—¿Por qué lo hicieron, capitán?

Sobresaltado, García tragó saliva.

—¿Por qué hicimos qué, Sire?

—Aquello de Sbodonovo, ya sabe —el Enano hizo una pausa y al capitán le pareció que reía quedamente, en la penumbra—. Avanzar así hacia el enemigo.

García tragó más saliva mientras se rascaba el cogote, indeciso. Más tarde, al contarnos el episodio, confesaría que hubiera preferido hallarse otra vez frente a los cañones rusos que allí, intimando con la realeza imperial. Por qué lo hicimos, preguntaba el Petit Cabrón. Sin embargo, unos cuantos porqués sí tenía nuestro capitán en la punta de la lengua. Por ejemplo: porque pretendíamos largarnos y se nos fastidió el invento, Sire. Porque ya está bien de tanta gloria y tanta murga, tenemos gloria para dar y tomar, gloria por un tubo, Sire. Porque esto de la campaña de Rusia es una encerrona infame, Sire. Porque a estas horas tendríamos que estar en España, con nuestros paisanos y nuestras familias, en vez de estar metidos hasta las cejas en esta puñetera mierda, Sire. Porque la Frans nos la trae floja y Vuecencia nos la refanfinfla, Sire.

Eso es lo que tenía que haberle dicho el capitán García al Ilustre aquella noche en la muralla del Kremlin, con lo que nos hubieran fusilado a todos en el acto y santas pascuas, ahorrándonos la retirada de Rusia que nos esperaba días más tarde. Pero no se lo dijo, por las mismas razones que momentos antes le impidieron pegarle un tiro. Se limitó a dar una fuerte chupada a la tagarnina y dijo:

—No había otro sitio a donde ir, Sire.

Sobrevino un silencio. Entonces el Enano se volvió despacio a nuestro capitán, y en ese momento alguien avivó la hoguera de abajo y el resplandor iluminó un poco más el rostro de los dos hombres. Y el Ilustre sonreía a medias, entre irónico y comprensivo, como el viejo zorro que les da cuartelillo a las gallinas del corral. García sostuvo aquella sonrisa y la mirada del Ilustre sin apartar la vista ni pestañear, porque el capitán, a pesar de ser un pobre desgraciado como todos nosotros, era de Soria y tenía lo que hay que tener, y porque tanto él como el Petit, en el fondo, eran soldados profesionales y se estaban entendiendo sin palabras.

—Se dio cuenta —nos diría el capitán, más tarde—. Ese tío sabía que en Sbodonovo nos quisimos largar. Se dio cuenta pero le importa un carajo... Su instinto le dice que la *Grande Armée* tiene los días contados, y ni él mismo está seguro de salir bien de ésta.

Eso es lo que nos contó García. De una u otra forma, lo cierto es que al Enano debió de gustarle lo que había en los ojos de nuestro capitán, porque éste observó que le echaba un vistazo al cuello de la casaca, de donde García se había quitado por la tarde la legión de honor, y no hizo ningún comentario, sino que acentuó su extraña media sonrisa.

—Comprendo —se limitó a decir.

Y dando media vuelta, hizo ademán de alejarse. Pero a los dos pasos se detuvo, como si hubiese olvidado algo.

—¿Hay algo que pueda hacer por usted, capitán? —preguntó sin volverse.

García se encogió de hombros, consciente de que el Ilustre no podía ver su gesto:

—Mantenerme vivo, Sire.

Hubo un largo silencio. Después, la espalda del Petit Cabrón se movió imperceptiblemente.

—Eso no está en mi mano, capitán. Buenas noches.

Y el emperador de Francia se alejó lentamente por la muralla.

García lo estuvo mirando hasta que desapareció entre las sombras. Después se encogió de hombros por segunda vez. La tagarnina se había apagado, así que fue al resguardo de la almena para encender el chisquero. Entonces se dio cuenta de que la guitarra de Pedro el cordobés se había interrumpido y el centinela ya no cantaba su copla. Se asomó a la muralla, inquieto, y entonces vio el resplandor rojo que crecía en la zona este de la ciudad.

Moscú estaba en llamas.

X. El puente del Beresina

Fue un largo camino y una larga agonía. El 326 se había ido diluyendo a retaguardia en el barro, la nieve y la sangre desde aquella noche del incendio, cuando el capitán García cambió unas palabras con el Enano en las murallas del Kremlin. Incapaz de sostenerse en la ciudad, con el invierno encima, el Ilustre convocó a sus mariscales y generales para tocar retirada, o sea, caballeros, a casita que llueve. Y empezó el viacrucis: trescientos mil hombres iban a quedarse en el camino, jalonando aquella tragedia con nombres de resonancia bárbara: Winkowo, Jaroslawetz, Wiasma, Krasnoe, Beresina... Columnas de rezagados, combates a quemarropa en la nieve, hordas cosacas acuchillando a espectros en retirada demasiado embrutecidos por el frío, el hambre y el sufrimiento para oponer resistencia, así que puede irse usted directamente al carajo, mi coronel, no pienso dar un paso más, etcétera. Batallones exterminados sin piedad, pueblos ardiendo, animales sacrificados para comer su carne cruda, compañías enteras que se tendían exhaustas en la nieve y ya no despertaban jamás. Y mientras caminábamos sobre los ríos helados, envueltos en harapos, arrancando las ropas a los muertos, pasando junto a hombres sentados inmóviles y rígidos, con los copos de nieve cubriéndolos lentamente como estatuas blancas, el aullido de los lobos nos seguía a retaguardia, cebándose con los cuerpos que dejábamos atrás en la retirada. ¿Se imaginan el panorama...? No, no creo que puedan. Hay que haber estado allí para imaginar eso.

Un tercio de los soldados de la *Grande Armée* no éramos franceses, sino españoles, alemanes, italianos, holandeses, polacos, enrolados de grado o por fuerza en la empresa imperial. Algunos afortunados consiguieron largarse. Muchos compatriotas del regimiento José Napoleón lograron escabullirse en la retirada y terminaron alistados en el ejército ruso, donde con el tiempo tuvieron ocasión de devolverles ojo por ojo a los antiguos aliados gabachos. Emotivos diálogos del tipo hola, Dupont, qué sorpresa. ¿Te suena mi cara? Sí, hombre. Yo soy Jenaro el de Vitebsk, cómo no te vas a acordar, si cuando intentamos desertar y tú eras coronel ordenaste fusilar a uno de cada dos, haz memoria: uno, dos, bang, uno, dos, bang. Fue muy ingenioso, Dupont, de verdad. Todavía me estoy descojonando de risa. Y aquí me tienes ahora, al final lo hice, de sargento ruso a pesar de este acento malagueño mío que no se puede aguantar. Las vueltas que da la vida, Dupont, camarada, cómo lo ves. Mira, de momento te voy a rebanar los huevos despacito, en recuerdo de los viejos tiempos, sin prisas. Tenemos todo el invierno por delante.

Eso los que tuvieron suerte. Otros desaparecieron por las buenas, perdido su rastro para siempre entre los fugitivos, los rezagados y los muertos; cayeron prisioneros o fueron fusilados por los franchutes en los primeros momentos del desastre, cuando aún se intentaba mantener cierta apariencia de disciplina. En cuanto al 326 de Línea, los azares del destino y de la guerra nos impidieron repetir el intento de deserción en los primeros momentos de la retirada. Después, cuando todo empezó a desmoronarse y aquello se convirtió en una merienda de negros, los merodeadores rusos, la caballería cosaca y el odio de la población civil que dejábamos atrás desaconsejaban alejarnos del grueso del ejército. En nuestra misma división, los supervivientes de un batallón italiano que intentó entregarse a los ruskis fueron degollados, desde el comandante al corneta, sin darles tiempo a ofrecer explicaciones, o sea, ni *ochichornia tovarich* ni espaguetis en vinagre. Italiani degollati. Tutti. Vete a andarle con sutilezas a un cosaco.

Una vez, en el camino de Kaluga, creímos llegada la ocasión. Llovía a mantas como si se hubieran abierto de golpe todas las compuertas del cielo, ríos de agua repiqueteando en los charcos y el barro del camino donde nos hundíamos hasta los tobillos. El día anterior habíamos intercambiado disparos con infantería ligera rusa que se movía por nuestro flanco, e hicimos algunos prisioneros; así que, aprovechando la lluvia y la confusión de la jornada, al capitán García se le ocurrió utilizarlos para que aclarasen el asunto a sus compatriotas y éstos nos recibieran con los brazos abiertos en vez de a tiros. García convocó a dos de los prisioneros, un comandante y un teniente joven, y les explicó nuestro plan.

—Aquí todos *tovarich*, y los franzuskis a tomar por saco. ¿Me explico?

Los Iván dijeron que sí, que vale, que de acuerdo, y nos pusimos en marcha bajo la lluvia, por el camino que conducía a través de un bosque espeso y embarrado. Todo fue de maravilla hasta que se nos acabó la suerte, y en lugar de encontrarnos con tropas regulares rusas topamos de boca con una horda de caballería cosaca que no dio tiempo ni a gritar nos rendimos. Cargaron por todos lados aullando hurras como salvajes, con los caballos chapoteando en el barro. Al comandante ruso se lo cepillaron a las primeras de cambio, en el barullo, justo cuando abría la boca para decir hola. En cuanto al teniente, salió por piernas y no volvimos a verlo más. Aquello terminó en un sucio combate entre los árboles, ya saben, pistoletazos a bocajarro y sablazos, bang-bang y zas-zas dale que te pego, con los ruskis yendo y viniendo mientras nos ensartaban con aquellas jodidas lanzas suyas tan largas. El caso es que perdimos veinte hombres en la escaramuza, y salvamos la piel porque unos húsares que andaban cerca acudieron a echarnos una mano y pusieron en fuga a los Iván.

—Hay que joderse, François. En toda esta puta guerra nunca me he alegrado tanto de verle el careto a un gabacho como hoy a ti.

—¿Pardón? ¿Quesque-vou-dit?

—Nada, colega. Olvídalo.

En fin. Ya fuera por casualidad, o bien porque los húsares viesen algo extraño en la situación y transmitieran sus sospechas, a partir de entonces nos vimos mucho más vigilados. Dejaron de asignarnos misiones que nos alejaran del grueso de la tropa, y al 326 se le mantenía siempre entre otras unidades gabachas, imposibilitando cualquier nuevo intento de pasarnos al enemigo.

Después vino la nieve, y el hielo, y el desastre. Los trescientos y pico españoles que habíamos salido de Moscú con el 326 quedamos reducidos a la mitad entre Smolensko y el Beresina. Cada amanecer, el capitán García, con un gorro cosaco de piel en la cabeza y estalactitas de escarcha en las patillas y el bigote, nos levantaba a patadas del suelo helado, arriba, joder, en pie, maldita sea vuestra estampa, idiotas, si os quedáis ahí estaréis muertos dentro de un par de horas, oíd cómo aúllan los lobos oliendo el desayuno. Arriba de una vez, pandilla de inútiles, aunque sea a patadas en el culo tengo que devolveros a España. Algunos, sin embargo, ya no se levantaban, y García, vencido, sorbiéndose lágrimas de impotencia y rabia que se le helaban en la cara, ordenaba coged los fusiles y vámonos de aquí, y la tropa se ponía en marcha sobre la llanura helada por la que soplaba un viento frío como la muerte, dejando atrás, cada vez, cuatro o cinco bultos inmóviles en la nieve. Caminábamos apiñados, inclinados hacia adelante, entornados los ojos para no quedar cegados por el resplandor blanco que nos quemaba los párpados. Y al rato escuchábamos a los lobos aullar de placer, disfrutando el festín que les abandonábamos a nuestra espalda. Se habían vuelto tan sibaritas y había tanto donde elegir que ya no jalaban sino de suboficial para arriba.

Una vez, la última que lo vimos, llegó el Enano cabalgando junto a nosotros. Ya nadie en lo que quedaba del ejército franchute levantaba el chacó para gritar viva el Emperador y todo eso, sino que se le acogía en todas partes con un hosco silencio. Los del 326 estábamos en un pueblo quemado hasta los cimientos, buscando inútilmente algo de comida entre los tizones que negreaban en la nieve, cuando apareció con varios oficiales de su Estado Mayor y una escolta de la Guardia. Ya no estaban allí el mariscal Lafleur ni el general Labraguette: el primero cayó prisionero de los rusos en Mojaisk, y el segundo había tartamudeado un último «po-podéis iros a la mi-mierda, Sire», antes de salir de la fila, sentarse bajo un abedul y saltarse la tapa de los sesos de un pistoletazo. El caso es que el Enano se dejó caer por allí, junto a aquel pueblo calcinado, y le preguntó al capitán García cómo se llamaba el lugar. Por supuesto que no reconoció al 326. Había pasado mucho tiempo desde Sbodonovo y la muralla del Kremlin, y además a García o a cualquiera de los que seguíamos vivos no nos hubiera reconocido en ese momento ni la santa madre que nos parió. El asunto es que García se quedó mirando al Petit Cabrón sin responder, allí de pie en el suelo helado, pequeño y cetrino con su gorro de cosaco y sus bigotes blancos de escarcha.

—¿No has oído la pregunta, soldado? —insistió el Enano.

García se encogió de hombros. Los que estaban cerca de él juran que reía entre dientes.

—No sé cómo se llama el pueblo —dijo—. Ni lo sé ni me importa.

No añadió Sire ni Vuecencias en vinagre. Lo que hizo fue sacar del bolsillo su legión de honor, aquella que el Ilustre le había colgado al cuello en el Kremlin, y arrojarla a sus pies, sobre la nieve. Un coronel de la Guardia hizo ademán de sacar el sable de la vaina, pero el Enano lo detuvo con un gesto. Miraba a nuestro capitán como si su rostro le fuera familiar, esforzándose inútilmente por reconocerlo, hasta que al fin se dio por vencido, volvió grupas y se alejó con su escolta.

—Hijo de la gran puta —dijo García entre dientes, mientras el Petit Cabrón salía para siempre de nuestras vidas. Y ése fue su último parte de guerra.

Proseguimos la marcha hacia el oeste. Ya apenas quedaban caballos. Algunos regimientos se reducían a unas docenas de hombres, y los mariscales y generales caminaban a pie, como la tropa, empuñando el fusil para defenderse del merodeo de los cosacos: es terrible, Duchamp, parbleu, dos mariscales de Francia como somos usted y yo, y aquí estamos, a pie y con nuestro currículum, codeándonos con la soldadesca, imagine qué dirían en Fontainebleau si nos vieran con esta pinta. Se ha salido de madre el invento, Duchamp, se lo digo yo. Bien nos la endiñó doblada, el Ilustre. Y es que ya no hay guerras como las de antes, ¿verdad? Recuerde ese paso del San Bernardo. Ese sol de Austerlitz. Esos burdeles de El Cairo... Pero no presta usted atención a lo que le digo, estimado colega. ¿Cómo...? Anda, pues tiene razón. Los cosacos. A correr tocan. Más ritmo, Duchamp, más ritmo. Up, dos, up, dos. Más ritmo que nos trincan. Up, dos, cof, cof. Maldito tabaco, Duchamp. ¿Sabe lo que le digo...? Esta guerra es una puñetera mierda.

Oficiales y soldados desertaban por la vía rápida, o sea pegándose un tiro, mientras centenares de infelices nos seguían rezagados, sin armas, y a veces los Iván eran tan osados que llegaban hasta nosotros y se cargaban a alguno de un lanzazo o lo sacaban fuera de las filas para rematarlo a golpes de sable y apoderarse de lo que llevara encima, mientras el resto continuaba caminando, embrutecidos e indefensos como un rebaño de ovejas camino del matadero. A finales de noviembre, las unidades con capacidad de combatir en buen orden eran muy pocas en el ejército franchute. Y así llegamos a las orillas del Beresina.

La cuestión era simple. Los rusos intentaban cortar allí nuestra retirada, y durante tres días peleamos por salvar el pellejo contra un ejército enemigo que atacaba de frente para estorbar el paso, y contra otro que nos acometía por la espalda intentando empujarnos al río. Unos cuantos zapadores gabachos, metidos en el agua hasta la cintura y rompiendo el hielo a hachazos, mantuvieron en funcionamiento varios puentes de madera por los que, de modo casi milagroso, buena parte del ejército pudo ponerse a salvo. En cuanto a los supervivientes del 326, llegamos a la orilla izquierda del Beresina al atardecer del 28 de noviembre, combatiendo junto a los restos de un regimiento italiano que, sumado a nuestro centenar de hombres, apenas totalizaba los efectivos de una compañía. A los italianos los mandaba un coronel flaco que murió a media mañana, recayendo el mando en un comandante a quien le volaron la cabeza a media tarde. Eso convirtió a nuestro capitán García en jefe de la unidad. Algunos, italianos incluidos, abogábamos por tirar las armas y quedarnos en la margen izquierda del río hasta que los rusos se hicieran cargo del asunto, pero por todas partes encontrábamos grupos de rezagados que habían pensado lo mismo y que estaban siendo acuchillados por los cosacos borrachos de vodka y de victoria, cuyos *hurras* y *pobiedas* atronaban la cuenca del Beresina. Así que, tras meditarlo un rato, nuestro capitán decidió ganar los puentes antes de que los franceses nos los volaran en las narices.

—La cosa está clara, hijos míos —dijo señalando hacia el oeste, al otro lado del río—. Tal y como están las cosas, a España sólo se va por ahí.

El sargento Ortega se puso a protestar, diciendo que lo mejor era quedarse atrás y entregarse a los rusos. Algunos de nosotros aún dudábamos, y García se dio cuenta. Se iba haciendo de noche y no quedaba mucho tiempo para dimes y diretes. Así que agarró un fusil, se fue hacia Ortega y le saltó los dientes de un culatazo.

—Insisto —dijo, volviendo a señalar hacia el otro lado del río—. A España se va por allí.

Después se cargó a hombros a Ortega, que estaba sin conocimiento, y nos pusimos de nuevo en marcha.

La noche fue espantosa. Peleamos sin tregua retrocediendo hacia el río con los rusos pegados a los talones, pasando entre cadáveres, heridos y agonizantes, carros volcados y cosacos entregados al saqueo y al degüello. Masas ingentes de rezagados, centenares de hombres harapientos, vagaban a merced de los ruskis, se calentaban en fogatas de fortuna, palmaban de frío sobre la nieve. Y al amanecer, cuando empezaron a volar los puentes, todos aquellos desgraciados parecieron despertar de su letargo y entre gritos se abalanzaron sobre los que quedaban en pie, cruzando mientras estallaban las cargas, pisoteándose unos a otros para precipitarse entre las llamas y el humo de las explosiones a las aguas heladas del río.

Fue la leche. Llegamos al último puente cuando los zapadores ya prendían fuego a las mechas de los explosivos. Lo hicimos alejando con las bayonetas a los cosacos que pretendían cogernos prisioneros, retrocediendo a tropezones sobre los heridos y los muertos que nos obstruían el paso. Cruzamos el puente pegando tiros casi a ciegas, roncos de desesperación y pavor, con el capitán García que paraba y devolvía sablazos con la espalda apoyada en los maderos del lado izquierdo y azuzaba a los rezagados, vamos, cagüentodo, vamos, cruzad ya hijos de la gran puta, cruzad o no volveréis a casa jamás, cruzad antes de que el diablo nos lleve a todos. Y un pequeño grupo congregado a su alrededor, gritando *¡Vaspaña!, ¡Vaspaña!* para reconocernos unos a otros en mitad de aquella locura, bayonetazo va y bayonetazo viene, y la artillería ruski raaas-zaca-bum, y la metralla zumbando por todas partes, y los cosacos *¡Hurra, pobieda!,* clavándonos las lanzas y degollando a mansalva, en una orgía de vodka y sangre. Y el fusilero Mínguez disparando pistoletazos mientras le tira a García de la manga, vamos para atrás que están ardiendo las mechas, mi capitán. *¡Vaspaña!* Eso es, mi capitán, vámonos a España de una puta vez. Y en esto, de pronto, más cosacos que llegan y se amontonan en el lado izquierdo del puente, y el capitán con un sablazo en la cara, la hemorragia chorreándole por las patillas y el mostacho, esto se acaba, hijos míos, corred, salid de aquí, corred, maldita sea mi sangre. Y los últimos echamos a correr y él nos sigue cojeando, apoyándose en Mínguez que lo sostiene con una mano mientras en la otra lleva una bayoneta.

¡Vaspaña! ¡Vaspaña! Y Mínguez nos grita esperad, hijos de puta, no podéis dejar aquí al capitán, esperad. Y de pronto ya no puede más y deja caer sentado al capitán y se vuelve hacia los cosacos empuñando la bayoneta. Y los últimos del 326, que ya ganamos la otra orilla, nos volvemos a mirar por última vez a Mínguez de pie entre la humareda de pólvora, erguido en mitad del puente, las piernas abiertas con desafío y el capitán García agonizando abrazado a una de ellas. A Mínguez que está vuelto hacia los cosacos a los que corta el paso y grita *¡Vaspaña!* mientras le hunde la bayoneta a uno de ellos en la garganta y los demás le caen todos encima, y en esto que el puente salta por los aires bajo sus pies y Mínguez se larga, con su capitán, derecho a ese cielo donde van, con dos cojones, los maricones de San Fernando que también son pobres soldaditos valientes.

Epílogo

Un año y medio después del incendio de Moscú, la tarde del último día de abril de 1814, once hombres con una vieja guitarra cruzaron la frontera entre Francia y España. Algunos cargaban hatillos al hombro y aún podían reconocerse, en sus ropas hechas jirones, los restos azules del uniforme francés. Llevaban los pies envueltos en botas destrozadas y harapos. Enflaquecidos y exhaustos, barbudos, sucios, parecían una manada de lobos vagabundos y acosados, en busca de un lugar donde refugiarse, o donde morir.

Caminaban en grupos de dos o tres, con algún rezagado. Caía un sol de justicia, y los aduaneros franceses, protegidos bajo la garita donde ondeaba la flor de lis de los recién restaurados Borbones, los dejaron pasar con indiferencia al cabo de un breve diálogo del tipo mira, Dupont, ahí viene otro grupo, creo que no merece la pena pedirles papeles, ya se las entenderán con los de la aduana española. Y les permitieron seguir adelante, moviendo despectivos la cabeza hasta que se perdieron de vista. Ni eran los primeros, ni serían los últimos. Tras la caída del Monstruo, confinado ahora en la isla de Elba, los caminos de Europa estaban llenos de emigrados, antiguos prisioneros y soldados que regresaban a casa. Aquellos once escuálidos fantasmas, con las encías roídas por el escorbuto y ojos enrojecidos por la fiebre, eran cuanto quedaba en pie del segundo batallón del 326 regimiento de Infantería de Línea, después de vagar por los campos de batalla de media Europa. Los héroes de Sbodonovo.

El sol caía vertical en el camino de Hendaya a Irún. Pedro el cordobés levantó la cabeza, palpándose la venda mugrienta que le cubría la cuenca del ojo perdido en el cruce del Beresina, y preguntó si ya estaban en España. Alguien dijo que sí, señalando una garita en la revuelta del camino, desde la que dos hoscos carabineros los miraban acercarse, observando con creciente desconfianza el aire francés de sus destrozados uniformes. Entonces Pedro el cordobés desató la guitarra de su espalda y, con cierta dificultad porque le faltaba una cuerda, pulsó las primeras notas de una melodía lenta, nostálgica. Algo sobre una mujer que espera, y un hombre huido a la sierra. Aquellas notas se habían dejado oír una vez en las murallas del Kremlin. Y ahora sonaban, apagadas y tristes, en el aire caliente de la tarde.

La Navata, julio de 1993

Un asunto de honor*

A Teresa, Chacón, Ángel, Mar y todos ellos.

* Publicado por entregas en *El País*, agosto de 1994.

1. El puticlub del Portugués

Era la más linda Cenicienta que vi nunca. Tenía dieciséis años, un libro de piratas bajo la almohada y, como en los cuentos, una hermanastra mala que había vendido su virginidad al portugués Almeida, quien a su vez pretendía revendérsela a don Máximo Larreta, propietario de Construcciones Larreta y de la funeraria *Hasta Luego.*

—Un día veré el mar —decía la niña, también como en los cuentos, mientras pasaba la fregona por el suelo del puticlub. Y soñaba con un cocinero cojo y una isla, y un loro que gritaba no sé qué murga sobre piezas de a ocho.

—Y te llevará un príncipe azul en su yate —se le choteaba la Nati, que tenía muy mala leche—. No te jode.

El príncipe azul era yo, pero ninguno de nosotros lo sabía, aún. Y el yate era el Volvo 800 Magnum de cuarenta toneladas que a esas horas conducía el que suscribe por la nacional 435, a la altura de Jerez de los Caballeros.

Permitan que me presente: Manolo Jarales Campos, veintisiete años, la mili en Regulares de Ceuta y año y medio de talego por dejarme liar bajando al moro y subir con lo que no debía. De servir a la patria me queda un diente desportillado que me partió un sargento de una hostia, y del Puerto de Santa María el tabique desviado y dos tatuajes: uno en el brazo derecho, con un corazón y la palabra *Trocito,* y otro en el izquierdo que pone: *Nací para haserte sufrir.* La *s* del *haserte* se la debo a mi tronco Paco Seisdedos, que cuando el tatuaje estaba con un colocón tremendo, y claro. Por lo demás, el día de autos yo había cumplido tres meses de libertad y aquel del Volvo era mi primer curro desde que estaba en bola. Y conducía tan campante, oyendo a los Chunguitos en el radiocassette y pensando en echar un polvo donde el portugués Almeida, o sea, a la Nati, sin saber la que estaba a punto de caerme encima.

El caso es que aquella tarde, día de la Virgen de Fátima —me acuerdo porque el portugués Almeida era muy devoto y tenía un azulejo con farolillo a la entrada del puticlub—, aparqué la máquina, metí un paquete de Winston en la manga de la camiseta, y salté de la cabina en busca de un alivio y una cerveza.

—Hola, guapo —me dijo la Nati.

Siempre le decía hola guapo a todo cristo, así que no vayan ustedes a creer. La Nati sí que estaba tremenda, y los camioneros nos la recomendábamos unos a otros por el VHF, la radio que sirve para sentirnos menos solos en ruta y echarnos una mano unos a otros. Había otras chicas en el local, tres o cuatro dominicanas y una polaca, pero siempre que la veía libre, yo me iba con ella. Quien la tenía al punto era el portugués Almeida, que la quitó de la calle para convertirla en su mujer de confianza. La Nati llevaba la caja y el gobierno del puticlub y todo eso, pero seguía trabajando porque era muy golfa. Y al portugués Almeida los celos se le quitaban contando billetes, el hijoputa.

—Te voy a dar un revolcón, Nati. Si no es molestia.

—Contigo nunca es molestia, guapo. Lo que son es cinco mil.

Vaya por delante que de putero tengo lo justo. Pero la carretera es dura, y solitaria. Y a los veintisiete tacos es muy difícil olvidar año y medio de ayuno en el talego. Tampoco es que a uno le sobre la viruta, así que, bueno, ya me entienden. Una alegría cada dos o tres semanas viene bien para relajar el pulso y olvidarse de los domingueros, de las carreteras en obras y de los picoletos de la Guardia Civil, que en cuanto metes la gamba te putean de mala manera, que si la documentación y que si el manifiesto de carga y que si la madre que los parió, en vez de estar deteniendo violadores, banqueros y presentadores de televisión. Que desde mi punto de vista son los que más daño hacen a la sociedad.

Pero a lo que iba. El caso es que pasé a los reservados a ocuparme con la Nati, le llené el depósito y salí a tomarme otra cerveza antes de subirme otra vez al camión. Yo iba bien, aliviado y a gusto, metiéndome el faldón de la camiseta en los tejanos. Y entonces la vi.

Lo malo —o lo bueno— que tienen los momentos importantes de tu vida es que casi nunca te enteras de que lo son. Así que no vayan a pensar ustedes que sonaron campanas o música como en el cine. Vi unos ojos oscuros, enormes, que me miraban desde una puerta medio abierta, y una cara preciosa, de ángel jovencito, que desentonaba en el ambiente del puticlub como a un cristo pueden desentonarle un rifle y dos pistolas. Aquella chiquilla ni era puta ni lo sería nunca, me dije mientras seguía andando por el pasillo hacia el bar. Aún me volví a mirarla otra vez y seguía allí, tras la puerta medio entornada.

—Hola —dije, parándome.

—Hola.

—¿Qué haces tú aquí?

—Soy la hermana de Nati.

Coño con la Nati y con la hermana de la Nati. Me la quedé mirando un momento de arriba abajo, flipando en colores. Llevaba un vestido corto, ligero, negro, con florecitas amontonadas, y le faltaban dos botones del escote. Pelo oscuro, piel morena. Un sueño tierno y quinceañero de esos que salen en la tele anunciando compresas que ni se mueven ni se notan ni traspasan. O sea. Lo que en El Puerto llamábamos un yogurcito. O mejor, un petisuis.

—¿Cómo te llamas?

Me miraba los tatuajes. Manolo, respondí.

—Yo me llamo María.

Hostias con María. Vete largando, Manolín, colega, pero ya mismo, me dije.

—¿Qué haces? —preguntó.

—Guío un camión —dije, por decir algo.

—¿A dónde?

—Al sur. A Faro, en Portugal. Al mar.

Mi instinto taleguero, que nunca falla, anunciaba esparrame. Y como para confirmarlo apareció Porky al otro lado del pasillo. Porky era una especie de armario de dos por dos, una mala bestia que durante el día oficiaba de conductor en la funeraria *Hasta Luego* y de noche como vigilante en el negocio del portugués Almeida, donde iba a trabajar con el coche de los muertos por si había alguna urgencia. Grande, gordo, con granos. Así era el Porky de los cojones.

—¿Qué haces aquí?

—Me pillas yéndome, colega. Me pillas yéndome.

Cuando volví a mirar la puerta, la niña había desaparecido. Así que saludé a Porky —me devolvió un gruñido—, fui a endiñarme una birra Cruzcampo y un café, le di una palmadita en el culo a la polaca, eché una meada en los servicios y volví al camión. Los faros de los coches que pasaban me daban en la cara, trayéndome la imagen de la niña. Eran las once de la noche, más o menos, cuando pude quitármela de la cabeza. En el radiocassette, los Chunguitos cantaban *Puños de acero:*

De noche no duermo
de día no vivooo...

Abrí la ventanilla. Hacía un tiempo fresquito, de puta madre.

Me estoy volviendo loco,
maldito presidiooo...

Hice diez kilómetros en dirección a Fregenal de la Sierra antes de oír el ruido mientras cambiaba de cassette. Sonaba como si un ratón se moviera en el pequeño compartimento con litera que hay para dormir, detrás de la cabina. Las dos primeras veces no le di importancia, pero a la tercera empecé a mosquearme. Así que puse las intermitencias y aparqué en el arcén.

—¿Quién anda ahí?

La que andaba era ella. Asomó la cabeza como un ratoncito asustado, jovencita y tierna, y yo me sentí muy blando por dentro, de golpe, mientras el mundo se me caía encima, cacho a cacho. Aquello era secuestro, estupro, vaya usted a saber. De pronto me acordé de la Nati, del portugués Almeida, del careto de Porky, del coche fúnebre aparcado en la puerta, y me vinieron sudores fríos. Iba a comerme un marrón como el sombrero de un picador.

—¿Pero dónde crees que vas, tía?

—Contigo —dijo, muy tranquila—. A ver el mar.

Llevaba en las manos un libro y a la espalda una pequeña mochila. Las ráfagas de faros la iluminaban al pasar, y en los intervalos sólo relucían sus ojos en la cabina. Yo la miraba desconcertado, alucinando. Con cara de gilipollas.

2. Un fulano cojo y un loro

El camión seguía parado en el arcén. Pasaron los picoletos con el pirulo azul soltando destellos, pero no se detuvieron a darme la barrila como de costumbre. Que si los papeles y que si ojos negros tienes. Algún desgraciado acababa de romperse los cuernos un par de kilómetros más arriba, y tenían prisa.

—Déjame ir contigo —dijo ella.

—Ni lo sueñes —respondí.

—Quiero ver el mar —repitió.

—Pues ve al cine. O coge un autobús.

No hizo pucheros, ni puso mala cara. Sólo me miraba muy fija y muy tranquila.

—Quieren que sea puta.

—Hay cosas peores.

Si las miradas pudieran ser lentas, diría que me miró muy despacio. Mucho.

—Quieren que sea puta como Nati.

Pasó un coche en dirección contraria con la larga puesta, el muy cabrón. Los faros deslumbraron la cabina, iluminando el libro que ella tenía en las manos, la pequeña mochila colgada a la espalda. Noté algo raro en la garganta; una sensación extraña, de soledad y tristeza, como cuando era crío y llegaba tarde a la escuela y corría arrastrando la cartera. Así que tragué saliva y moví la cabeza.

—Ése no es asunto mío.

Tuve tiempo de ver bien su rostro, la expresión de los ojos grandes y oscuros, antes de que el resplandor de los faros se desvaneciera.

—Aún soy virgen.

—Me alegro. Y ahora bájate del camión.

—Nati y el portugués Almeida le han vendido mi virgo a don Máximo Larreta. Por cuarenta mil duros. Y se lo cobra mañana.

Así que era eso. Lo digerí despacio, sin agobios, tomándome mi tiempo. Entre otras muchas casualidades, ocurría que don Máximo Larreta, propietario de Construcciones Larreta y de la funeraria *Hasta Luego,* era dueño de medio Jerez de los Caballeros y tenía amigos en todas partes. En cuanto a Manolo Jarales Campos, el Volvo no era mío, se trataba del primer curro desde que me dieron bola del talego, y bastaba un informe desfavorable para que Instituciones Penitenciarias me fornicase la marrana.

—Que te bajes.

—No me da la gana.

—Pues tú misma.

Puse el motor en marcha, di la vuelta al camión y desanduve camino hasta el puticlub del portugués Almeida. Durante los quince minutos que duró el trayecto, ella permaneció inmóvil a mi lado, en la cabina, con su mochila a la espalda y el libro abrazado contra el pecho, la mirada fija en la raya discontinua de la carretera. Yo me volvía de vez en cuando a observarla de reojo, a hurtadillas. Me sentía inquieto y avergonzado. Pero ya dirán ustedes qué otra maldita cosa podía hacer.

—Lo siento —dije por fin, en voz baja.

Ella no respondió, y eso me hizo sentir peor aún. Pensaba en aquel don Máximo Larreta, canalla y vulgar, enriquecido con la especulación de terrenos, el negocio de la construcción y los chanchullos. Desparramando billetes convencido, como tantos de sus compadres, de que todo en el mundo —una mujer, un ex presidiario, una niña virgen de dieciséis años— podía comprarse con dinero.

Dejé de pensar. Las luces del puticlub se veían ya tras la próxima curva, y pronto todo volvería a ser como antes, como siempre: la carretera, los Chunguitos y yo. Le eché un último vistazo a la niña, aprovechando las luces de una gasolinera. Mantenía el libro apretado contra el pecho, resignada e inmóvil. Tenía un perfil precioso, de yogurcito dulce. Cuarenta mil cochinos duros, me dije. Perra vida.

Detuve el camión en la explanada frente al club de alterne y la observé. Seguía mirando obstinada, al frente, y le caía por la cara una lágrima gruesa, brillante. Un reguero denso que se le quedó suspendido a un lado de la barbilla.

—Hijoputa —dijo.

Abajo debían de haberse olido el asunto, porque vi salir a Porky, y después a la Nati, que se quedó en la puerta con los brazos en jarras. Al poco salió el portugués Almeida, moreno, bajito, con sus patillas rizadas y sus andares de chulo lisboeta, el diente de oro y la sonrisa peligrosa, y se vino despacio hasta el pie del camión, con Porky guardándole las espaldas.

—Quiso dar un paseo —les expliqué.

Porky miraba a su jefe y el portugués Almeida me miraba a mí. Desde lejos, la Nati nos miraba a todos. La única que no miraba a nadie era la niña.

—Me joden los listos —dijo el portugués Almeida, y su sonrisa era una amenaza.

Encogí los hombros, procurando tragarme la mala leche.

—Me la trae floja lo que te joda o no. La niña se subió a mi camión, y aquí os la traigo.

Porky dio un paso adelante, los brazos —parecían jamones— algo separados del cuerpo como en las películas, por si su jefe encajaba mal mis comentarios. Pero el portugués Almeida se limitó a mirarme en silencio antes de ensanchar la sonrisa.

—Eres un buen chico, ¿verdad...? La Nati dice que eres un buen chico.

Me quedé callado. Aquella gente era peligrosa, pero en año y medio de talego hasta el más primavera aprende un par de trucos. Agarré con disimulo un destornillador grande y lo dejé al alcance de la mano por si liábamos la pajarraca. Pero el portugués Almeida no estaba aquella noche por la labor. Al menos, no conmigo.

—Haz que baje esa zorra —dijo. El diente de oro le brillaba en mitad de la boca.

Eso lo zanjaba todo, así que me incliné sobre las rodillas de la niña para abrir la puerta del camión. Al hacerlo, con el codo le rocé involuntariamente los pechos. Eran suaves y temblaban como dos palomas.

—Baja —le dije.

No se movió. Entonces el portugués Almeida la agarró por un brazo y tiró de ella hacia abajo, con violencia, haciéndola caer de la cabina al suelo. Porky tenía el ceño fruncido, como si aquello lo hiciera pensar.

—Guarra —dijo su jefe. Y le dio una bofetada a la chica cuando ésta se incorporaba, aún con la pequeña mochila a la espalda. Sonó *plaf,* y yo desvié la mirada, y cuando volví a mirar los ojos de ella buscaron los míos; pero había dentro tanta desesperación y tanto desprecio que cerré la puerta de un golpe para interponerla entre nosotros. Después, con las orejas ardiéndome de vergüenza, giré el volante y llevé de nuevo el Volvo hacia la carretera.

Veinte kilómetros más adelante, paré en un área de servicio y le estuve pegando puñetazos al volante hasta que me dolió la mano. Después tanteé el asiento en busca del paquete de tabaco, encontré su libro y encendí la luz de la cabina para verlo mejor. *La isla del tesoro,* se llamaba. Por un tal R. L. Stevenson. En la portada se veía el mapa de una isla, y dentro había una estampa con un barco de vela, y otra con un fulano cojo y un loro en el hombro. En las dos se veía el mar.

Me fumé dos cigarrillos, uno detrás de otro. Después me miré el careto en el espejo de la cabina, la nariz rota en el Puerto de Santa María, el diente desportillado en Ceuta. Otra vez no, me dije. Tienes demasiado que perder, ahora: el curro y la libertad. Después pensé en los cuarenta mil duros de don Máximo Larreta, en la sonrisa del portugués Almeida. En la lágrima gruesa y brillante suspendida a un lado de la barbilla de la niña.

Entonces toqué el libro y me santigüé. Hacía mucho que no me santiguaba, y mi pobre vieja habría estado contenta de verme hacerlo. Después suspiré hondo antes de girar la llave de encendido para dar contacto, y el Volvo se puso a rugir bajo mis pies y mis manos. Lo llevé hasta la carretera para emprender, por segunda vez aquella noche, el regreso en dirección a Jerez de los Caballeros. Y cuando vi aparecer a lo lejos las luces del puticlub —ya me las sabía de memoria, las malditas luces— puse a los Chunguitos en el radiocassette, para darme coraje.

3. Fuga hacia el sur

No sé cómo lo hice, pero el caso es que lo hice. Sé que en la puerta aspiré aire, como quien va a zambullirse en el agua, y luego entré. Del resto recuerdo fragmentos: la cara de la Nati al verme aparecer de nuevo en el puticlub, las carnes viscosas de Porky cuando le asesté un rodillazo en los huevos. Lo demás es confuso: las chicas pegando gritos, la Nati tirándome un cuchillo de cortar jamón a la cara y fallándome por dos dedos, el pasillo largo como un día sin tabaco y yo aporreando las puertas, una que se abre y el portugués Almeida que me tira una hostia con la hebilla de su cinturón mientras, por encima de su hombro, veo a la niña tendida en una cama.

—¿Qué haces aquí, cabrón?

Me dice. La niña tiene la marca de un correazo en la cara, y el diente de oro del portugués Almeida me deslumbra, y yo me vuelvo loco, así que agarro por el gollete una botella que está sobre la mesa, la casco en la pared y le pongo a mi primo el filo justo debajo de la mandíbula, en la carótida, y el fulano se rila por la pata abajo porque los ojos que tengo en ese momento son ojos de matar.

—Nos vamos, chiquilla.

Y ella no dice esta boca es mía, sino que agarra su mochila, que está en el suelo junto a la cama, y se desliza rápida como una ardilla por debajo de mi brazo, el mismo con el que tengo agarrado por el cuello al portugués Almeida. Y así, con el filo de la botella tocándole las venas hinchadas, nos vamos a reculones por el pasillo, salimos a la barra del puticlub, y la Nati, que sigue estando buena aun de mala leche, me escupe:

—¡Ésta la vas a pagar!

Porky, que rebulle por el suelo con las manos entre las ingles, nos mira con ojos turbios, sin enterarse de nada, y el portugués Almeida me suda entre los brazos, un sudor pegajoso y agrio que huele a odio y a miedo. Unos clientes que están al fondo de la barra intentan meterse en camisas de once varas pero esa noche mi vieja debe de estar rezando por mí en el cielo donde van las viejitas buenas, porque un par de colegas, dos camioneros que me conocen de la ruta y están allí de paso, se le plantan delante a los otros y les dicen que cada perro se lama su pijo, y los otros dicen que bueno, que tranquis. Y se vuelven a sus cubatas.

Total. Que fue así, de milagro, como llegamos hasta el camión, con todo el mundo amontonado en la puerta, mirando, mientras la Nati largaba por esa boca y el portugués Almeida se me deshidrataba entre el brazo y la botella rota.

—Sube a la cabina, niña.

No se lo hizo decir dos veces, mientras yo pasaba entre el coche fúnebre de Porky y mi camión, rodeando hacia el otro lado sin soltar mi presa. Sólo en el último segundo le pegué la boca en la oreja al macró:

—Si la quieres, ve a buscarla al cuartelillo de la Guardia Civil.

Lo que era un farol que te cagas, Manolín; pero es cuanto se me ocurría en ese momento. Después aflojé el brazo y tiré la botella, y cuando el portugués Almeida se revolvió a medias, le di un rodillazo en el fémur, como hacíamos en El Puerto, y lo dejé en el suelo, con el diente haciéndome señales luminosas, mientras arrancaba el Volvo y salíamos, la niña y yo, a toda leche por la carretera. Al hacerlo me llevé por delante la aleta y una rueda del Opel Calibra del portugués.

Pasaba la medianoche e iba habiendo menos tráfico, faros que iban y venían, luces rojas en el retrovisor. La cara B de los Chunguitos transcurrió entera antes de que dijéramos una palabra. Al tantear en busca de tabaco encontré su libro. Se lo di.

—Gracias —dijo. Y no supe si se refería al libro o al esparrame de Jerez de los Caballeros.

Pasamos Fregenal de la Sierra sin novedad. Yo acechaba los faros de algún coche sospechoso, pero nada llamaba mi atención. Empecé a confiarme.

—¿Qué piensas hacer ahora? —le pregunté.

Tardaba en responder y me volví a mirarla, su perfil en penumbra fijo al frente, en la carretera.

—Me dijiste que ibas a Portugal. Al mar. Y yo nunca he visto el mar.

—Es como en las películas —dije yo, por decir algo—. Tiene barcos. Y olas.

Adelanté a un compañero que reconoció el camión y me saludó con una ráfaga de luces. Después volví a mirar por el retrovisor. Nadie venía detrás, aún. Me acordé de la correa del portugués Almeida y alargué la mano hacia el rostro de la niña, para verle la cara, pero ella se apartó.

—¿Te duele?

—No.

Encendí un momento la luz de la cabina, y pude comprobar que apenas tenía ya marca. El hijo de la gran puta, dije.

—¿Qué edad tienes, niña? —pregunté.

—Cumpliré diecisiete en agosto. Así que no me llames niña.

—¿Llevas documento de identidad? Quizá te lo pidan en la frontera.

—Sí. Nati me lo sacó hace un mes —guardó silencio un instante—. Para trabajar de puta hay que tenerlo.

En Jabugo paramos a tomar café. Ella pidió Fanta de naranja. Había un coche de los picoletos en la puerta del bar, así que me atreví a dejarla sola un momento mientras yo iba a los servicios para echarme agua por la cabeza y diluir adrenalina. Cuando volví con la camiseta húmeda y el pelo goteando se me quedó mirando un rato largo, primero la cara y luego los tatuajes de los brazos. Me bebí el café y pedí un Magno.

—¿Quién es Trocito? —preguntó de pronto.

Me calcé el coñac sin prisas.

—Ella.

—¿Y quién es ella?

Yo miraba la pared del bar: jamones, caña de lomo, llaveros, fotos de toreros, botas de vino las Tres Zetas.

—No lo sé. La estoy buscando.

—¿Llevas tatuado el nombre de alguien a quien todavía no conoces?

—Sí.

Removió su refresco con una pajita.

—Estás loco. ¿Y si no encuentras nunca a nadie que se llame así?

—La encontraré —me eché a reír—. A lo mejor eres tú.

—¿Yo? Qué más quisieras —me miró de reojo y vio que aún me reía—. Idiota.

La amenacé con un dedo.

—No vuelvas a llamarme idiota —dije— o no subes al camión.

Me observó de nuevo, esta vez más fijamente.

—Idiota —y sorbió un poco de Fanta.

—Guapa.

La vi sonrojarse hasta la punta de la nariz. Y fue en ese momento cuando me enamoré de Trocito hasta las cachas.

—¿Por qué subiste a mi camión?

No contestó. Hacía un nudo con la pajita del refresco. Por fin se encogió de hombros. Unos hombros morenos, preciosos bajo la tela ligera del vestido oscuro estampado con florecitas.

—Me gustó tu pinta. Pareces buena persona.

Me removí, ofendido.

—No soy buena persona. Y para que te enteres, he estado en el talego.

—¿El talego?

—El maco. La cárcel. ¿Aún quieres que te lleve a Portugal?

Miró el tatuaje y luego mi cara, como si me viera por primera vez. Luego, desdeñosa, deshizo y volvió a hacer el nudo de la pajita.

—Y a mí qué —dijo.

Vi que el coche de los picos se movía de la puerta, y comprendí que la tregua había terminado. Puse unas monedas sobre el mostrador.

—Habrá que irse —dije.

En la puerta nos cruzamos con Triana, un colega que aparcaba su tráiler frente al bar. Y me dijo que acababa de oír hablar del portugués Almeida y de nosotros por el VHF. Por lo visto, éramos famosos. Todos los camioneros de la Nacional 435 estaban pendientes del asunto.

4. El pato alegre

Total. Que los dos colegas que me echaron una mano en el puticlub del portugués habían estado radiando el partido por la radio VHF, y a esas horas todos los camioneros de la nacional 435 estaban al corriente del esparrame. Apenas subimos al Volvo conecté el receptor. Parece que la tía está buenísima, decían algunos. Un yoplait de fresa. Menuda suerte tiene el Manolo.

Menuda suerte. Yo miraba por el retrovisor y las gotas de sudor me corrían por el cogote.

«Dice Águila Flaca que Llanero Solitario puso el puticlub patas arriba. Con dos cojones.»

Llanero Solitario era un servidor. Dos o tres colegas que me reconocieron al adelantar, dieron ráfagas; uno hasta soltó un bocinazo.

«Acabo de verte pasar, Llanero. Buena suerte», dijo el altavoz de VHF.

Desde su asiento, la niña me miraba.

—¿Hablan de nosotros?

Quise sonreír, pero sólo me salió una mueca desesperada.

—No. De Rocío Jurado y Ortega Cano.

—Debes de creerte muy gracioso.

Maldita la gracia que tenía. Decidí coger la radio.

—Llanero Solitario a todos los colegas. Gracias por el interés; pero como los malos estén a la escucha, me vais a joder vivo.

Hubo un torrente de saludos y deseos de buena suerte, y después el silencio. En realidad, puteros, vagabundos y algo brutos, los camioneros son buenos chicos. Gente sana y dura. Antes de callarse, un par de ellos —Bragueta Intrépida y Rambo 15— dieron noticias de nuestros enemigos. Por lo visto, como al irnos les dejé el Calibra hecho polvo, habían emprendido la persecución en el coche de la funeraria: Porky al volante, con el portugués Almeida y la Nati. Bragueta Intrépida acababa de verlos pasar cagando leches por el puerto de Tablada.

Decidí despistar un poco, así que a la altura de Riotinto tomé la comarcal 421 a la derecha, la que lleva a los pantanos del Oranque y el Odiel, y en Calañas torcí a la izquierda para regresar por Valverde del Camino. Seguía atento a la radio, pero los colegas se portaban. Nadie hablaba de nosotros ahora. Sólo de vez en cuando alguna alusión velada, algún comentario con doble sentido. El Lejía Loco informó escuetamente que un coche funerario acababa de adelantarlo en la gasolinera de Zalamea. Amor de Madre y Bragueta Intrépida repitieron el dato sin añadir comentarios. Al poco, El Riojano Sexy informó en clave que había un control picoleto en el cruce de El Pozuelo y después le deseó buen viaje al Llanero y la compañía.

—¿Por qué te llaman Llanero Solitario? —preguntó la niña. La carretera era mala y yo conducía despacio, con cuidado.

—Porque soy de Los Llanos de Albacete.

—¿Y Solitario?

Cogí un cigarrillo y presioné el encendedor automático del salpicadero. Fue ella quien me lo acercó a la boca cuando hizo clic.

—Porque estoy solo, supongo.

—¿Y desde cuándo estás solo?

—Toda mi puta vida.

Se quedó un rato callada, como si meditase aquello. Después cogió el libro y lo abrazó contra el pecho.

—Nati siempre dice que me voy a volver loca de tanto leer.

—¿Lees mucho?

—No sé. Leo este libro muchas veces.

—¿De qué va?

—De piratas. También hay un tesoro.

—Me parece que he visto la película.

Hacía media hora que la radio estaba tranquila, y conducir un camión de cuarenta toneladas por carreteras comarcales lo hace polvo a uno. Así que eché el freno en un motel de carretera, el Pato Alegre, para tomar una ducha y despejarme. Alquilé un apartamento con dos camas, le dije a ella que descansara en una, y estuve diez minutos bajo el agua caliente, procurando no pensar en nada. Después, más relajado, me puse a pensar en la niña y tuve que pasar otros tres minutos bajo el agua —esta vez fría— hasta que estuve en condiciones de salir de allí. Aunque seguía húmedo, me puse los tejanos directamente sobre la piel y volví al dormitorio. Estaba sentada en la cama y me miraba.

—¿Quieres ducharte?

Negó con la cabeza, sin dejar de mirarme.

—Bueno —dije tumbándome en la otra cama, y puse el reloj despertador para dos horas más tarde—. Voy a dormir un rato.

Apagué la luz. El rótulo luminoso colaba una claridad blanca entre los visillos de la ventana. Oí a la niña moverse en su cama, y adiviné su vestido ligero estampado, los hombros morenos, las piernas. Los ojos oscuros y grandes. Mi nueva erección tropezó con la cremallera entreabierta de los tejanos, arañándome. Cambié de postura y procuré pensar en el portugués

Almeida y en la que me había caído encima. La erección desapareció de golpe.

De pronto noté un roce suave en el costado, y una mano me tocó la cara. Abrí los ojos. Se había deslizado desde su cama, tumbándose a mi lado. Olía a jovencita, como pan tierno, y les juro por mi madre que me acojoné hasta arriba.

—¿Qué haces aquí?

Me miraba a la claridad de la ventana, estudiándome el careto. Tenía los ojos brillantes y muy serios.

—He estado pensando. Al final me cogerán, tarde o temprano.

Su voz era un susurro calentito. Me habría gustado besarle el cuello, pero me contuve. No estaba el horno para bollos.

—Es posible —respondí—. Aunque yo haré lo que pueda.

—El portugués Almeida cobró el dinero de mi virginidad. Y un trato es un trato.

Arrugué el entrecejo y me puse a pensar.

—No sé. Quizá podamos conseguir los cuarenta mil duros.

La niña movió la cabeza.

—Sería inútil. El portugués Almeida es un sinvergüenza, pero siempre cumple su palabra... Dijo que lo de don Máximo Larreta y él era un asunto de honor.

—De honor —repetí yo, porque se me ocurrían veinte definiciones mejores para aquellos hijos de la gran puta, con la Nati de celestina de su propia hermana y Porky de mamporrero. Los imaginé en el coche funerario, carretera arriba y abajo, buscando mi camión para recuperar la mercancía que les había volado.

Me encogí de hombros.

—Pues no hay nada que hacer —dije—. Así que procuremos que no nos cojan.

Se quedó callada un rato, sin apartar los ojos de mí. Por el escote del vestido se le adivinaban los pechos, que oscilaban suavemente al moverse. La cremallera me hizo daño otra vez.

—Se me ha ocurrido algo —dijo ella.

Les juro a ustedes que lo adiviné antes de que lo dijera, porque se me erizaron los pelos del cogote. Me había puesto una mano encima del pecho desnudo, y yo no osaba moverme.

—Ni se te ocurra —balbucí.

—Si dejo de ser virgen, el portugués Almeida tendrá que deshacer el trato.

—No me estarás diciendo —la interrumpí con un hilo de voz— que lo hagamos juntos. Me refiero a ti y a mí. O sea.

Ella bajó su mano por mi pecho y la detuvo justo con un dedo dentro del ombligo.

—Nunca he estado con nadie.

—Anda la hostia —dije. Y salté de la cama.

Ella se incorporó también, despacio. Lo que son las mujeres: en ese momento no aparentaba dieciséis años, sino treinta. Hasta la voz parecía haberle cambiado. Yo pegué la espalda a la pared.

—Nunca he estado con nadie —repitió.

—Me alegro —dije, confuso.

—¿De verdad te alegras?

—Quiero decir que, ejem. Sí. Mejor para ti.

Entonces cruzó los brazos y se sacó el vestido por la cabeza, así, por las buenas. Llevaba unas braguitas blancas, de algodón, y estaba preciosa allí, desnuda, como un trocito de carne maravillosa, cálida, perfecta.

En cuanto a mí, qué les voy a contar. La cremallera me estaba destrozando vivo.

5. Llegan los malos

Era una noche tranquila, de esas en las que no se mueve ni una hoja, y la claridad que entraba por la ventana silueteaba nuestras sombras encima de las sábanas en las que no me atrevía a tumbarme. Se preguntarán ustedes de qué iba yo, a mis años y con las conchas que dan el oficio de camionero, año y medio de talego y una mili en Ceuta. Pero ya ven. Aquel trocito de carne desnuda y tibia que olía a crío pequeño recién despierto, con sus ojos grandes y negros mirándome a un palmo de mi cara, era hermoso como un sueño. En la radio, Manolo Tena cantaba algo sobre un loro que no habla y un reloj que no funciona, pero aquella noche a mí me funcionaba todo de maravilla, salvo el sentido común. Tragué saliva y dejé de eludir sus ojos. Estás listo, colega, me dije. Listo de papeles.

—¿De verdad eres virgen?

Me miró como sólo saben mirar las mujeres, con esa sabiduría irónica y fatigada que ni la aprenden ni tiene edad porque la llevan en la sangre, desde siempre.

—¿De verdad eres así de gilipollas? —respondió.

Después me puso una mano en el hombro, un instante, como si fuésemos dos compañeros charlando tan tranquilos, y luego la deslizó despacio por mi pecho y mi estómago hasta agarrarme la cintura de los tejanos, justo sobre el botón metálico donde pone *Levi's.* Y fue tirando de mí despacio, hacia la cama, mientras me miraba atenta y casi divertida, con curiosidad. Igual que una niña transgrediendo límites.

—¿Dónde has aprendido esto? —le pregunté.

—En la tele.

Entonces se echó a reír, y yo también me eché a reír, y caímos abrazados sobre las sábanas y, bueno, qué quieren que les diga. Lo hice todo despacito, con cuidado, atento a que le fuera bien a ella, y de pronto me encontré con sus ojos muy abiertos y comprendí que estaba mucho más asustada que yo, asustada de verdad, y sentí que se agarraba a mí como si no tuviera otra cosa en el mundo. Y quizá se trataba exactamente de eso. Entonces volví a sentirme así, como blandito y desarmado por dentro, y la rodeé con los brazos besándola lo más suavemente que pude, porque temía hacerle daño. Su boca era tierna como nunca había visto otra igual, y por primera vez en mi vida pensé que a mi pobre vieja, si me estaba viendo desde donde estuviera, allá arriba, no podía parecerle mal todo aquello.

—Trocito —dije en voz baja.

Y su boca sonreía bajo mis labios mientras los ojos grandes, siempre abiertos, seguían mirándome fijos en la semioscuridad. Entonces recordé cuando estalló la granada de ejercicio en el cuartel de Ceuta, y cuando en El Puerto quisieron darme una mojada porque me negué a ponerle el culo a un Kie, o aquella otra vez que me quedé dormido al volante entrando en Talavera y no palmé de milagro. Así que me dije: suerte que tienes, Manolo, colega, suerte que tienes de estar vivo. De tener carne y sentimiento y sangre que se te mueve por las venas, porque te hubieras perdido esto y ahora ya nadie te lo puede quitar. Todo se había vuelto suave, y húmedo, y cálido, y yo pensaba una y otra vez para mantenerme alerta: tengo que retirarme antes de que se me afloje el muelle y la preñe. Pero no hizo falta, porque en ese momento hubo un estrépito en la puerta, se encendió la luz, y al volverme encontré la sonrisa del portugués Almeida y un puño de Porky que se acercaba, veloz y enorme, a mi cabeza.

Me desperté en el suelo, tan desnudo como cuando me durmieron, las sienes zumbándome en estéreo. Lo hice con la cara pegada al suelo mientras abría un ojo despacio y prudente, y lo primero que vi fue la minifalda de la Nati, que por cierto llevaba bragas rojas. Estaba en una silla fumándose un cigarrillo. A su lado, de pie, el portugués Almeida tenía las manos en los bolsillos, como los malos de las películas, y el diente de oro le brillaba al torcer la boca con malhumorada chulería. En la cama, con una rodilla encima de las sábanas, Porky vigilaba de cerca a la niña, cuyos pechos temblaban y tenía en los ojos todo el miedo del mundo. Tal era el cuadro, e ignoro lo que allí se había dicho mientras yo sobaba; pero lo que oí al despertarme no era tranquilizador en absoluto.

—Me has hecho quedar mal —le decía el portugués Almeida a la niña—. Soy un hombre de honor, y por tu culpa falto a mi palabra con don Máximo Larreta... ¿Qué voy a hacer ahora?

Ella lo miraba, sin responder, con una mano intentando cubrirse los pechos y la otra entre los muslos.

—¿Qué voy a hacer? —repitió el portugués Almeida en tono de furiosa desesperación, y dio un paso hacia la cama. La niña hizo ademán de retroceder y Porky la agarró por el pelo para inmovilizarla, sin violencia. Sólo la sostuvo de ese modo, sin tirar. Parecía turbado por su desnudez y desviaba la vista cada vez que ella lo miraba.

—Quizá Larreta ni se dé cuenta —apuntó la Nati—. Yo puedo enseñarle a esta zorra cómo fingir.

El portugués Almeida movió la cabeza.

—Don Máximo no es ningún imbécil. Además, mírala.

A pesar de la mano de Porky en su cabello, a pesar del miedo que afloraba sin rebozo a sus ojos muy abiertos, la niña había movido la cabeza en una señal negativa.

Con todo lo buena que estaba, la Nati era mala de verdad; como esas madrastras de los cuentos. Así que soltó una blasfemia de camionero.

—Zorra orgullosa y testaruda —añadió, como si mascara veneno.

Después se puso en pie alisándose la minifalda, fue hasta la niña y le sacudió una bofetada que hizo a Porky dejar de sujetarla por el pelo.

—Pequeña guarra —casi escupió—. Debí dejar que os la follarais con trece años.

—Eso no soluciona nada —se lamentó el portugués Almeida—. Cobré el dinero de Larreta, y ahora estoy deshonrado.

Enarcaba las cejas mientras el diente de oro emitía destellos de despecho. Porky se miraba las puntas de los zapatos, avergonzado por la deshonra de su jefe.

—Yo soy un hombre de honor —repitió el portugués Almeida, tan abatido que casi me dio gana de levantarme e ir a darle una palmadita en el hombro—. ¿Qué voy a hacer ahora?

—Puedes capar a ese hijoputa —sugirió la Nati, siempre piadosa, y supongo que se refería a mí. En el acto se me pasó la gana de darle palmaditas a nadie. Piensa, me dije. Piensa cómo salir de ésta o se van a hacer un llavero con tus pelotas, colega. Lo malo es que allí, desnudo y boca abajo en el suelo, no había demasiado qué pensar.

El portugués Almeida sacó la mano derecha del bolsillo. Tenía en ella una de esas navajas de muelles, de dos palmos de larga, que te acojonan aun estando cerradas.

—Antes voy a marcar a esa zorra —dijo.

Hubo un silencio. Porky se rascaba el cogote, incómodo, y la Nati miraba a su chulo como si éste se hubiera vuelto majara.

—¿Marcarla? —preguntó.

—Sí. En la cara —el diente de oro relucía irónico y resuelto—. Un bonito tajo. Después se la llevaré a don Máximo Larreta para devolverle el dinero y decirle: me deshonró y la he castigado. Ahora puede tirársela gratis, si quiere.

—Estás loco —dijo la Nati—. Vas a estropear la mercancía. Si no es para Larreta, será para otros. La carita de esta zorra es nuestro mejor capital.

El portugués Almeida miró a la Nati con dignidad ofendida.

—Tú no lo entiendes, mujer —suspiró—. Yo soy un hombre de honor.

—Tú lo que eres es un capullo. Marcarla es tirar dinero por la ventana.

El portugués Almeida levantó la navaja, aún cerrada, dando un paso hacia la lumi.

—Cierra esa boca —ahora bailaba la amenaza en el diente de oro— o te la cierro yo.

La Nati miró primero la navaja y después los ojos de su chulo, y con ese instinto que tienen algunas mujeres y casi todas las putas, comprendió que no había más que hablar. Así que encogió los hombros, fue a sentarse de nuevo y encendió otro cigarrillo. Entonces el portugués Almeida echó la navaja sobre la cama, junto a Porky.

—Márcala —ordenó—. Y luego capamos al otro imbécil.

6. Albacete, Inox

Macizo y enorme, Porky miraba la navaja cerrada sobre la cama, sin decidirse a cogerla.

—Márcala —repitió el portugués Almeida.

El otro alargó la mano a medias, pero no consumó el gesto. La chuli parecía un bicho negro y letal que acechase entre las sábanas blancas.

—He dicho que la marques —insistió el portugués Almeida—. Un solo tajo, de arriba abajo. En la mejilla izquierda.

Porky se pasaba una de sus manazas por la cara llena de granos. Observó de nuevo la navaja y luego a la niña, que había retrocedido hasta apoyar la espalda en el cabezal de la cama y lo miraba, espantada. Entonces movió la cabeza.

—No puedo, jefe.

Parecía un paquidermo avergonzado, con su jeta porcina enrojecida hasta las orejas y aquellos escrúpulos recién estrenados. Para que te fíes de las apariencias, me dije. Aquel pedazo de carne tenía su chispita.

—¿Cómo que no puedes?

—Como que no puedo. Mírela usted, jefe. Es demasiado joven.

El diente de oro del portugués Almeida brillaba desconcertado.

—Anda la leche —dijo.

Porky se apartaba de la navaja y de la cama.

—Lo siento de verdad —sacudió la cabeza—. Disculpe, jefe, pero yo no le corto la cara a la chica.

—Todo lo que tienes de grande —le espetó la Nati desde su silla— lo tienes de maricón.

Como ven, la Nati siempre estaba dispuesta a suavizar tensiones. Por su parte, el portugués Almeida se acariciaba las patillas, silencioso e indeciso, mirando alternativamente a su guardaespaldas y a la niña.

—Eres un blando, Porky —dijo por fin.

—Si usted lo dice —respondió el otro.

—Un tiñalpa. Un matón de pastel. No vales ni para portero de discoteca.

El sicario bajaba la cabeza, enfurruñado.

—Pues bueno, pues vale. Pues me alegro.

Entonces el portugués Almeida dio un paso hacia la cama y la navaja. Y yo suspiré hondo, muy hondo, apreté los dientes y me dije que aquella era una noche tan buena como otra cualquiera para que me rompieran el alma. Porque hay momentos en que un hombre debe ir a que lo maten como dios manda. Así que, resignado y desnudo como estaba, me interpuse entre el portugués Almeida y la cama y le calcé una hostia de esas que te salen con suerte, capaz de tirar abajo una pared. Entonces, mientras el chulo retrocedía dando traspiés, la Nati se puso a gritar, Porky se revolvió desconcertado, yo le eché mano a la navaja, y en la habitación se lió una pajarraca de cojón de pato.

—¡Matarlo! ¡Matarlo! —aullaba la Nati.

Apreté el botón y la chuli se empalmó en mi mano con un chasquido que daba gloria oírlo. Entonces Porky se decidió, por fin, y se me vino encima, y yo le puse la punta —*Albacete, Inox,* me acuerdo que leí estúpidamente mientras lo hacía— delante de los ojos, y él se paró en seco, y entonces le pegué un rodillazo en la bisectriz, el segundo en el mismo sitio en menos de ocho horas, y el fulano se desplomó con un bufido de reproche, como si empezara a fastidiarle aquella costumbre mía de darle rodillazos, o sea, justo en los huevos.

—¡A la calle, niña! —grité—. ¡Al camión!

No tuve tiempo de ver si obedecía mi orden, porque en ese momento me cayeron encima la Nati, por un lado, y el portugués Almeida por el otro. La Nati empuñaba uno de sus zapatos con tacón de aguja, y el primer viaje se perdió en el aire, pero el segundo me lo clavó en un brazo. Aquello dolió cantidad, más que el puñetazo en la oreja que me acababa de tirar por su parte el portugués Almeida. Así que, por instinto, la navaja se fue derecha a la cara de la Nati.

—¡Me ha desgraciado! —chilló la bruja. La sangre le corría por la cara, arrastrando maquillaje, y cayó de rodillas, con la falda por la cintura y las tetas fuera del escote, todo un espectáculo. Entonces el portugués Almeida me tiró un derechazo a la boca que falló por dos centímetros, y agarrándome la muñeca de la navaja se puso a morderme la mano, así que le clavé los dientes en una oreja y sacudí la cabeza a uno y otro lado hasta que soltó su presa gimiendo. Le tiré tres tajos y fallé los tres, pero pude coger carrerilla y darle un cabezazo en la nariz, con lo que el diente de oro se le partió de cuajo y fue a caer encima de la Nati, que seguía gritando como si se hubiera vuelto loca, mirándose las manos llenas de sangre.

—¡Hijoputa...! ¡Hijoputa!

Yo seguía en pelotas, con todo bailándome, y no saben lo vulnerable que se siente uno de esa manera. Vi que la niña, con el vestido puesto y su mochila en la mano, salía zumbando hacia la puerta, así que salté por encima de la pareja, y como Porky rebullía en el suelo agarré la silla donde había estado sentada la Nati y se la rompí en la cabeza. Después, puesto que aún me quedaban en las manos el respaldo, el asiento y una pata, le sacudí con ellos otro sartenazo a la Nati, que a pesar de la mojada en el careto parecía la más entera de los tres. Después, sin detenerme a mirar el paisaje, me puse los tejanos, agarré las zapatillas y la camiseta y salí hacia el camión, cagando leches. Abrí las puertas y la niña saltó a mi lado, a la cabina, con el pecho que le subía y bajaba por la respiración entrecortada. Puse el contacto y la miré. Sus ojos resplandecían.

—Trocito —dije.

La sangre del taconazo de la Nati me chorreaba por el brazo encima del tatuaje cuando metí la primera y llevé el Volvo hasta la carretera. La niña se inclinó sobre mí, abrazándose a mi cintura, y se puso a besar la herida. Introduje a los Chunguitos en el radiocassette mientras la sombra del camión, muy alargada, nos precedía veloz por el asfalto, rumbo a la frontera y al mar.

De noche no duermooo...

Amanecía, y yo estaba enamorado hasta las cachas. De vez en cuando, un destello de faros o el VHF nos traían, de nuevo, saludos de los colegas.

«El Ninja de Carmona informando. Cuentan que ha habido esparrame en el Pato Alegre, pero que el Llanero Solitario cabalga sin novedad. Suerte al compañero.»

«Ginés el Cartagenero a todos los que estáis a la escucha. Acabo de ver pasar a la parejita. Parece que todo les va bien.»

«Te veo por el retrovisor, Llanero, y te cedo paso.... Guau. Vaya petisuis llevas ahí, colega. Deja algo para los pobres.»

—Hablan de ti —le dije a la niña.

—Ya lo sé.

—Esto parece uno de esos culebrones de la tele, ¿verdad? Con todo el mundo pendiente, y tú y yo en la carretera. O mejor —rectifiqué, girando el volante para tomar una curva cerrada— como en esas películas americanas.

—Se llaman *road movies.*

—¿Roud qué?

—*Road movies.* Significa películas de carretera.

Miré por el retrovisor: ni rastro de nuestros perseguidores. Quizá, pensé, se habían dado por vencidos. Después recordé el diente de oro del portugués Almeida, los gritos de odio de la Nati, y supe que verdes las iban a segar. Pasaría mucho tiempo antes de que yo pudiera dormir con los dos ojos cerrados.

—Para película —dije— la que me ha caído encima.

En cuanto a la niña y a mí, aún no tenía ni idea de lo que iba a ocurrir, pero me importaba un carajo. Tras haberme estado besando un rato la herida, se había limpiado mi sangre de los labios con un pañuelo que me anudó después alrededor del brazo.

—¿Tienes novia? —preguntó de pronto.

La miré, desconcertado.

—¿Novia? No. ¿Por qué?

Se encogió de hombros observando la carretera, como si no le importase mi respuesta. Pero luego me miró de reojo y volvió a besarme el hombro, por encima del vendaje, mientras apretaba un poco más el nudo.

—Es un pañuelo de pirata —dijo, como si aquello lo justificase todo.

Después se tumbó en el asiento, apoyó la cabeza sobre mi muslo derecho y se quedó dormida. Y yo miraba los hitos kilométricos de la carretera y pensaba: lástima. Habría dado mi salud, y mi libertad, por seguir conduciendo aquel camión hasta una isla desierta en el fin del mundo.

7. La última playa

—¡El mar! —exclamó Trocito, emocionada, con los ojos muy abiertos y fijos en la línea gris del horizonte.

Pero no era el mar, sino el Tinto y el Odiel cuando circunvalamos Huelva, y otra vez falsa alarma con el Guadiana en Ayamonte, así que para cuando nos acercamos realmente al mar la niña ya empezaba a pasar mucho del tema. Y es que eso es la vida; estás dieciséis tacos soñando con algo, y cuando por fin ocurre no es como creías, y vas y te mosqueas.

—Pues el mar me parece una mierda —decía ella—. R. L. Stevenson exageraba mucho. Y las películas también.

—Ése no es el mar, Trocito. Espera un poco. Sólo es un río.

Fruncía las cejas igual que una cría cabreada.

—Pues como río también es una mierda.

Total. Que de río en río cruzamos la frontera sin problemas por Vila Real de Santo António, donde cuando vio el mar de verdad ella preguntó qué río es ése, y después tomamos la carretera de Faro en dirección a Tavira. Allí, ante una de esas playas inmensas del sur, paré el camión y le toqué el hombro a la niña.

—Ahí lo tienes.

Habría querido recordarla siempre así, muy quieta en la cabina del Volvo 800 Magnum, a mi lado, con aquellos ojos tan grandes y oscuros que daba vértigo asomarse, fijos en las dunas que deshilachaba el viento, en la espuma rizada sobre las olas.

—Me parece que estoy enamorada de ti —dijo, sin apartar la vista del mar.

—No jodas —dije yo, por decir algo.

Pero tenía la boca seca y ganas de echarme a llorar, de hundirle la cara en el cuello tibio y olvidarme del mundo y de mi sombra. Pensé en lo que había sido hasta entonces mi vida. Recordé, como si pasaran de golpe ante mis ojos, la carretera solitaria, los cafés solos dobles en las gasolineras, la mili a solas en Ceuta, los colegas del Puerto de Santa María y su soledad, que durante año y medio había sido la mía. Si hubiera tenido más estudios, me habría gustado saber de qué maneras se conjuga la palabra soledad, aunque igual resulta que sólo se conjugan los verbos y no las palabras, y ni soledad ni vida pueden conjugarse con nada. Puta vida y puta soledad, pensé. Y sentí de nuevo aquello que me ponía como blandito por dentro, igual que cuando era un crío y me besaba mi madre, y uno estaba a salvo de todo sin sospechar que sólo era una tregua antes de que hiciera mucho frío.

—Ven.

Le pasé en torno a la nuca el brazo derecho aún vendado con su pañuelo, y la atraje hasta mí. Parecía tan pequeña y tan frágil, y seguía oliendo como un crío recién despierto en la cama. Ya he dicho que nunca fui un tío muy instruido ni sé mucho de sentimientos; pero comprendí que ese olor, o su recuerdo recobrado, era mi patria y mi memoria. El único lugar del mundo al que yo deseaba volver y quedarme para siempre.

—¿Dónde iremos ahora? —preguntó Trocito.

Me gustaba aquel plural. Iremos. Hacía mucho tiempo que nadie se dirigía a mí en plural.

—¿Iremos?

—Sí. Tú y yo.

El libro de R. L. Stevenson estaba en el suelo, a sus pies. La besé entre los ojos oscuros y grandes que ya no miraban al mar, sino a mí.

—Trocito —dije.

En el VHF, los compañeros españoles y portugueses enviaban recuerdos al Llanero y su Petisuis o pedían noticias. O Terror das Rutas, un colega de Faro, pasó en dirección a Tavira, reconoció el Volvo parado junto a la playa y nos envió un saludo lleno de emoción, como si aquello fuese una telenovela. Apagué la radio.

El día era gris y las olas batían fuerte en la playa cuando bajamos del camión y anduvimos entre las dunas hasta la orilla. Había gaviotas que revoloteaban alrededor haciendo cric-cric y ella las miraba fascinada porque nunca las había visto de verdad.

—Me gustan —dijo.

—Pues tienen muy mala leche —aclaré—. Le pican los ojos a los náufragos que se duermen en el bote salvavidas.

—Venga ya.

—Te lo juro.

Se quitó las zapatillas para meter los pies en el agua. Las olas llegaban hasta ella rodeándole las piernas de espuma; algunas le salpicaron los bajos del vestido, que se le pegaba a los muslos. Se echó a reír feliz, como la niña que aún era, y mojaba las manos en el agua para hacérsela correr por la cara y el cuello. Había gotas suspendidas en sus pestañas.

—Te quiero —dije por fin. Pero el viento nos traía espuma y sal sobre la cara y a cambio se llevaba mis palabras.

—¿Qué? —preguntó ella. Y yo moví la cabeza, negando con una sonrisa.

—Nada.

Una ola más fuerte nos alcanzó a los dos, y nos abrazamos mojados. Ella estaba tibia bajo el vestido húmedo y temblaba apoyada contra mi pecho. Mi patria, pensé de nuevo. Tenía mi patria entre los brazos. Pensé en los compañeros que en ese momento contemplaban un rectángulo de cielo sobre el muro y las rejas de El Puerto. En el centinela que, solo, allá en su garita del monte Hacho, estaría mirando el gatillo del Cetme como una tentación. En los vagabundos de cuarenta toneladas con sueños imposibles en color y doble página pegados en la cabina, junto al volante. Y entonces dije para mis adentros: os brindo este toro, colegas.

Después me volví a mirar hacia la carretera y vi detenido junto al Volvo un coche funerario negro, largo y siniestro como un ataúd. Me lo quedé mirando un rato fijamente, el coche vacío e inmóvil, y no sentí nada especial; quizá sólo una fatiga densa, tranquila. Resignada. Aún tenía a Trocito entre los brazos y la mantuve así unos segundos más, respirando hondo el aire que traía espuma y sal, sintiendo palpitar su carne húmeda, calentita, contra mi cuerpo. La sangre me batía despacio por las venas. Pum-pum. Pum-pum.

—Trocito —dije por última vez.

Entonces la besé muy despacio, sin prisas, saboreándola como si tuviese miel en la boca y yo estuviese enganchado a esa miel, antes de apartarla de mí, empujándola suavemente hacia la orilla del mar. Después metí la mano en el bolsillo para sacar la navaja —*Albacete Inox*— y le di la espalda, interponiéndome entre ella y las tres figuras que se acercaban entre las dunas.

—Buenos días —dijo el portugués Almeida.

Con la nariz rota y sin el diente de oro, su sonrisa no era la misma, sino más apagada y vulgar. Tras él, con un esparadrapo y gasa en la cara y los zapatos en la mano para poder caminar por la arena, venía la Nati despeinada y sin maquillaje. En cuanto a Porky, cerraba la marcha con una venda en torno a la cabeza y traía un ojo a la funerala. Tenían todo el aspecto de una patética banda de canallas después de pasar una mala noche, y eso es exactamente lo que habían pasado: la peor noche de su vida. Por supuesto, venían resueltos a cobrársela.

Empalmé la chuli, cuya hoja de casi dos palmos se enderezó con un relámpago gris que reflejaba el cielo. Cuando sonó el chasquido en mi mano derecha, llevé la izquierda hasta el otro brazo y desanudé el pañuelo para descubrir el tatuaje. *Trocito,* decía bajo la herida. La sentí detrás, muy cerca de mí, entre el ruido de la resaca que rompía en la playa. El viento salado me traía el roce de sus cabellos.

Y era el momento, y era toda mi vida la que estaba allí a orillas del mar en aquella playa. Y de pronto supe que habían transcurrido todos mis años, con lo bueno y con lo malo, para que yo terminase viviendo ese instante. Y supe por qué los hombres nacen y mueren, y siempre son lo que son y nunca lo que desearían ser. Y mientras miraba los ojos del portugués Almeida y la pistola negra y reluciente que traía en una mano, supe también que toda mujer, cualquier mujer con lo que de ti mismo encierra en su carne tibia y en la miel de su boca y entre sus caderas, que es tu pasado y tu memoria, cualquier hermoso trocito de carne y sangre capaz de hacerte sentir como cuando eras pequeño y consolabas la angustia de la vida entre los pechos de tu madre, es la única patria que de verdad merece matar y morir por ella.

Así que apreté la empuñadura de la navaja y me fui a por el portugués Almeida. Con un par de cojones.

La Navata, julio 1994

Sobre cuadros, libros y héroes*

* Comentarios publicados en la revista *El Semanal* durante los años 1991, 1992.

La fiel infantería

Aún no se había inventado la fotografía; pero aquel tipo, Velázquez, recogió el momento. Nos encontrábamos allí, engalanados como para el Corpus, y a lo lejos Breda estaba en llamas. La verdad es que habíamos ganado a pulso el asunto, después de ocho meses dale que te pego, tragando miseria en los parapetos; cavando trincheras, zapa va y zapa viene, con los holandeses haciendo salidas y acuchillándonos en cuanto cerrábamos un ojo. Pero allá ondeaba, en el campanario, el lienzo blanco, grande como una sábana. Al final les habíamos roto el espinazo.

Nos alinearon en el centro, capitanes delante, guardia de piqueros y mosquetes a la derecha, más o menos en orden, aupándonos sobre la punta de los pies para verle la jeta a los holandeses. El capitán Urbieta nos puso en las filas delanteras a los que teníamos la ropa menos harapienta, empeñado como estaba en que impresionásemos al enemigo con nuestra marcial apariencia. La revista de la mañana había sido un calvario: diez azotes por cada falta de aseo y descuido en la vestimenta. Como dijo Antonio Muñoz, mi paisano, para qué puñetas queremos impresionarlos más, capitán, después de que los hemos fastidiado así de bien, que hasta se rinden, los herejes. Si eso no es impresionar a esos hideputas, que baje Cristo y lo vea. Y Urbieta, la mano en el pomo de la espada, mordiéndose el bigote para mantenerse serio, recetando cinco latigazos y medio rancho para el pobre Antonio, por bocazas y por meter al hijo de Dios en estos lances.

El caso es que allí estábamos, en aquel cerro que se llamaba Vangaast o Vandaart o algo por el estilo, con una treintena de picas y otros tantos mosquetes como guardia de honor, con las banderas de los tercios y toda la parafernalia. El resto de las compañías en línea ladera abajo, la cruz de San Andrés desplegada sobre los morriones de nuestros piqueros, lanzas y más lanzas, y mosquetes, que era un gusto mirarlos hasta el llano donde estaba la artillería apuntando al valle y la ciudad. Y al fondo, difuminada y azul entre el humo de los incendios, con manchas de sol que iban y venían entre las motas grises de las fortificaciones y los edificios, Breda a nuestros pies.

Sitúense ante el cuadro y miren a los holandeses, a la izquierda del lienzo. Observen sus caras. Habían subido la cuesta despacio, tomándose su tiempo, como si los que iban a rendirse fuéramos nosotros. Y Justino de Nassau endomingado como para una boda, bajándose del caballo con cara de asistir a su propio funeral, mirando alrededor como un sonámbulo, intentando digerir la humillación mientras procuraba mantener el porte digno. Al pobre diablo le temblaba la mano que sostenía la llave de la ciudad. Algunos de sus oficiales eran muy jóvenes, demasiado para emplearlos en negocio como la guerra, crecidos en campos fértiles, con llanuras y ríos y graneros bien abastecidos, comiendo caliente desde renacuajos. Burgueses cebados y con mucho que perder. Había uno de sus cachorros, rubio e imberbe, jovencito, con casaca blanca y manos de damisela que, aunque destocado por el protocolo, miraba con desprecio nuestras botas con remiendos, las barbas mal rapadas, nuestras caras de lobos flacos, peligrosos y arrogantes. Y hasta tal punto galleaba el mozo que mi capitán Urbieta, que tenía el genio vivo, empezó a retorcerse el mostacho y a acariciar el pomo de la espada, sugiriendo una sesión privada de esgrima. Un compañero del holandés captó el gesto y, poniendo la mano en el hombro del joven oficial, lo reconvino en voz baja hasta que éste bajó los ojos humillado y furioso, a punto de romper en lágrimas. Demasiado tierno, como casi todos ellos. Así les había ido la feria.

A la derecha estamos nosotros; mi lanza es la tercera por la izquierda. En torno sonaban redobles, cascos de cabalgaduras, capitanes dando órdenes como latigazos. Y allí, descabalgando, nuestro general, con media armadura negra rematada en oro, cuello de encaje y banda carmesí, el apunte de una sonrisa en los labios, Ambrosio Spínola, el viejo zorro. Con aire de circunstancias, pero disfrutando por dentro el espectáculo. Al fin y al cabo, aquélla era su fiesta.

Lo que son las cosas de la vida. Cuando la gente se para ante el cuadro, en el museo, son Spínola y el holandés, el jovencito imberbe y la plana mayor de nuestro general, quienes acaparan todas las miradas. Nosotros sólo somos el decorado, el telón de fondo de una escena en la que hasta el caballo de don Ambrosio, sus cuartos traseros, parece tener más importancia. Y sin embargo, allí en Breda como antes en Sagunto, Las Navas, Otumba o Pavía, o después en los Arapiles, Baler, Annual o Belchite, quienes en realidad hacíamos el trabajo duro éramos nosotros. Los nombres dan igual, porque durante siglos fuimos siempre los mismos: Antonio de Úbeda, Luis de Oñate, Álvaro de Valencia, Miguel de Jaca, Juan de Cartagena... Con la España que teníamos a la espalda, no había otra solución que huir hacia adelante. Por eso éramos, qué remedio, la mejor infantería del mundo. Secos y duros como la ingrata tierra que nos parió, hechos al hambre, al sufrimiento y la miseria. Crecidos sabiendo lo que cuesta un mendrugo de pan. Viendo al padre, y al abuelo, y a los hermanos mayores, dejarse las uñas en los terrones secos, regados con más sudor que agua. A la madre silenciosa y hosca, atizando el miserable fogón. Salidos de ocho siglos de acogotar moros o de acuchillarnos entre nosotros, crueles e inocentes a un tiempo, traídos y llevados a través del tiempo y de los libros de Historia so pretexto de tantas palabras huecas, de tantos mercachifles disfrazados de patriotas, de tantas banderas a cuánto la vara de paño de Tarrasa, de tantas fanfarrias compuestas por filarmónicos héroes de retaguardia.

Fíjense en nosotros: siempre al fondo y muy atrás, perdidos, anónimos como siempre, como en todos los cuadros y todos los monumentos y todas las fotos de todas las guerras. Soldados sin rostro y sin nombre, carne de cañón, de bayoneta, de trinchera. La pobre, sudorosa y fiel infantería. Después, en los primeros planos y sobre los pedestales de las estatuas siempre aparecen otros: los Spínola que nunca se manchan el jubón, y que aún tienen humor y elegancia para decirle al holandés no, don Justino, faltaría más, no se incline. Estamos entre caballeros. El resto queda para nosotros: cruzar un río helado entre la niebla, en camisa para confundirnos con la nieve, la espada entre los dientes minados por el escorbuto. Levantarse y correr ladera arriba con la metralla zumbando por todas partes, porque el capitán va delante y al capitán, aunque es una mala bestia, nos da vergüenza dejarlo ir solo. Quedarte sin municiones en la Puerta del Carmen de Zaragoza y empalmar la navaja tarareando una jotica para tragarte el miedo, mientras los gabachos se acercan para el último asalto. Hacerse a la mar porque más vale honra sin barcos, dicen, en buques de madera ante los acorazados de acero yanquis. Morir de fiebre en la manigua, degollado en Monte Arruit por la ineptitud de espadones con charreteras. O cruzar el Ebro con diecisiete años mientras la artillería te da candela, el fusil en alto y el agua por la cintura, con los compañeros yéndose río abajo mientras en la orilla los generales y los políticos posan para los fotógrafos de la prensa extranjera.

Échenle un vistazo tranquilo al lienzo, sin prisas, e intenten reconocernos. Somos la humilde y parcheada piel sobre la que redobla toda esa ilustre vitola de los generales y los reyes que posan de perfil para las monedas, los cuadros y la Historia. Y cuántas veces, en los últimos doscientos o trescientos años, no habremos visto ante nosotros, mirando con fijeza hacia el modesto rincón que ocupamos en el lienzo, un rostro de campesino, de esos arrugados y curtidos por el sol como cuero viejo. Un rostro parado ante el cuadro con aire tímido y paleto, dándole vueltas a la boina o el sombrero entre las manos nudosas, encallecidas, de uñas rotas. Los ojos de un hombre indiferente a la escena central del cuadro, buscando aquí atrás, en la modesta parte derecha de la composición, al fondo, bajo las lanzas, entre nosotros, una silueta confusa, familiar. Tal vez la de aquel hijo al que una vez acompañó un trecho por el sendero que conducía al pueblo, llevándole el hato de ropa o la maleta de cartón, liándole el primer cigarro. El hijo al que, ya parado en el último recodo, vio alejarse con su pelo al rape, las alpargatas y el traje de domingo, llamado a servir al rey. Hacia una guerra lejana e incomprensible de la que no habría de volver jamás.

Fíjense en el cuadro de una maldita vez. Nosotros le dimos nombre y apenas se nos ve. Nos tapan, y no es casualidad, los generales, el caballo y la bandera.

Ladrones de guante blanco

En otro tiempo fueron tipos interesantes, envidiados. Incluso imitados a menudo en modales y aplomo. Sus aventuras por entregas multiplicaban las tiradas, enriquecían a los editores, fascinaban al público ávido de emociones. Eran criminales con cierta elegancia. Había estilo, incluso grandeza en su forma de infringir la ley. Eran canallas con clase; como un tío abuelo mío que, cuentan, perdía en los casinos con una sonrisa irónica en la boca, y ganaba una fortuna a la ruleta o una mujer a su marido con una ceja alzada y displicente como sobrio gesto de victoria. A ellos los imagino así, con la misma desengañada elegancia de mi tío abuelo, muy parecidos a John Barrymore como barón Gaigern en *Gran Hotel,* renunciando por amor al collar de perlas de Greta Garbo-Grusinskaia.

Ahora ya no son lo que fueron, ni mucho menos; pero aún es posible tropezar con ellos, a veces. Están ahí, silenciosos y como dormidos, en estantes a menudo cubiertos de polvo, o en los tenderetes de las ferias del libro viejo, en montones de hojas sueltas, con bordes manoseados y las ilustraciones de portada desvaídas por el sol, el roce de las manos, o el tiempo. Algunos, muy pocos, más afortunados, gozan de tapas en condiciones: tela o papel. Muy de vez en cuando, un privilegiado, a modo de joya especial, aparece impecable con su encuadernación de lujo, en piel, con dignas letras doradas en el lomo. En su mayor parte se trata de ediciones muy antiguas, de esas que se denominaban *de antes de la guerra* hasta que ese concepto, la guerra y las guerras, empezó a difuminarse y perder precisión y sentido en la mente de los jóvenes con imágenes de más cercanos Sarajevos, Vietnams, Golfos y cosas por el estilo. El caso es que las ediciones son muy antiguas, con cincuenta años o más, y sólo de vez en cuando —un saldo, una tirada pequeña y casi inadvertida— aparece uno de esos títulos casi con timidez, revuelto en la variopinta resaca que el tiempo y la vida arrojan periódicamente a las playas de las librerías de viejo: *La aguja hueca, Hazañas de Rocambole, Juve contra Fantomas, Los tres crímenes de Arsenio Lupin...* Son los intrépidos, desaprensivos y entrañables ladrones de guante blanco.

Hace unas semanas, husmeando con trazas de cazador —dedos manchados de polvo, paciencia y buena o mala suerte— entre las casetas de libros viejos de la cuesta de Moyano, en Madrid, encontré uno de ellos. O más bien él me encontró a mí. Estaba entre *El paje del duque de Saboya,* de Alejandro Dumas, y otro cuyo título no recuerdo bien —tal vez *Venganza corsa,* de Próspero Mérimée—. Por lo demás, reunía los requisitos del folletín canónico: texto a dos columnas con grabados en blanco y negro, portada con el nombre de la colección *(La Novela Ilustrada)*, un precio (35 céntimos) y un título: *Raffles*, de E.W. Hornung, campeando sobre ilustración de cubierta a color: un individuo apuesto, de esmoquin, blanca pechera y guantes inmaculados, con una máscara sobre el rostro, que desvalija sin perder la compostura los cajones llenos de joyas de un saloncito elegante y coqueto mientras una atractiva joven se lleva una mano a la pálida frente —sin duda murmura *¡Cielos!*— al sorprender la extraordinaria escena a través de la puerta entornada.

Hay goces especiales, en literatura. Sobre todo en cierta clase de literatura de la antes llamada popular, cuando vamos a ella con la maliciosa disposición del público que una vez fue ingenuo pero que ya no lo es. En ese caso cada lugar común, cada repetición del estereotipo, cada vuelta de tuerca o retorno de lo conocido, del golpe de efecto clásico o del recurso a determinados elementos antaño eficaces, supone un golpe de placer mayor aún que la originalidad, que el desviarse de patrones cuya solvencia quedó probada por el aplauso de las masas. Uno acecha con temblor de adicto el momento en que Holmes, envuelto en una nube de humo, toque el violín para aclararse las ideas, o espera anhelante que Edmundo Dantés se lleve una mano a la frente perlada de sudor y exclame *¡Fatalidad!* mientras la tormenta pone siniestro contrapunto a su venganza. En cuanto a Raffles, Rocambole, Lupin y los otros, se atiende de ellos exactamente lo que en su tiempo los hizo ser amados y seguidos por miles de lectores y, más tarde, denostados por críticos partidarios de educar al público en la bella prosa de alto nivel, aunque ese público se aburra muchísimo. Aquel otro lector al que podríamos llamar no ingenuo, malintencionado, incluso perverso, espera de ellos —decíamos— que se conduzcan exactamente como fueron concebidos. Que digan y hagan aquello que los elevó a la categoría de mitos, de sueños. Incluso, en algunos casos y actitudes, de patrones de comportamiento.

Vamos a echarles un vistazo, sin que nos ciegue la pasión ni el prejuicio. Arsenio Lupin es inteligente y astuto, con un fondo de ternura que es preciso estar muy atento para descubrir. Rocambole resulta implacable, con un peculiar sentido del crimen y de la justicia. Fantomas, un asesino sanguinario; pero el carácter despiadado de sus crímenes y las personalidades que es capaz de adoptar le confieren una siniestra grandeza. Raffles, el más elegante, es sentimental y todo un caballero. Con un detalle adicional: en casi todos los casos, las víctimas son gente adinerada, poderosa, elemento clave de la llamada buena sociedad. Personajes que ya han disfrutado bastante de esta vida, y a quienes no viene mal ni la puñalada que los envía al otro barrio ni, en el mejor de los casos, verse parcialmente aliviados del excesivo peso de su fortuna. Que bajo ningún concepto —ahí está el detalle— les resulta arrebatada con métodos vulgares, sino con crímenes, artimañas y recursos de una originalidad absoluta, por canallas elegantes que actúan contra víctimas a menudo más inmorales, pervertidas o antipáticas que sus verdugos y expoliadores. Por no mencionar la finura con que a menudo se solventa el asunto, el toque distinguido de una tarjeta de visita o una sota de copas en el lugar del crimen. O ese monóculo bajo la ceja enarcada e imperturbable; esa mano enguantada, que se desliza sin ruido en el cajón del secreter o, cuando es preciso, igual besa unos dedos enjoyados que esgrime un puñal o una pistola con la habilidad de un matón barriobajero. Aunque, eso sí, templado siempre el gesto por actitudes y frases convenientes, dignas de la más fina crianza. Por no hablar de las debilidades, los rasgos románticos, los botines abandonados o las víctimas indultadas bajo el influjo benéfico de una sonrisa de mujer, de unos ojos inocentes, de un beso o unas palabras moduladas entre el brillo de los diamantes y el sonido de botellas de champaña, en fiestas mundanas y elegantes saraos. Ya no hay canallas así. Tal vez nunca los hubo, es cierto. Pero, al menos, existieron los hombres y las mujeres capaces de inventarlos.

Releí mi *Raffles* tomándome todo el tiempo del mundo, despacio, con una copa de buen coñac sorbo a sorbo; en un viejo café de los que aún sobreviven en Madrid, a pesar de los mercachifles analfabetos que desde hace décadas deciden por nosotros los infames decorados, que no paisajes, de nuestro entorno. Pasaba páginas, y de vez en cuando, al llegar a algún momento cumbre, del tipo *«Era el amor y no la ambición, el recuerdo tierno de la muchacha el que hizo temblar su mano cuando rozaba ya las perlas del collar»*, me detenía y alzaba los ojos a través de la ventana del café, sonriendo feliz. En pleno éxtasis.

Después salí a la calle. Era momento de retornar al presente, a este mundo de gentes sensatas, prácticas y razonables, donde el tiempo es oro y la literatura debe ser presuntamente selecta como una joya fría y muerta, pretenciosa y vacía (*«Una prosa dura, difícil, pero gratificante cuando uno consigue llegar a la página 250; en resumen, una nueva obra maestra de Fulano»*) o ligera y estúpida como un pañuelo de celulosa. Compré unos periódicos y los hojeé despacio, y mientras lo hacía descubrí en aquellas páginas fotos, nombres, referencias de otros ladrones, de otros criminales. Muy actuales todos ellos, claro. En una versión más prosaica que la de sus ilustres predecesores novelescos. Sin esmoquin, monóculo, ni guante blanco. Pero, sobre todo, desprovistos de sus actitudes. De cierto factor singular y distante, original incluso en la maldad o en el delito, que es justo aquello que hizo especiales e inolvidables a Raffles, Rocambole, Lupin, Fantomas y los otros. Entes de ficción que fueron más reales, para muchos lectores, que buena parte de los seres vivos que los rodeaban. Admirados precisamente por ser como eran; por su carisma romántico, inaccesible. Su aplomo de tipos ideales, la elegancia de sus actitudes, su distinción y su grandeza, los situaban por encima de la moral convencional en sus actuaciones delictivas. Por eso, legiones de lectores ávidos creyeron en ellos, se emocionaron con sus aventuras, amaron con sus amores y odiaron con sus pasiones más oscuras. Eran lejanos, misteriosos, con el aura de lo enigmático y lo extraordinario. Hoy, nosotros, el público desengañado y lleno de resabios, nos identificamos más fácilmente con ratas de callejón y asfalto, con turbios antihéroes que encarnan la desesperanza. Para los niños no hay princesas; ni para los adultos, en lo tocante a ladrones, existen caballeros de guante blanco. Ni siquiera existen caballeros. Antes se daba una selección natural; el dinero lo tenían los que estaban arriba, la aristocracia o la burguesía enriquecida, y para infiltrarse hasta sus cajas de caudales eran necesarios cierto estilo, valor, imaginación y talento. Incluso para la vulgaridad de la simple estafa. Para venderle, por ejemplo, a un millonario yanqui la torre Eiffel, o la Cibeles.

Quizá por todo eso, Rocambole, Raffles, Fantomas, Lupin, están muertos y enterrados. Las calles, alumbradas por luz eléctrica en vez de farolas de gas, no conservan el eco de sus pasos. A través de la puerta entreabierta ya no llega la música lejana del salón abandonado. La rosa se marchita en la copa vacía de champaña, junto al collar de perlas que ninguna mano enfundada en guante blanco pretende robar, entre otras cosas porque las perlas son sintéticas. También los sucesores en la escuela del moderno latrocinio son muy distintos: pueden despertar a menudo envidia o desprecio; nunca admiración. Están demasiado próximos a nosotros, y más que a impulsos criminales, sus expolios obedecen a fáciles tentaciones. No es preciso ser valeroso, elegante y educado o al menos aparentarlo, ni ponerse un esmoquin y una máscara para desvalijar la caja fuerte. Puede ganarse mucho más dinero chalaneando en mangas de camisa en un restaurante de lujo, o apalabrando operaciones por el teléfono del coche. Basta con ser un concejal bien situado, un director general, el correveidile de un ministro, un subsecretario en lugar idóneo, un negociante avispado con recursos y contactos, un patán con influencias o con suerte. Antes, incluso los peores malvados soñaban con adquirir buenos modales. Los de ahora perpetran crímenes fáciles, demasiado vulgares, con escaso mérito y riesgo, y además del latrocinio nos obligan a soportar la grosería. Tal y como están las cosas, cualquier imbécil puede aspirar a canalla.

El reflejo en el sable

Ya no era una niña. En aquel amanecer que imaginamos con niebla baja y las botas de los soldados resonando rítmicamente en la tierra húmeda del bosque de Vincennes, Margarita Gertrudis Zelle rondaba, ya, los cuarenta años. Había sido muy hermosa. Tal vez aún lo era, y al oficial que mandaba el piquete —doce balas, una de fogueo al azar como coartada para las conciencias pusilánimes— quizá se le atragantó una fracción de segundo la voz de «fuego». Era un 15 de octubre del año 1917. Algo más al este, al otro extremo de Europa, se desencadenaba una tormenta que alteraría durante tres cuartos de siglo el curso de la Historia, y, sin ir tan lejos, aquel mismo día iban a dispararse muchas más balas en otros lugares del continente. Centenares de hombres y de mujeres habrían de morir sin tanta ceremonia antes de la puesta de ese sol que —aún eran las 6.30 de la mañana— iluminaba tímidamente el último acto tranquilo, estúpido y gris del drama: un cuerpo de mujer tendido en el suelo, unos militares de bigotes engomados, quepis con galones y estrellas y porte grave —*Mais oui, Dupont, c'est terrible mais c'est la guerre*—, y un oficial demasiado pálido —no dan medallas por ajusticiar a mujeres— que disparaba el tiro de gracia procurando ejecutar los tiempos reglamentarios con la adecuada marcialidad castrense. Francia en particular y las potencias aliadas en general podían respirar tranquilas, y los periódicos y revistas ilustradas lanzar ediciones especiales. Mata Hari, la espía, iba a seguir bailando en los infiernos.

Entendámoslo. Era un mal momento: hasta Proust se creía obligado a conducir ambulancias. Tras la reconquista de los fuertes de Verdún a finales del año anterior, los aliados habían hecho retroceder a las tropas del Káiser hasta la línea Sigfrido; pero desde marzo los estrategas de las potencias occidentales no daban una a derechas. Inclinados sobre sus mapas, barajando cientos de miles de vidas con la insensata irresponsabilidad de quien redacta su propia hoja de servicios mientras moja la pluma en sangre ajena, matarifes con monóculo obsesionados por el bastón de mariscal alfombraban senderos de gloria con cadáveres y más cadáveres inútiles. Tras el fracaso de la ofensiva sobre Arras, las tropas británicas seguían inmovilizadas en el barro de Flandes. En cuanto a los franceses, después del desastre en las ofensivas del Aisne y la Champaña el general Nivelle había sido relevado del mando, incapaz de reprimir el motín ocasionado en el ejército como eco de las huelgas metalúrgicas de los obreros de París. Y en los cafés, tertulias y salones de retaguardia, los emboscados que no conocían el frente más que por referencias, los estraperlistas, las esposas de los generales y los capitanes de estado mayor que les hacían la corte, las actrices de moda, los banqueros y políticos de zancadilla siempre lista, las putas de lujo y los periodistas a sueldo, por citar sólo unos cuantos, pedían cabezas de turco entre Moët y Moët o absenta y absenta, según las posibilidades y los casos. Y alguien tenía que pagar los platos rotos.

Lo que son las cosas de la vida. El paso del tiempo, el cine y la literatura terminarían por convertir en leyenda lo que, en rigor, fue un triste linchamiento nacional desmedido y chauvinista, muy propio del lugar y de la época. Comparada con otras mujeres espías de su tiempo —la baronesa Kaulla, Marthe Richard,

Lydia Stahl— la holandesa Mata Hari no fue sino una agente infortunada y mediocre, y el breve desempeño de ese oficio no estuvo a la altura de sus brillantes veladas como exótica bailarina de *strip-tease*, devoradora de amantes o cortesana internacional de elevados honorarios. Había estallado la que el imbécil optimismo de algunos denominó Gran Guerra, y los tiempos cambiaban demasiado rápidamente. Al filo de la madurez, desplazada de las primeras páginas de las revistas ilustradas por imágenes de trincheras y ciudades en ruinas, acechando cada mañana ante el espejo nuevas arrugas en un rostro aún hermoso, la mujer que había tenido fortunas a sus pies comprendió que el mundo turbulento de aquellos años era su última oportunidad para retener el tiempo perdido. En realidad, a Mata Hari la perdió una prematura nostalgia de perlas y champaña.

El juicio sólo duró dos días, y todos aquellos graves y respetables espadones del tribunal militar nunca llegaron a probar gran cosa. Si de verdad lo hizo, Margarita Zelle espió poco y mal. Su fama no corresponde a los resultados: proezas exageradas, espía *amateur* que apenas llegó a ejercer, agente doble y mercenaria sin apenas conciencia real de su situación. Fue ella misma la que, por iniciativa propia, tal vez para conservar el viejo esplendor que se escapaba entre sus dedos, quiso introducirse en el espionaje, ofreciéndose a unos y otros, insinuándose a los antiguos amigos de antaño que aún conservaban el poder, la influencia, el dinero. Mitómana y ambiciosa, a quien se había hecho pasar durante tantos años ante el mundo por danzarina hindú no le costó gran trabajo adoptar la nueva personalidad de espía elegante y cosmopolita, de la mujer fatal que, en cierto modo, era. Sus relaciones con Amsterdam y Berlín ya la convertían en sospechosa cuando fue a visitar al capitán Ladoux, adjunto al jefe del contraespionaje francés, para ofrecerse como agente. Todo aquello terminó siendo un secreto a voces, y los radiogramas secretos del agregado militar alemán en Madrid, que la recién inaugurada estación de TSF en la torre Eiffel interceptó camino de Berlín, proporcionaron el pretexto oficial: se los consideró pruebas concluyentes, y el mito de la perversa Dalila devoradora de hombres y reputaciones hizo correr torrentes de tinta fácil. La guerra iba mal, luego alguien había de tener la culpa. Pero la guerra la conducían ilustres generales de acrisolado patriotismo e indiscutible competencia; casualmente los mismos que presidían consejos de guerra. Y a falta de un Dreyfuss a quien degradar o conducir al paredón —segundas ediciones de aquel patinazo habrían sido excesivas, incluso en la Francia del 17—, una exquisita mala reputación, un rostro aún hermoso y un nombre conocido podían resolver perfectamente la papeleta. El morbo estaba asegurado: los informes de Mata Hari, obtenidos entre lujosas voluptuosidades de almohada, en los palcos de los teatros o en brillantes saraos internacionales, eran la verdadera causa de que tanta sangre noble se vertiera inútilmente sobre el enfangado suelo de las trincheras. Para la imaginación popular resultaba fácil imaginar a aquella hermosa víbora de alcoba telefoneando a los alemanes en salto de cama, apenas el joven y apuesto teniente, con la carrera militar hecha polvo por tan insensata pasión, se arrancaba de sus brazos para acudir al frente, tras haberle confiado con detalle, entre arrebato y arrebato, la ubicación exacta de todas las unidades aliadas en el sector del Marne. Lo cierto es que aquellos ministros de gabinete con frac y roseta en el ojal, aquellos honorables mílites de pulcro historial castrense, lo dieron por bueno y se frotaron las manos: si Mata Hari no hubiera existido, alguien habría tenido que inventarla. Y eso fue, más o menos, lo que ocurrió. Detenida en febrero a su regreso de Madrid, juzgada en julio, convicta de espionaje a favor de Alemania, fusilada el 15 de octubre. Francia podía dormir en paz. Y para los periódicos primero, para el cine y la literatura después, el melodrama estaba servido. Por lo menos se guardaron las formas, se la llamó señora hasta el final, y todo eso. Hoy las cosas habrían discurrido con peor ensañamiento. Con más infamia.

Pobre pequeña mujer, envuelta en su abrigo, tendida sobre la tierra húmeda del bosque de Vincennes, ajusticiada por hombres graves y sensatos, por patriotas dignos de sostener con mano firme las riendas de una nación en momentos de crisis, de tragedia. De hombres capaces, incluso —nos honran con su existencia en todas las épocas y países— de sorberse una lágrima emocionada mientras cumplen su penoso deber con varonil energía. Quizá por todo esto le adeudemos a aquella mujer una última suposición. Tal vez ese amanecer de octubre, ante el pelotón de fusilamiento, los caballeros solemnes, los periodistas ávidos y la cámara del fotógrafo que retuvo en el tiempo aún erguida, en el último instante, su menuda y frágil silueta, Margarita Zelle se encontrase, por fin, con Mata Hari: con el personaje que habían perseguido, desde niña, sus ojos muy abiertos, irisados al flotar ante ellos las imágenes del propio mito.

Tantas veces hemos visto repetirse después aquel momento con nombres distintos, con diferentes actrices, con reconstrucciones más o menos rigurosas, que resulta imposible, a estas alturas, deslindar los límites de la escena; el personaje inventado del original. De recordarlo, o imaginarlo, como realmente ocurrió. Pero eso no tiene ya la menor importancia. En lo que a mí se refiere, prefiero expiar mi parte de culpa colectiva, la vergüenza personal ante el destino de Margarita Zelle, rindiéndole el tributo de evocar su último instante, no como fue, sino como pudo haber sido. Viéndola pasar bella y trágica, impasible ante el sordo redoble de los tambores que marcan, en el húmedo amanecer, el contrapunto solemne a los latidos de su corazón. Caminando, enarcada una ceja displicente, recta y sin vacilar hacia su destino; hasta el final hermosa, fría, elegante y enigmática, entre las brumosas luces y sombras del celuloide en blanco y negro. Deteniéndose un instante para retocar su maquillaje en el reflejo bruñido de la hoja del sable que sostiene ante ella, con mano trémula, su ex amante: el oficial que manda su piquete de ejecución.

¡Fatalidad!

Hacía mucho tiempo que deseaba regresar al castillo de If. Así que, veinte años después, desempolvé el viejo tomo de la editorial Porrúa —841 páginas, texto a dos columnas, como debe ser el folletín canónico— y me puse a ello. Reencontré a Edmundo Dantés y al abate Faria como a dos viejos amigos, y poco a poco la vieja fascinación retornó a la vuelta de cada página. Todo seguía allí, intacto: la traición, el tesoro, la venganza. Inmensa ficción y, al mismo tiempo, real; de carne y sangre como la vida misma. Y entonces, releyendo asombrado lo que tan nítidamente creía recordar, llegué al capítulo donde el banquero Danglars reprocha a su mujer, no que tenga un amante, sino que los manejos de ese amante lo estén arruinando, y añade sus sospechas de una conspiración para llevarlo a la quiebra. En ese momento dejé el libro sobre las rodillas, apoyé la cabeza en el respaldo del sillón e hice una pausa-homenaje, con los ojos en el retrato imaginario del viejo Dumas que preside junto a otros colegas —Stendhal, Conrad, Sabatini, Stevenson— mi rincón de lectura. No sé de qué diablos se sorprenden ahora, pensé, cuando ven la televisión o los titulares de los periódicos. Él ya lo había contado todo, hace siglo y medio, mejor que nadie podrá hacerlo nunca. Con la certeza de que sólo los muy estúpidos o los muy soberbios se jactan de conocer los límites entre la realidad y la ficción.

Hay novelas de las llamadas populares que conocen un curioso destino: escritas con un objeto, terminan convirtiéndose, a pesar incluso de la intención del autor, en símbolos, en banderas de algo. A veces hasta sobreviven y van mucho más allá de las intenciones de su creador. Cuando Eugenio Sue escribió *Los misterios de París* para diversión de una clase burguesa, ávida lectora de folletines, no imaginaba que su obra terminaría siendo acogida como una denuncia de la triste condición de los oprimidos, y que muchos de quienes lucharon en las barricadas de 1848 lo harían por haber leído aquellas páginas. Otro tanto puede decirse de *Los miserables* de Víctor Hugo, o de *El conde de Montecristo*, de Alejandro Dumas. Todas ellas son novelas que admiten, ya en su origen, dos lecturas paralelas: la de quien se sumergía en sus páginas por el puro placer del planteamiento, nudo y desenlace, y la de quien encontraba en ellas otros elementos, otras notas y claves ocultas que daban profundidad y valor social a lo que en apariencia, y a veces incluso en la misma intención del autor, sólo era un elemental divertimento de masas.

Pero hay otro punto de vista posible a la hora de abordar estas lecturas: una visión de esa materia narrativa a la luz del tiempo y del concepto de lo relativo. Del mismo modo que la *Ilíada* puede leerse en 1992 con la conciencia de que de Troya a Sarajevo no hay, en cuanto a distancia histórica, sino algunos adelantos técnicos en la forma de arrasar una ciudad, el lector que se enfrenta a una novela como *El conde de Montecristo* tiene a su alcance, aparte el placer de la pura narración, de las peripecias apasionantes de Edmundo Dantés entre sus amigos y sus enemigos, el gozo sutil de observar la supuesta ficción a la luz del mundo concreto en el que vive, de la sociedad que lo rodea. Entonces, por uno de esos milagros fascinantes que sólo las grandes obras maestras deparan, todos los personajes cobran vida, rostros, nombres de ahora mismo, y uno descubre que la materia manejada por el talento de Alejandro Dumas es materia viva, eterna, actual. Pero también que, desde 1844, la llamada sociedad moderna fue rigurosamente fiel a sí misma: nada nuevo se ha inventado desde entonces en lo tocante a ruindad, hipocresía, arribismo, corrupción en las instituciones y poder omnímodo, absoluto, del dinero. La diferencia es que antes, cuando Edmundo Dantés maquinaba su evasión del castillo de If, aún había esperanza para los parias de la tierra. Hoy sabemos cómo suelen terminar los parias, y hasta es posible intuir, por escasa imaginación que se tenga, cómo puede terminar la tierra. Por eso, aunque no sea ya bajo idénticos motivos que el lector de folletines decimonónicos, el lector actual siente también que un sudor frío perla su frente ante los oscuros recovecos de la narración y de la vida que en ella se describe. Pero ahora, agonizando el que fue siglo de la esperanza, el sudor resulta más frío; el estremecimiento es mayor.

El conde de Montecristo es una novela llena de recursos del oficio, de diálogos y descripciones forzadamente largos —Dumas cobraba a tanto la línea—, de estilo tosco y descuidado, adjetivos superfluos, divagaciones y desvergonzadas metáforas profesionales. Además, a menudo roza el cuento de hadas: la fuga de Dantés en el saco del muerto, los bandidos que leen a Plutarco, los disfraces, el tesoro, las sospechosas veleidades del azar que tanto ayudan a Dantés en su venganza. El lector se adentra en ello con la conciencia de que todo es un artificio lleno de trucos y trampas, y sin embargo, a su pesar, termina prendido en la trama, pasando las páginas febril, deseando incluso, víctima agradecida del mismo artificio, encontrar en el libro precisamente todos los lugares comunes, todos esos estereotipos melodramáticos que su sentido crítico rechaza, pero que su instinto de lector, la admiración por el talento de Dumas, por la extraordinaria estructura narrativa que se despliega ante sus ojos, termina haciéndole, incluso, desear. Y cuando Villefort da un paso atrás con ojos extraviados y el espanto en la frente, o Montecristo palidece de forma terrible y murmura *¡Fatalidad!*, o cuando Fernando se arrastra con suspiros que nada tienen de humano y rechinándole los dientes antes de pegarse un tiro, el lector detiene un momento la lectura, paladea el sabor perfecto y deliciosamente folletinesco de todo aquello y lamenta que sólo queden cincuenta páginas hasta el *¡Confiar y esperar!* que precede a la palabra *Fin.* Umberto Eco se preguntaba si hubiésemos amado igual esta novela en el caso de no haberla leído por primera vez —o las primeras veces— en sus arcaicas y ampulosas traducciones decimonónicas. Y es que hay otras novelas mucho mejor escritas, por supuesto. Pero, comparadas con el Montecristo, sólo son simples obras de arte.

Además, Edmundo Dantés somos todos. Su drama, su desdicha, su fortuna y su venganza conectan perfectamente con la condición humana de este fin de siglo. Prestemos atención con ojos de lectores de 1992 a los resortes argumentales de la novela: una inocencia, la del joven marino Edmundo Dantés, recién desembarcado del *Faraón* y a punto de casarse con su novia Mercedes, se ve traicionado por aquéllos en quienes confía. Dantés es encarcelado por la envidia (Danglars), la lujuria (Fernando), la cobardía (Caderousse) y la ambición política (Villefort). Por un golpe de suerte, merced a su amigo el abate Faria, Dantés escapa y logra un tesoro, una fortuna incalculable, que le permite planear y ejecutar la minuciosa estrategia de su venganza. O, dicho de otro modo, sólo el dinero, la inmensa fortuna escondida en la isla de Montecristo, transforma al paria Dantés en el elegante e implacable conde que ejecuta, en la tierra, los designios de la terrible Providencia divina. Y es ahí donde desfila, a sus pies y ante los ojos del lector, la sociedad francesa de la Restauración, los Cien Días y la monarquía de Luis Felipe, tan hipócritas y corruptas en aquel siglo como en éste: con sus banqueros, sus dandies, sus altos magistrados con un cadáver enterrado en el jardín, sus políticos venales, su parlamento, sus sobornos, los banquetes, las fiestas mundanas, las letras de cambio, las aristocráticas damas de virtud fácil, los mediocres poderosos, los canallas encumbrados, los advenedizos arrogantes, los analfabetos convertidos, merced a la política o al dinero, en árbitros de la moda, la moral, la elegancia y la cultura. Y el lector, que a las veinte páginas no sólo comprende a Dantés, no sólo se identifica con Dantés, sino que *es* Edmundo Dantés, participa, personal e íntimamente, en la deliciosa revancha que por mano interpuesta, la del Conde de Montecristo, Dios o quizá la simple y objetiva Justicia, tan huérfana y desvalida ayer como hoy, se desencadena contra la ambición arribista, la envidia pasional y las tiranías sociales. Una venganza —y ahí está el detalle espléndido del asunto— llevada a cabo con las mismas armas de los enemigos: el poder del dinero. Un dinero que se vuelve, gracias al genio del abate Faria y a la Providencia, terrible arma arrojadiza contra ese mismo poder. Y el lector, incluso el escéptico y resabiado en la era de la televisión y la informática, aplaude el prodigio como hacía antes el público en el gallinero de los teatros y en los cines de barrio, cuando silbaba a los traidores y aclamaba a los caballeros sin miedo y sin tacha. Silbidos y aclamaciones que, para nuestra desgracia, ya no suenan en ninguna parte, convertidos en patrimonio exclusivo de los inocentes y de los niños.

Por eso Edmundo Dantés sigue vivo. La grandeza de *El conde de Montecristo* reside en que su venganza, la única justicia posible en aquel y en este mundo de tahúres y sinvergüenzas, también es la nuestra. *Esperar y confiar.* Y que Dios, además de las justas repúblicas que dan asilo a un hombre, además de las islas lejanas a donde nunca llegan órdenes de captura, bendiga también al viejo Dumas. Amén.

El cigarrillo de John Reed

La imagen es viejo celuloide en blanco y negro, con ese grano grueso y el movimiento demasiado rápido de las imágenes rancias. La magia de Eisenstein fijó para siempre, indeleble, la reconstrucción de aquel amanecer: Octubre de 1917. Por la pantalla del televisor desfilan fusiles, bayonetas, rostros tensos; marineros y soldados barbudos, feroces e ingenuos a un tiempo, dispuestos a cambiar sus vidas y cambiar la Historia. Hay disparos, humo, carreras, hombres que gritan silenciosamente con la boca abierta y desgarrada, sablazos, banderas que flamean frenéticas, abrazos de camaradas, *pobieda Tovarich,* de enemigos que dejan de serlo, y también saña de adversarios que se matan a bocajarro, irreductibles hasta el final.

Oprimo el pulsador del vídeo y la imagen se congela en la pantalla. Un campesino ruso, un mujik con gorro de lana y un capote militar hecho harapos, canana de balas cruzándole el pecho, es alcanzado por disparos de las tropas leales a Kerenski. Cae sin soltar su fusil, y en el suelo, con las últimas fuerzas, aún se vuelve hacia la cámara para gritar algo que el cine mudo no llega a recoger. Grito crispado y final, cuya interpretación queda a cargo de cada uno. Quizá dice «*Adelante camaradas*», o «*Todo el poder para los soviets*», que seguramente era el texto ajustado al guión. Aunque, puestos a establecer libres interpretaciones, se puede creer que el ruso moribundo grita lo que le da la gana. «*Ivanka, Ivanka*», por ejemplo, llamando a su mujer o a su hija, que arrancan patatas de un suelo helado esperando su regreso lejos de allí, en una miserable isba de adobe. O quizá el agonizante mujik se encara con Eisenstein y con la Posteridad para espetarles un sonoro insulto en buen ruso popular. Algo del tipo: «*Para qué todo esto*», o quizás: «*Podéis iros todos al carajo*».

La Historia de la Unión Soviética abarca setenta y cuatro años de este siglo. Como el resto de los acontecimientos que la precedieron, y como todos los que vendrán después, ocupa ahora su lugar exacto: una pequeña parte en el discurrir general del mundo, del tiempo y de la vida. Y como todas y cada una de las aventuras emprendidas por el ser humano, se resume en un inmenso cementerio; un largo camino lleno de vueltas y revueltas, subidas y bajadas, donde los hombres van dejando tras de sí una interminable sucesión de fantasmas. A fin de cuentas, la Historia con mayúscula no es sino la suma de las historias, con minúscula, de todos los hombres y mujeres cuyas tumbas jalonan los años y los siglos. Bajo ese bosque de estelas y cruces duermen el heroísmo, el amor, la esperanza, la generosidad, la abnegación, y todas aquellas incorpóreas materias de las que están hechos los sueños.

Acerquémonos un instante, el oído atento, a ese bosque de túmulos; recorramos ese camino singular que se pierde en la distancia. Entre sus brumas, como Eneas ante los guerreros troyanos que vagan impasibles por las orillas del Hades, veremos pasar a legiones de espectros. El mujik que mira desde hace tres cuartos de siglo hacia la cámara de Eisenstein pasa ante nosotros con el mismo grito, idéntico gesto impreso para siempre en el rostro. ¿De qué sirvió?, preguntan quizá sus ojos desorbitados por el combate y la pólvora, las últimas sensaciones del mundo de los vivos que arrastró consigo antes de hundirse en la nada.

Sigamos atentos. Pasan ahora los espectros de los marinos de Kronstadt, ceñudos y hoscos. Los hombres que se sublevaron para correr a sus casas y estar allí cuando se repartieran las tierras del zar y de los señores. Pasan arrastrando las esperanzas muertas igual que arrastran sus harapos y sus heridas, precediendo a los camaradas de las flotas del Báltico y del mar Negro, a los hermanos del *Potemkin,* a los civiles muertos en la escalera de Odesa, en los muelles del Neva, en los puentes de San Petersburgo. A los revolucionarios asesinados por la policía secreta del zar, la *Ochrana,* en las cárceles y en el extranjero. Hay un rumor que surge de la fila interminable, muy parecido a una canción en voz baja, casi entre dientes, acompasada con el arrastrar de pies envueltos en trapos, botas descosidas, jirones de tela y piel, sobre el suelo frío y duro del camino.

Escuchamos después un sonido sordo, apagado. El ruido de cascos de caballos que se acercan entre la niebla. Se perfilan ahora, en el atardecer interminable, las siluetas de los jinetes de Budienny, de la caballería roja, la de las cargas heroicas y la leyenda. Pero no cabalgan solos. Tras ellos, sobre las osamentas de sus corceles, pasan ahora los fantasmas sombríos de los cosacos y los jinetes de los ejércitos zaristas de Wrangel, la infantería que trazó con sangre la última retirada en Crimea, el barón Ungern y sus últimos soldados blancos de Manchuria. El zar Nicolás, a pie desde Ekaterinburgo, lleva en brazos el cuerpo inerte del zarevich Alexis; lo siguen silenciosas la zarina Alejandra, Olga, Tatiana, Marina y Anastasia. Los acompañan sus verdugos y la multitud interminable de hombres, mujeres y niños que murieron de hambre y frío aquel invierno de 1917 y los muchos inviernos que siguieron, tan parecidos a los muchos inviernos que vendrán.

Silencio ahora; llegan nuevos espectros. Son los contrarrevolucionarios fusilados, torturados, deportados a Siberia o extinguidos en las cárceles soviéticas, en nombre de la construcción de la fraternidad humana, de la guerra sin piedad en la que es necesario aniquilar al hombre para liberar al hombre. Fantasmas pálidos y callados, padres e hijos de la revolución devorados por ella. Los purgados por Stalin, el tiro en la nuca y el gulag. Los del exilio, perseguidos y muertos uno tras otro. Trostki se perfila en la bruma; camina grave, inclinada la cabeza, escuchando a Ramón Mercader que expone sus razones. Y John Reed se detiene a encender un cigarrillo recostado en la muralla del Kremlin mientras se pregunta si, realmente, aquellos diez días estremecieron al mundo.

Pasan así unos y otros, y entre ellos siempre hay mujeres que buscan a sus maridos e hijos entre los muertos o los prisioneros, chiquillos que lloran asustados, ancianos que se sientan, exhaustos, a un lado del camino; carniceros que les acercan el cañón de una pistola a la sien. Fijaos también en esos niños de cráneo rapado, ojos grandes y tristes, que llevan colgadas al cuello sus fichas policiales: hijos de contrarrevolucionarios ejecutados, sometidos en sus orfanatos a vigilancia y reeducación especial. Les dan la mano los soldados muertos en la Gran Guerra Patria, los héroes de Smolensko, los defensores de Stalingrado, los partisanos ejecutados por los nazis, los soldados rudos e ingenuos que condujeron tanques en Berlín, Budapest, Praga; que fueron descuartizados vivos al caer prisioneros en las llanuras del Afganistán. Vedlos a todos en el mismo camino por donde pasan ahora otros hombres y mujeres amordazados, con la carne desgarrada por las alambradas y las torturas en los sótanos de la Lubianka. Los disidentes conocidos y los otros miles sin nombre ni rostro; aquellos de quienes nunca se ocuparon los medios de comunicación occidentales, sepultados en vida en los campos de concentración siberianos, en los manicomios de internamiento forzoso. Y el rumor que dejan tras de sí es el de las voces sometidas al silencio, las canciones nunca cantadas, las páginas no escritas, las palabras que no pronunciaron jamás.

En ese camino, poblado de siluetas que se dan la mano con otros millones de sombras errantes en el tiempo y la memoria, quedan tras el eco de sus pasos muchas cuestiones sin respuesta. Los rostros graves que forman esa columna, larga de setenta y cuatro años, parecen preguntarnos para qué sirvió todo aquello. Dónde fue a parar el fruto, si es que lo hubo, de tanto sufrimiento, tanto heroísmo, tanto sacrificio. Para qué los muertos, los huérfanos, los cementerios. Y en qué oscura tumba se pudren todos ellos mientras sobre sus huesos, como siempre al cumplirse el plazo que establece la miserable condición humana, chalanean los mercaderes, los tiburones de río revuelto, los oportunistas del estraperlo y la política, los que viven de apropiarse causas ajenas, y fabrican himnos, banderas y arengas, y a su conveniencia levantan o destruyen monumentos a la memoria de las pobres sombras que pueblan los desvanes de la Historia.

Y sin embargo, algo queda de todos ellos. En la senda perdida por la que se alejan, entre la bruma que cubre el paso y las huellas de los rezagados, de tantas víctimas y héroes que jamás pretendieron ser lo uno ni lo otro y, a menudo, fueron ambas cosas a la vez, vibra en el aire como una nota, un eco peculiar, un sentimiento. Junto a lo peor que es capaz de ejecutar el hombre, queda también lo mejor que éste puede dar de sí: la emoción de la esperanza, la abnegación, el ansia de libertad, la solidaridad ingenua y magnífica que late en el corazón humano. No el triunfo que no existió, que nunca existe; sino el espíritu de rebelión y de lucha, la suma de las conciencias y los corajes individuales. Quizá todo no fue más que un inmenso error, una de esas trágicas piruetas que, de vez en cuando, nos depara la cruel rutina de los siglos. Pero no hubo error ninguno en el valor oscuro, enternecedor y anónimo, de quienes en manos de unos o de otros, pero empujados por la fe de un sueño, apretaron los dientes y se pusieron de pie, en su fugaz instante de gloria, para dejarse matar y padecer por la libertad del hombre. De ese hombre al que creyeron necesario salvar; no en el cielo sino aquí, en la tierra.

Mienten como bellacos quienes afirman que tanto sacrificio fue inútil; que todo se derrumbó con las estatuas y los símbolos. Entre sus pedazos permanece intacto lo que de verdad sobrevive a cada revolución, a cada sueño condenado al fracaso. Aunque sobre los tronos demolidos con sangre honrada se alcen, tarde o temprano, nuevos canallas y nuevos tiranos, siempre quedará aquello de lo que es capaz el corazón del hombre cuando se rebela y lucha. Y en la huella de todos esos pobres fantasmas olvidados resonará, eternamente, el aldabonazo terrible que dieron en la puerta cerrada de la Historia. En el mundo habrá otros zares y otros tiranos; pero quienes pretendan dormir en sus camas siempre velarán con miedo. Tal vez eso decía el grito silencioso del mujik agonizante, aquel 17 de Octubre en la ciudad que hoy se llama, de nuevo, San Petersburgo.

Cuatro héroes cansados

Lo encontré por primera vez cuando era joven e impulsivo, inexperto provinciano montado en su jaco amarillo para rechifla de los paisanos y de los agentes del cardenal Richelieu. Y cuatrocientos veinticinco capítulos después de que entablásemos conocimiento en Meung-sur-Loire aquel primer lunes de abril de 1626, cincuentón y resabiado, curtido en mil peripecias, cuando por fin estaba a punto de conseguir el bastón de mariscal frente a las murallas y trincheras de Maastrich, me lo mató una bala holandesa. De estar vivo para comentar el suceso, Athos nos habría mirado con aquellos ojos serenos donde, al emborracharse, aparecía la imagen de Milady, diciendo que era una más de las jugarretas del destino. Porthos habría soltado una risotada jovial, quitándole importancia a ese incidente de morirse. En cuanto a Aramis —el único de los cuatro que no murió jamás—, habría asentido en silencio desde la penumbra, como si todo estuviese escrito de antemano en un libro secreto que él tuviera en su poder. La verdad es que resulta curioso. Hace treinta y dos años que, de los cuatro, d'Artagnan es mi mejor amigo. Y ahora caigo en la cuenta de que nunca conocí su nombre de pila.

Hay libros tan íntimamente ligados a viejas imágenes, olores, sensaciones, que resulta imposible abrirlos de nuevo sin que, de golpe, reviva todo ese fragmento de pasado que acompañó su primera lectura. Si el solar de un hombre lo constituyen, sobre todo, la memoria y los recuerdos de infancia, ciertos libros, los que más huella dejaron o acompañaron momentos decisivos de sus años transcurridos, terminan adoptando ellos mismos, con el paso del tiempo, el carácter de bandera o de patria. Esto ocurre a menudo con ciertas páginas leídas en años fértiles, cuando la imaginación de un muchacho aún mantiene, por fortuna, difusas las fronteras entre realidad y ficción que después, tan cruelmente, delimitará el mundo de los adultos razonables. Hermosos y nobles libros limpios de corazón, fieles no a lo que ven o hacen los hombres, sino a lo que los hombres sueñan.

Son tres los libros que, por diversas razones y circunstancias, más veces he releído en mi vida: *La cartuja de Parma, La montaña mágica* y el ciclo completo de las andanzas de d'Artagnan y sus amigos, que incluye *Los tres mosqueteros,* primera parte y la más conocida, que antecede a *Veinte años después* y a *El vizconde de Bragelonne*. De todos ellos, el primer descubrimiento, el primer amor, la primera y temprana pasión corresponde, sin duda, a la trilogía escrita por Dumas. Todo arranca de un jovencísimo lector de nueve años que descubre cuatro antiguos volúmenes encuadernados en piel en la biblioteca de su abuelo, y se fragua en días de lluvia y gripe en la cama devorando páginas, o largas tardes de verano a la orilla del mar. Así nació una pasión que me ha llevado hasta el extremo de rastrear después, en polvorientas librerías de viejo, antiguas ediciones por entregas, folletines canónicos a dos columnas y en mal papel, o facsímiles de los periódicos donde esas historias fueron publicadas entre 1844 y 1850, con las ilustraciones magníficas de Leloir, La Neziere, Desandre y Neuville. Y aún hace nada, un par de años, a principios de 1991 y en plena guerra del Golfo, cuando remontaba con un equipo de TVE la carretera de Kuwait entre pozos de petróleo en llamas, en la mochila viajaba conmigo el segundo volumen de

El vizconde de Bragelonne, y en mi cabeza se mezclaban las imágenes de la batalla y la hora de cierre del telediario con las intrigas de los amigos de d'Artagnan, el secuestro de Luis XIV y el misterio de la Máscara de Hierro.

Alejandro Dumas, ese escritor jovial y vividor, que se arruinó y enriqueció varias veces en su vida, gastándose el dinero en juergas, viajes, banquetes, flores, lujosas residencias y bellas amantes, fue el hombre más leído de su tiempo. Lo que hoy llamaríamos un *best-seller,* con fama muy superior a la que tendrían Stephen King, John Le Carré, Lapierre y Collins y todos los grandes fabricantes de éxitos editoriales del mundo moderno. En el siglo pasado, a Dumas lo leían desde Nueva York a Vladivostok, y se llegaban a fletar barcos para transportar rápidamente sus obras, que el público devoraba con avidez. Contaba con dos virtudes: una extraordinaria capacidad para apropiarse de historias ajenas y adaptarlas a su voluntad, documentándose en todas partes, y un talento abrumador, definitivo, que convertía en aventura y emoción todo lo que tocaba. Llegó a tener como colaboradores a escritores de talento; pero ninguno de éstos, al separarse de él, logró triunfar en solitario. Dumas era la magia. Dumas era, y sigue siéndolo para muchos, la Novela con mayúsculas. La novela popular, la peripecia, el folletín por entregas que tenía al lector con el alma en vilo hasta la siguiente entrega. Escribió siempre, hasta casi su muerte. Doscientos cincuenta y siete tomos de novelas, memorias y otros relatos, y veinticinco volúmenes de obras teatrales. Murió en casa de su hijo Alejandro, el autor de *La dama de las camelias*, dulcemente. Su hijo hizo de él este epitafio: «Ha muerto como ha vivido. Sin darse cuenta».

Los tres mosqueteros, con su continuación *Veinte años después* y *El vizconde de Bragelonne,* fue su obra más famosa, junto con *El conde de Montecristo.* Pero, a pesar de su imaginación, Alejandro Dumas no inventó el personaje de d'Artagnan. Durante una visita a Marsella, el escritor pidió prestado un libro que después nunca devolvió, y que le daría fama inmortal. El libro eran las *Memorias de d'Artagnan,* la historia de un oficial de mosqueteros, escrita por un tal Gatien de Courtilz de Sandras, un aventurero que vivió a finales del siglo XVII y narró las supuestas memorias de un personaje real: Carlos de Batz Castelmore, conde de Artagnan. Un gascón nacido en 1615 que, como en la novela, fue mosquetero, aunque no vivió durante la época de Richelieu sino en la de Mazarino, y murió en 1673 durante el asedio de Maastrich cuando, igual que su homónimo de ficción, iba a recibir el bastón de mariscal. Dumas tomó de las memorias de Courtilz todo cuanto le apeteció para la novela, adaptándolo a sus necesidades novelescas. Porque Dumas era un tramposo; un hombre con una extraordinaria capacidad para alterar los hechos en beneficio de sus historias. Fíjense en Richelieu, sin ir más lejos. Armando Juan du Plessis fue el hombre más grande de su tiempo, el que estableció los fundamentos del Estado francés y su hegemonía frente a España; pero tras pasar por las manos de Dumas, que necesitaba un malvado para su novela, quedó para siempre con la catadura de un villano. Eso era típico de Dumas, que, cuando lo acusaban de violar la Historia respondía: «La violo, es cierto. Pero reconozcan que le hago bellas criaturas».

De esa forma, tomando de una parte la vida del d'Artagnan auténtico y mezclándola con datos y anécdotas salidos de otros libros de memorias e históricos de la época, Dumas y su colaborador Augusto Maquet compusieron la narración de los mosqueteros, que se publicó en el diario *Le Siècle* por entregas: *Los tres mosqueteros,* del 14 de marzo al 11 de julio de 1844; *Veinte años después,* del 21 de enero al 28 de junio de 1845; *El vizconde de Bragelonne,* del 20 de octubre de 1847 al 12 de enero de 1850. El éxito fue inmediato, inmenso, extraordinario e internacional, y situaría la obra de Alejandro Dumas entre los autores más leídos en la historia de la literatura universal.

Y es aquí donde llegamos a la gran pregunta: ¿Existieron Athos, Porthos y Aramis, o sólo fueron producto de la imaginación del novelista...? Por suerte hay una respuesta para eso. El propio Dumas los creyó personajes de ficción, apoyándose sólo en los tres nombres mencionados por Courtilz de Sandras en sus *Memorias de d'Artagnan*; pero todos existieron y anduvieron cerca unos de otros. Athos fue Armand de Sillegue, señor de Athos, mosquetero de la guardia del rey desde 1640, que murió en París en 1643 sin haber podido, por tanto, tomar parte en ninguna de las aventuras de la novela *Veinte años después.* Murió en un duelo, pues su cuerpo fue descubierto atravesado de una estocada en el Prado de los Clérigos, lugar frecuentado por espadachines y duelistas de la época.

Respecto a Aramis, el refinado mujeriego con vocación religiosa, se llamaba en realidad Henri d'Aramitz, e ingresó en los mosqueteros cuando Athos, hacia 1640. Fue escudero, abate laico en la senescalía de Oloron, y ahijado del señor de Treville, otro personaje real, que Dumas hace aparecer en los primeros capítulos de la novela. Aramitz se casó y tuvo varias hijas cuya descendencia, al parecer, vive todavía.

Se ignora si Porthos era, como en el texto, un gigante de noble corazón, valiente y leal camarada. Pero lo cierto es que nació en Pau, se llamaba Isaac de Portau, e ingresó en los mosqueteros sólo un año antes de la muerte de Athos. Dice la crónica que murió pronto, por enfermedad o en la guerra con los españoles. O tal vez en algún duelo, como Athos.

Y también existió Rochefort, el malvado espadachín sicario del cardenal, el hombre de la cicatriz, cuyo personaje extrajo Dumas de unas supuestas *Memorias de MLCDR (el Señor Conde de Rochefort).* En cuanto a Milady, la perversa Milady, Dumas la obtuvo en las *Memorias* de La Rochefoucauld. No se llamaba Ana de Brieul ni se casó con ningún lord Winter; pero sin duda era muy bella. Su nombre real fue condesa de Carlille, y le robó, como en la novela, dos herretes de diamantes al duque de Buckingham en un baile.

Y llegamos a d'Artagnan, el auténtico. Carlos de Batz Castemore nació entre 1615 y 1620 en Lupiac, Gascuña, y fue a París muy joven. Así que, para situar a sus héroes en la época histórica que más le conveía, Dumas lo envejeció diez años. Puede así tener dieciocho el primer lunes de abril de 1626 y vivir la larga aventura de los mosqueteros. El otro, el auténtico Carlos o Charles, nombre propio que nunca aparece en la novela de Dumas, ingresó en 1635 en la compañía de guardias del rey que mandaba, como en la novela, el señor des Essarts, y con él participó en 1640 y 1641 en los sitios de Arras y en las campañas del Rosellón. El erudito y novelista Néstor Luján apunta con verosimilitud que seguramente estuvo en Cataluña cuando la guerra de *els Segadors,* y en la Isla de los Faisanes cuando el enlace de Luis XIV con una infanta de España. También viajó por Inglaterra en 1643, ingresando en la compañía de mosqueteros reales cuando ya había muerto Luis XIII. Nunca pudo ser, por tanto, mosquetero bajo Richelieu y este monarca. Lo que sí fue, según todos los indicios, es un activo agente del cardenal Mazarino: a tenor de la correspondencia secreta del cardenal, d'Artagnan desempeñó diversas misiones secretas durante la Fronda y siguió una brillante carrera militar. Luchó en Flandes y ascendió en 1657 a teniente de los mosqueteros del rey, graduación equivalente a la jefatura efectiva de esta unidad. A la muerte de Mazarino siguió a las órdenes del joven Luis XIV, quien le encomendó, como en *El vizconde de Bragelonne,* la custodia del superintendente Fouquet cuando éste cayó en desgracia y fue detenido. Madame de Sevigné, amiga de Fouquet, dedicó encendidos elogios a la cortesía y caballerosidad de d'Artagnan en su correspondencia. En 1667 sucedió al duque de Nevers como jefe máximo de los mosqueteros, y murió por fin en Maastrich en 1673, encabezando un asalto. Nunca recibió el bastón flordelisado de mariscal de Francia que Dumas, más generoso que el rey a quien d'Artagnan sirvió toda su vida, le puso en las manos en el momento de su muerte.

Ésa fue la carrera militar del auténtico d'Artagnan. En cuanto a su vida privada han podido comprobarse muchos datos, pues se conocen su testamento y el inventario de su casa. Casó con una viuda rica, tuvo dos hijos y se separaron. El d'Artagnan de ficción murió soltero, era tacaño y tuvo poco éxito con el dinero y con las mujeres. El de verdad fue mujeriego, adinerado y gran señor, aficionado a las amantes, los perfumes y las joyas. Pero ambos eran valientes, apuestos, astutos y duelistas.

¿Ficción o realidad...? En la obra de Dumas, nadie es capaz de separar la una de la otra, a estas alturas. De hecho, la realidad permanece como un alma de hierro por debajo de la novela de ficción, aunque a fin de cuentas la realidad sea lo de menos. Lo cierto es que su éxito fue inaudito. Ahí están, en las amarillentas colecciones de las hemerotecas, anunciándose en los periódicos de mayor tirada de la época, publicadas por entregas, capítulo a capítulo, en primera página. Se cumplía así con una de las exigencias del público: emoción e interés, como en las actuales telenovelas, con buen cuidado de interrumpir la narración en el momento justo, dejando al público con el alma en vilo hasta la siguiente entrega. Historias dirigidas a una amplia masa de lectores ávidos de novedades, sorpresas y emociones. Quizá paladares no muy exigentes; pero masas de público, al fin y al cabo, donde también se incluían los más refinados lectores.

En España el éxito fue inmenso. El nombre de Alejandro Dumas figuró junto al de los grandes autores de su tiempo. Después vino la indiferencia y el desdén de los críticos, aunque no del público que le ha seguido siendo fiel hasta nuestros días. De un modo u otro, la literatura es un naufragio constante donde Dios, que es el lector, reconoce a los suyos. Y Dumas sigue a flote como caso extraordinario: autor popular que, a pesar de serlo, llegó a codearse con los más grandes ingenios de su tiempo, con los más grandes novelistas de la historia, sobreviviéndoles y sin desmerecer. A eso se llama, simplemente, talento.

Los tres mosqueteros es una novela folletinesca, sin duda. Un caudal de peripecias con todos los pecados propios de las obras de su clase. Pero también un folletín ilustre muy superior a los niveles comunes al género, que permanece fresco y vivo, que dispara ecos, resortes íntimos en la imaginación y los sentimientos de quien se enfrenta a sus páginas, sumiéndolo en una aventura apasionante y haciéndolo correr, galopar sin aliento de la ruta de Calais a Belle-Isle, batiéndose en las posadas o en los caminos, esquivando el veneno y el puñal en los corredores del Louvre, amando, matando y muriendo en una aventura que en realidad no es sino la Aventura, como decía R. L. Stevenson refiriéndose a Dumas, que late en cualquier corazón humano: voluntad ardiente, melancolía, fuerza un poco vana, amistad, elegancia sutil y galante, valentía, lealtad y ese tono de escéptica sabiduría, de pesimismo ligero o de templado optimismo que impregna el relato, y no es otra cosa que el lúcido conocimiento de la condición humana con lo que ésta tiene, a un tiempo, de despreciable y entrañable.

Sobre todo, a diferencia de los personajes fríos y sin alma de Verne, de los tragafuegos malayos de Salgari, de los piratas de buen corazón de Sabatini, los héroes de Dumas están vivos, tienen carne y sangre. D'Artagnan y sus compañeros son seres humanos sujetos a las pasiones y a los recuerdos; individuos que aman, odian, se quieren y son leales a pesar de las contradicciones y de las piruetas que, con el paso de los años, la vida impone. Puestos a extremar con ellos el rigor, Athos puede resultar un marido engañado; un héroe trasnochado y borracho que se aferra a su honor como único recurso para no volarse la tapa de los sesos. Porthos sería un gigante irresponsable y fanfarrón, Aramis un mujeriego intrigante e hipócrita. En cuanto a d'Artagnan, no saldría mejor librado. A fin de cuentas, su fama de espadachín es discutible, pues en *Los tres mosqueteros* sólo asistimos personalmente a cuatro de sus duelos, y en algunos vence aprovechando que Jussac, por ejemplo, se está levantando, o que el adversario, ciego en el ataque, se ensarta él solo en su espada. En el desafío con los ingleses sólo desarma al barón, que al retroceder resbala y cae. En cuanto a su moral y carácter, hay aspectos discutibles. Al duque de Wardes le roba el salvoconducto con malas artes y recurre a una baja maniobra para acostarse con su amante. Y por cierto, en cuanto a amantes sólo conquista a cuatro: Milady —con subterfugios—, una criada de la que se aprovecha, la pequeña burguesa Bonacieux y la fondista Magdalena que lo mantiene en *Veinte años después.* Y no hablemos de dinero: la primera ronda general que vemos pagar a d'Artagnan es después de capturar al general Monk, cuando hace veinte años que lo conocemos sin verle soltar un duro.

Quizás ahí esté la clave: en la abrumadora humanidad de los cuatro héroes de Dumas. En *Veinte años después* militan en bandos opuestos, desconfían unos de otros, se engañan y acuden armados a la cita de la Plaza Real en el capítulo XXXI, donde discuten, y mientras d'Artagnan echa mano a la espada, Aramis saca la suya y están a punto de batirse. Después, d'Artagnan se lleva al buen Porthos a Inglaterra con engaños y ambos ayudan a Cromwell mientras sus otros dos amigos defienden a Carlos I. Todavía en Inglaterra, d'Artagnan se negará a estrechar la mano de Athos, cuyo anticuado sentido del honor los ha hecho fracasar, poniéndolos en peligro a todos. La amistad inquebrantable que se profesan los mantiene unidos, sin embargo, aunque vuelvan a enfrentarse en *El vizconde de Bragelonne* por el asunto de Fouquet y la Máscara de Hierro, mintiéndose y adorándose al tiempo unos a otros, dispuestos a batirse contra el mundo si es necesario, jugándose a cara o cruz, por lealtad al pasado, a los peligros que compartieron y a su vieja amistad, posición, dinero, honor y vida. Ejemplo admirable de fidelidad y constancia, de valor generoso y abnegación. Y en mitad de las mil tormentas en que se ven envueltos, de las zozobras y los peligros, buscando cada uno sus egoístas ideales, honores o ambición, siguen queriéndose unos a otros a pesar de ellos mismos, de las ínfulas de predicador de Athos, de la doblez jesuítica de Aramis, de la escasa inteligencia de Porthos, del orgullo y ambición de d'Artagnan. En un mundo hostil de adversarios, cortesanos y enemigos poderosos, de reyes ingratos y maniobras políticas, en el torbellino de las sucesivas intrigas donde terminan siendo víctimas y protagonistas a menudo a su pesar, los cuatro antiguos mosqueteros jamás perderán de vista un límite ético, un vínculo moral indisoluble que justifica cualquiera de sus actos y mantiene a salvo su honor y dignidad: la fidelidad a sus amigos, la solidaridad generosa, todos para uno y uno para todos, que no es, en el fondo, sino el respeto, el culto a las sombras fieles de los héroes de limpio corazón que en otro tiempo fueron. La lealtad a sí mismos, a su propia juventud perdida.

Y de ese modo, durante cuarenta años de la historia de Francia, los acompañamos hasta el ocaso. Cumpliendo la ley de la vida se van acercando a él cansados, escépticos, con la memoria llena de ingratitudes y desengaños; pero también de los buenos momentos vividos juntos, del valor y el heroísmo compartidos, y de la amistad que sobrevivió a todo lo demás como un hilo de acero constante bajo la trama, cruzando de parte a parte las dos mil doscientas páginas en las que se cuentan los sucesos de sus vidas extraordinarias. Y sobre sus viejos corazones fieles va cayendo el telón con un tono de melancolía resignada y valerosa. Los cuatro hombres que hicieron temblar a reyes y cardenales, que alteraron con su coraje algunas de las más dramáticas páginas de la historia de su tiempo, aceptan resignadamente su destino y se extinguen con el relato. Los héroes son viejos y están cansados; sus sombras se extinguen con los rescoldos de su época, recordando con nostalgia, ya sin odio ni pasión, a los viejos enemigos, que la distancia vuelve tan entrañables como los viejos amigos. Desaparecidos unos y otros porque ya no quedan hombres como ellos, de su temple y de su clase, y el mundo en que vivieron y lucharon agoniza con ellos. El buen Porthos, el corazón leal, el gigante generoso, es el primero en irse. «Es demasiado peso», dice antes de sucumbir en la gruta de Locmaría, rodeado de cadáveres de los enemigos que se lleva por delante. Le seguirá Athos, mirando con serenidad al ángel de la muerte cara a cara, digno y honrado como vivió siempre. Y después, mientras Aramis se sume en las sombras convertido en general de los jesuitas, d'Artagnan morirá de pie, como mueren los viejos soldados valientes, con sangre en el pecho y el nombre de sus amigos en sus labios, rozando con la punta de los dedos el rostro, que siempre le fue esquivo, de la gloria.

Esas vidas las habré compartido ocho o nueve veces con la mía, y siempre llego a su término con una sospechosa humedad en los ojos. Y cuando cierro el último tomo no puedo evitar hacerlo despacio, como quien corre la lápida de una tumba, con la misma melancolía que rodea los últimos momentos de mis amigos perdidos. Al fin y al cabo, con ellos muere también cada vez parte de uno mismo, del niño que alguna vez se fue. De lo mejor, lo más noble y generoso que existe en la condición humana. Pero también, cada vez, queda el consuelo de saber que Athos, Porthos, Aramis y d'Artagnan no se han ido para siempre. Dentro de dos, cuatro o cinco años, un día abriré de nuevo el primer volumen por la primera página, y todo empezará otra vez desde el principio. Una mujer rubia y enigmática en una carroza. Un hombre con una cicatriz. Y un joven gascón de dieciocho años sobre un jamelgo amarillo, el primer lunes de abril de 1626. Y yo cabalgaré con él, eternamente joven, generoso y valiente, al encuentro de aventuras y peligros. En busca de los mejores amigos que tuve jamás.

Este libro
se terminó de imprimir
en los Talleres Gráficos
de Unigraf, S. L.
Móstoles, Madrid (España)
en el mes de abril de 2005

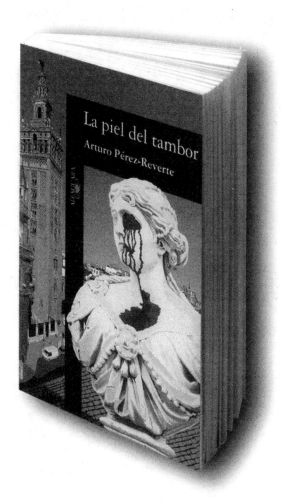